遼金史論

中华书局

图书在版编目(CIP)数据

辽金史论/刘浦江著. —北京:中华书局,2025.1（2025.7 重
印）. —ISBN 978-7-101-16778-8

Ⅰ. K246.07-53

中国国家版本馆 CIP 数据核字第 20243F9R69 号

书　　名	辽金史论
著　　者	刘浦江
封面题签	徐　俊
责任编辑	葛洪春
封面设计	刘　丽
责任印制	陈丽娜
出版发行	中华书局
	（北京市丰台区太平桥西里 38 号　100073）
	http://www.zhbc.com.cn
	E-mail:zhbc@zhbc.com.cn
印　　刷	天津裕同印刷有限公司
版　　次	2025 年 1 月第 1 版
	2025 年 7 月第 3 次印刷
规　　格	开本/920×1250 毫米　1/32
	印张 14⅝　插页 3　字数 350 千字
国际书号	ISBN 978-7-101-16778-8
定　　价	88.00 元

刘浦江（1961–2015）　北京大学历史学系教授，辽金史、民族史学家。1983 年毕业于北京大学历史学系中国史专业，1988 年起任职于北京大学中国古代史研究中心。著有《辽金史论》（辽宁大学出版社，1999 年）、《松漠之间——辽金契丹女真史研究》（中华书局，2008 年）、《正统与华夷：中国传统政治文化研究》（中华书局，2017 年）、《宋辽金史论集》（中华书局，2017 年），编著《二十世纪辽金史论著目录》（上海辞书出版社，2003 年）、《契丹小字词汇索引》（与康鹏合编，中华书局，2014 年）两部工具书，主持完成点校本《辽史》的修订工作（中华书局，2016 年）。

《刘浦江著作集》出版弁言

刘浦江先生离开我们整整十年了。

十年间，先生所心心念念的学生、学界与学术发生了巨大的变化。有些变化如其所愿，差可告慰英灵，有些则是他当年无法想象，恐怕也难以认同的。身处变局之中，整编出版先生的主要著作，当然"不仅是为了纪念"。

回看先生的文字，除却具体的学术见解，最令人印象深刻的莫过于那份纯粹与赤诚，那种对学术价值与尊严的珍视，对不掺杂功利考虑、独立自我问题意识的追求。这些品格无论在任何时代都是稀缺而奢侈的，也正因如此，对于潜心向学之人而言，它们才不会沦为空泛的高调，而真正具备砥砺振发之效，构成薪火相传、守先待后的切实动力。

此次所编《刘浦江著作集》系将中华书局出版过的《辽金史论》《松漠之间：辽金契丹女真史研究》《正统与华夷：中国传统政治文化研究》《宋辽金史论集》四部著作整合再版，除重新校对文字外，主体内容并无更动，同时每书后皆附先生论著目录，以备读者检核参考。

时间会让很多东西遭到抛弃，却会让另外一些东西被更好地铭记。"只要这本书还有人读,它就将把这种真诚传递给每一个读书人",相信在未来更多的十年里,会不断有人在这部著作集中收获真诚与感动。

受业弟子共书

2025 年 1 月 6 日

目 录

自　序

这是我的第一部辽金史论文集。

走上辽金史研究的道路,于我纯属偶然。1988年春,经邓广铭先生的全力举荐,我得以调入北京大学中国中古史研究中心,当时担任中心主任的邓先生布置给我的第一项任务,是让我彻底解决《大金国志》一书的真伪问题。我把这部并不算厚的书足足读了半年,逐条查找它的史料来源。这是我接触辽金史的最初契机。此后几年,一度心有旁骛,荒废了许多时日。坐标的最终确定,是1992年8月的事情。那一年我31岁。而今回想起来,总不免有晚学之恨。然而不管怎样,那毕竟是我人生中的一次重要抉择,我越来越确信这一点。

如果从1988年读《大金国志》时起,算是初入辽金史之门的话,到现在正好十年。比起其他断代史来,辽金史的堂奥并不算深,可即便如此,我至今也还只是徜徉在阶陛与门屏之间,远远没有登堂入室的感觉。我这十年的注意力主要集中在金史方面,目光转向辽史,只是近一两年的事情。从这部论文集里也能看出这种倾向,书中十分之七八的篇什是有关金史的。到我编下一部论文集时,或许就不会是这个样子了。

关于辽金史的定位,中日两国学者向来有不同的主张。日本

1

东洋史学界因受征服王朝说的影响,传统上以辽金元为一个历史单元,认为它们都属于满蒙史系列;而中国学者则历来都是将辽金史归入中国王朝史系列的,所以习惯上把宋辽金史算作一家。但这种归属仅仅表现在教材体系和课程设置上,若是说到研究状况,宋史和辽金史俨然是井水不犯河水。尽管有不少宋史研究者声称他们兼治辽金史,可深究起来,他们感兴趣的无非是宋辽、宋金关系而已;而所谓的宋辽关系史,实际上是宋朝对辽关系史,所谓的宋金关系史,实际上是宋朝对金关系史。这与辽金史有甚相干?至于辽金史研究者呢,则颇有两耳不闻窗外事的雍容。我没有打通宋辽金史的野心,但我很赞赏这样一种观点:研究辽金史,决不能就《辽史》论辽史,就《金史》论金史。

毋庸讳言,在宋辽金史这个领域中,辽金史研究者历来是处于下风的。自60年代以来,就有辽金史学家力倡宋辽金时代为中国历史上的第二个南北朝之说,这与其说是为辽金史争正统,毋宁说是为辽金史研究者争名分,我把它理解为辽金史研究者对长期以来遭受冷落所流露出来的愤懑和不平。辽金史学要想真正赢得史学界的尊重,必须证明自己的实力,而这将是一个艰难和漫长的过程。据我看来,直到今天,我国辽金史研究的总体水平还没有超过战前日本学者曾经达到的那种高度(尽管有人不肯承认这一点),辽金史研究至今仍未走出萧条。不过,正是由于辽金史的冷僻,所以尽管史料非常匮乏,但留给我们这一代学人的活动空间还绰有余裕。至今做辽金史研究,仍不时有一种垦荒的感觉,在中国传统的断代史学已进入精耕细作阶段的今天,这是辽金史研究者独一无二的机遇。

垦荒自有垦荒者的艰辛。老实说,做辽金史研究是一桩很寂寞的事情,缺乏同志,缺乏对话者,与唐宋史学界那种风光的场面自不可同日而语。不过话说回来,史学研究原本就是寂寞之道,其中虽无"黄金屋"、"颜如玉",但自有一种旁人难以体味的乐趣,沉潜其中,足以安身立命,也就够了。

这部书之得以面世,全仗辽宁大学出版社的刘雪枫先生一手促成。辽大出版社在尚未见到书稿的情况下,就将此书列入出版计划,并慨然允诺动用社里的出版基金来补贴此书的出版费用,这真是一个令人感动的故事。出版这样一部读者面很窄的学术著作,肯定是一桩赔本买卖,显见得无利可图;此书的作者又不是什么名流硕儒,想也无名可沽。在这样一个喧嚣的尘世上,还有什么比不带任何功利目的更高尚的举动?它向这世界证明了学术的价值与尊严。大义不言谢。只要这本书还有人读,它就将把这种真诚传递给每一个读书人。

自18岁负笈远行,离家已近二十载。这么多年中,我总共只回去过五次。前年夏天,当我回到阔别十一年的家中时,看到母亲的一头银丝,不禁抱愧万分。我生性不善于表达自己的情感,当着母亲的面,我什么也没说。深夜沉思,只觉得欠父母的太多了。在这个世界上,他们所给予我的爱和理解是无可替代的。我愿借此机会,向他们致以深深的祝福。

在提到我的妻子张文时,我不能不以一种负罪的心情来写下这些文字。在我们共同生活的十二年间,她有怨无悔地承担起这个家庭内绝大部分繁杂而琐碎的事务,给我以全力的支撑。令我深为不安的是,这种平庸的生活消磨了她的青春韶华,使她不凡的才具没有机会得到施展。我真不知道该怎么表达我的歉疚,也不知道怎么才能回报她于万一,不敢企望这本小书能带给她哪怕是一丝半点的安慰。

曾有人建议我请一位前辈名流为这部论文集作序,被我断然拒绝了。我想,既然是学术著作,何须来这种俗套?如果连这点自信都没有,即令有名家捧场又能怎样?我们处在一个价值判断力彻底沦丧的时代,人们不得不依靠序引、"书评"或者获什么奖之类的名堂去衡量学术水准。这真是学者的最大悲哀。但无论如何,我的著作是决计不要名家作序的。于是我很坦然地写下了这篇自序。

1998 年 8 月 7 日子夜,于京西大有庄

关于金朝开国史的真实性质疑

天庆四年（1114年），生女真部族节度使完颜阿骨打起兵叛辽；次年正月称帝建国，国号大金，建元收国。这是中国历史上尽人皆知的史实。然而本文的研究结果可能将改写这段历史。

一

《金史·太祖纪》对金朝的开国史做了如下的记载：

辽天庆四年（1114年）九月，完颜阿骨打以二千五百人起兵反辽，首战告捷，"撒改使其子宗翰、完颜希尹来贺，且称帝，因劝进。太祖曰：'一战而胜，遂称大号，何示人浅也。'"

同年十月，破宁江州。十一月，破辽兵于出河店。"是月，吴乞买、撒改、辞不失率官属诸将劝进，愿以新岁元日恭上尊号。太祖不许。阿离合懑、蒲家奴、宗翰等进曰：'今大功已建，若不称号，无以系天下心。'太祖曰：'吾将思之。'"

辽天庆五年（1115年）正月元日，阿骨打称帝建国："收国元年正月壬申朔，群臣奉上尊号。是日，即皇帝位。上曰：'辽以宾铁为号，取其坚也。宾铁虽坚，终亦变坏，惟金不变不坏。金之色白,完颜部色尚白。'于是国号大金,改元收国。"

收国二年(1116年)十二月,"谙班勃极烈吴乞买及群臣上尊号曰大圣皇帝,改明年为天辅元年"。

又据《金史·太宗纪》记载:天辅七年(1123年)八月,太祖崩;九月,太宗即皇帝位,"改天辅七年为天会元年"。

自《金史》问世六百余年来,有关金朝开国史的上述记载从未受到过任何怀疑。但是我近年发现的一些文献及考古材料,却使上述历史记载发生了严重的动摇。

南宋绍兴七年(1137年),吕颐浩写给宋高宗的《上边事善后十策》,其中有这样一段文字:"政和年间,内侍童贯奉使大辽,得赵良嗣于泸沟河,听其狂计,遣使由海道至女真国通好(原注:女真于宣和四年方建国号大金)。"①吕颐浩(1071—1139年),北宋元祐间进士,宋高宗建炎三年(1129年)和绍兴元年(1131年)曾两度出任宰相。据他在这篇奏议中所说,金朝建国之初本称女真国,至宋徽宗宣和四年(1122年)才改国号为大金。然而这一说法的可信程度如何呢? 至少有三点理由促使我们必须认真对待吕颐浩的上述记载:第一,吕颐浩是南宋位高望重的政治家,而非见识寡陋的俗儒,我们相信他不会信口雌黄;第二,这是写给宋高宗的奏议,而非一般的笔记杂著,不能视为游谈无根的传闻;第三,最重要的一点是,吕颐浩的特殊阅历使得他对金初历史拥有无可争辩的发言权。徽宗时,吕颐浩在与辽朝接壤的河北路长期担任转运副使、都转运使,身为北边方面大员;宣和五年(1123

①《忠穆集》卷一,文渊阁《四库全书》本。这篇奏议在《忠穆集》中没有系年,《三朝北盟会编》卷一七六系于绍兴七年正月,但《会编》所引此疏略去了那句关键的小注。

年)收复燕京后,又改任燕山府路转运使,对辽金鼎革的历史有最直接的了解,故上面引述的那篇奏议一开首就说:"臣任河北塞上守臣岁久,目睹金人与契丹相持二十年。"而且,宣和七年(1125年)金军攻陷燕京时,吕颐浩曾被郭药师劫持降金,在金军中滞留达三四个月之久,《上边事善后十策》也谈到了这件事:"臣于宣和七年十一月陷于虏贼,次年二月得归朝廷。"这些经历可以证明,吕颐浩有关金初历史的记载绝不是来自道听途说,必定是有相当可靠的根据的。

宋孝宗乾道六年(1170年)出使金朝的范成大,在他归来后呈交给朝廷的语录《揽辔录》中,提到当时金朝民间通行的一种小本历:"虏本无年号,自阿骨打始有天辅之称,今四十八年矣。小本历通具百二十岁,相属某年生,而四十八年以前,虏无年号,乃撰造以足之:重熙四年,清宁、咸雍、大康、大安各十年,盛(寿)昌六年,乾通(统)十年,大(天)庆四年,收国二年;以接于天辅。"①从范成大介绍的情况来看,这种小本历在金朝建国之前是采用的辽朝纪年,岳珂针对《揽辔录》的这段记载指出:"按此年号皆辽故名,女真世奉辽正朔,又灭辽而代之,以其纪年为历,固其所也。"②在辽天庆四年之后接续收国,收国二年之后接续天辅,说明范成大所看到的这种小本历关于金初的纪年与《金史》的记载是完全一致的。《揽辔录》的这段文字,引起我注意的是"虏本无年号,自阿骨打始有天辅之称,今四十八年矣"这句话。按照范成大的说法,金朝建立的第一个年号是天辅,没有《金史》所记载的收国年号;而且天辅至今"四十八年",如此算来,天辅元年当为1122年,

---

① 《三朝北盟会编》卷二四五,引范成大《揽辔录》。
② 《愧郯录》卷九"金年号"条。

与《金史》记载的 1117 年改元天辅不符。而范成大所称的天辅元年（1122 年）正好与吕颐浩所说的宣和四年（1122 年）女真国改国号为大金的时间相吻合，所以我怀疑它们反映的是一个共同的事实。至于 1122 年以前女真国究竟有没有年号，吕颐浩的奏议没有涉及，这个问题留待下文再讨论。

不仅如此，在金代文献中也同样能够找到很能说明问题的线索。宣宗贞祐二年（1214 年）朝廷臣僚讨论德运问题时，右拾遗田庭芳上奏曰："又闻故老相传：国初将举义师也，曾遣人诣宋相约伐辽，仍请参定其国之本号，时则宋人自以其为火德，意谓火当克金，遂因循推其国号为金。"①根据金人的这种传说，"大金"国号的确定乃是出自宋朝方面的建议，而宋金海上之盟始于 1118 年，至 1120 年才达成联手攻辽的协议。如果上述传说属实的话，那么"大金"国号的建立就不得早于公元 1118 年。

更值得注意的是，新近发现的金代考古材料也为此提供了一个颇具说服力的证据。1993 年 9 月在内蒙古敖汉旗清理发掘的一座金代墓葬中，出土了一合契丹小字墓志，墓主人是辽末降金的契丹人，在金代曾任博州防御使，卒于金大定十年（1170 年）。②这方墓志最令我感兴趣的地方是，志文第 11、12 和 15 行在记载墓主人金初的活动时，三次出现"女真国"的字样（另外第 12 行和 24 行两次称"女真"，无"国"字，可能不是指国号，当是指女真人或女真族），"女真国"被写作"𘴏𘱤"，而众所周知的金朝国号"大金国"，在契丹小字石刻《郎君行记》中写作"𘱎𘲩𘱤"。这方墓志对吕颐浩关于金朝原称女真国的说法提供了最有力的支持。面

①《大金德运图说》，文渊阁《四库全书》本。
②朱志民：《内蒙古敖汉旗老虎沟金代博州防御使墓》，《考古》1995 年第 9 期。

对这些发现，我想我们确有必要对金朝开国史重新进行一番审理。

二

　　首先需要探寻《金史》有关金朝开国史的史料来源。元代所修《金史》，依据的主要原始材料是金朝实录，《三朝北盟会编》卷一八引有一段《金太祖实录》的佚文："太祖生于辽咸雍四年戊申秋七月。其先为完颜部人，后因以为氏。以辽天庆五年建国，曰：'辽以镔铁为国号，镔铁虽坚刚，终有销坏，唯金一色最为真宝，自今本国可号大金。'天辅七年八月乙未，终于部堵滦。在位九年。"《建炎以来系年要录》卷一建炎元年正月辛卯条附注中也引有这段文字。① 可以看出，《金史·太祖纪》里的那段记载就脱胎于此，只比《实录》多出"金之色白，完颜部色尚白"一句话，当然这句话也不是元代史臣随意加上的。元修《金史》，除了依据金朝实录之外，还参考过金朝国史，苏天爵说："金亦尝为国史，今史馆有太祖、太宗、熙宗、海陵本纪。"②金朝国史是世宗以后撰修的，世宗大定间确定本朝德运为金德，后来就有人将太祖所建国号"大金"

----

① 《三朝北盟会编》和《建炎以来系年要录》都只有两处引录《金太祖实录》，文字又都不长，而且《会编》的引用书目中又没有列入此书，估计徐梦莘和李心传并没有见到原书，有可能是从归正人的著作中转引来的。但明人陈第《世善堂藏书目录》卷上载有"《金实录抄》三本（原注：完颜勖）"，完颜勖领衔纂修的金朝实录有两部，一为《祖宗实录》，一为《太祖实录》。据此推测，大概《金太祖实录》至明代后期犹有残本传世。
② 《滋溪文稿》卷二五《三史质疑》。

附会为金德之征，故"金之色白，完颜部色尚白"之说，大概就是国史中添加的内容。但金初历史的基本面貌在《实录》中已经成形，《太祖实录》二十卷，由尚书左丞相完颜勗领修，皇统八年(1148年)成书进呈。[①] 由此我们可以初步断定，目前人们所熟悉的有关金朝开国史的传统说法，大致是皇统八年《太祖实录》成书后定型的。

除了金朝实录和国史之外，另一部金代文献《大金集礼》对太祖阿骨打称帝建国的过程做了如下记载："收国元年春正月壬申朔，诸路军民耆老毕会，议创新仪，奉上即皇帝位。阿离合懑、宗干乃陈耕具九，祝以辟土养民之意；复以良马九队，队九匹，别为色，并介胄、弓矢、矛剑奉上。上命国号大金，建元收国。"[②]《大金集礼》是章宗明昌六年(1195年)礼部尚书张玮等人编修的一部官书，因此它对金朝开国史的记载当然是与实录、国史一致的。值得注意的是，这段文字对太祖阿骨打的即位仪式有比较详细的描述；然而我敢断言，即便阿骨打真的是在1115年称帝建国的，当时也绝不会有这么复杂的仪式，这段文字显然有许多藻饰的成份。

与上述金代官方文献相同的记载，我们至少还可以举出以下几种：

《三朝北盟会编》卷三谓铁州人杨朴劝阿骨打称帝，"阿骨打大悦，吴乞买等皆推尊杨朴之言，上阿骨打尊号为皇帝，国号大金，改元收国"。《会编》的这段文字纪年不详，但既然说阿骨打称帝伊始即建国号大金，又有收国年号，可知与金朝的官方记载是

---

①《金史》卷四《熙宗纪》、卷六六《完颜勗传》。

②《大金集礼》卷一《帝号》(上)"太祖皇帝即位仪"。

一致的。《三朝北盟会编》卷三详述女真始末，而不注出处，陈乐素先生怀疑它是引自李焘《四系录》的文字，[①]但我并不这么认为。按《玉海》卷五八曰："淳熙三年，权礼部侍郎李焘进《四系录》，记女真、契丹起灭，自绍圣迄宣和、靖康，凡二十卷。"《会编》卷三备述女真由来，并不始于绍圣，不像是出自《四系录》，我更倾向于认为它是徐梦莘本人根据各种有关记载而对女真历史的一个综述，其中有采自《松漠记闻》、《亡辽录》、《北风扬沙录》等书的内容，而有关阿骨打称帝建国的一节，则可能参考了《金太祖实录》的记载，上文征引的《金太祖实录》佚文，就见于《三朝北盟会编》卷一八。

南宋归正人苗耀《神麓记》曰："太祖，契丹咸雍四年岁在戊申生，自辽国天庆四年甲午岁，年四十七，于宁江府拜天册立，改元，称帝号。侍中韩企先训名曰旻。收国三年，天辅六年，共在位九年。"[②]苗耀是金世宗时遁归南宋的，他这里的记载当是依据金朝实录或国史。

元好问《续夷坚志》卷二"历年之谶"条谓："武元（即太祖阿骨打）以宋政和五年、辽天庆五年乙未为收国元年，至哀宗天兴二（当作"三"）年蔡州陷，适两甲子周矣。"又，元好问在天兴三年（1234 年）除夕作的一首《甲午除夜》诗云："神功圣德三千牍，大定明昌五十年。甲子两周今日尽，空将衰泪洒吴天。"[③]"甲子两周"，是指金朝从收国元年乙未（1115 年）建国至天兴三年甲午（1234 年）亡国，正好轮回两个甲子一百二十年。元好问的说法

---

①陈乐素：《〈三朝北盟会编〉考》，《历史语言研究所集刊》第 6 本第 2、3 分，1935—1936 年。
②《三朝北盟会编》卷一八，引《神麓记》。
③《遗山集》卷八。

与金朝的官方记载是完全一致的。

元世祖忽必烈至元二年（1265 年），翰林直学士王磐等奉命编纂《大定治绩》，其序谓"金有天下，凡九帝共一百二十年"。①王磐是金末进士，他的这种说法与元好问"甲子两周"的说法是一个意思。《金史》卷二《太祖纪·赞》谓"金有天下百十有九年"，是因为金亡于天兴三年（1234 年）正月十日，故将天兴三年略去不计的缘故。一百二十年也罢，百十有九年也罢，都是从 1115 年起算的。

郑麟趾《高丽史》卷一四睿宗十年（1115 年）正月载："是月，生女真完颜阿骨打称皇帝，更名旻，国号金。"《高丽史》是 15 世纪的著作，故有关完颜阿骨打称帝建国的记载大概是以《金史》为依据的。

以上记载都是与金朝的官方说法相吻合的。但是，有关金朝开国史历来就存在着许多不同的说法，在辽宋元史料中主要有两种异说，一说谓金朝建国于 1117 年，一说谓金朝建国于 1118 年。

金朝建国于 1117 年的说法以《辽史》为代表。《辽史》卷二八《天祚皇帝纪》（二）在天庆七年（1117 年）下记载说："是岁，女直阿骨打用铁州杨朴策，即皇帝位，建元天辅，国号金。"《辽史》卷七〇《属国表》也有相同的记载。按照这种说法，金朝没有收国年号，但天辅建元的年份与《金史》相同。又元世祖忽必烈至元三年（1266 年），许衡奏上的《时务五事》中有这样一段文字："金完颜氏都上京，迁燕。九帝，一百一十八年。"②许衡谓金朝历国一百一十八年，可能也是以为金建国于 1117 年，与《辽史》的记载暗合。

---

① 王磐：《〈大定治绩〉序》，《元文类》卷三二。
② 《元文类》卷一三。

金朝建国于1118年的说法,以宋元文献为代表。宋人普遍认为完颜阿骨打建立金国是在宋徽宗政和八年(即重和元年,公元1118年)。李心传《建炎以来系年要录》卷一重和元年八月载:"旻(即完颜阿骨打)用辽秘书郎杨璞计,即皇帝位。"他在《建炎以来朝野杂记》乙集卷一九"女真南徙"条中也记载说:"建中靖国元年,辽主天祚立,淫虐不道,阿骨打叛之,用兵连年,夺辽地大半。重和元年八月,阿骨打始称帝,以其水生金,故号大金,改元天辅。"王称《东都事略》卷一二五《金国传》云:"(天庆)四年,遂举兵叛。……辽东人有杨朴者,劝阿骨打称皇帝,以其国产金,号大金国,建元为天辅。是岁政和八年也。"南宋佚名《中兴御侮录》卷上谓阿骨打"自立为大金国大圣皇帝,建元天辅,时本朝政和八年,契丹亦天庆八年也。……阿骨打立六年卒,弟吴乞买立,改天辅六年为天会元年"。此外,如陈均《九朝编年备要》卷二八、李埴《十朝纲要》卷一八、佚名《宋史全文》卷一四等都是这种说法。

　　再有就是托名宋人而实出元人之手的《契丹国志》和《大金国志》,这两部书也一致记载金朝建国于1118年。《契丹国志》卷一〇《天祚皇帝》(上)天庆八年(1118年)条云:"是时有杨朴者,……劝阿骨打称皇帝,改元天辅。以王为姓,以旻为名。以其国产金,号大金。"《契丹国志》卷首所附《契丹国九主年谱》亦以辽天庆八年为金天辅元年。《大金国志》在天辅元年之前不记年号,只称"阿骨打之××年"(《大金国志》谓阿骨打于1102年承袭生女真部落酋长之职,其纪年即始于此年),在"阿骨打之十七年(即1118年)"下记载说:"是冬,阿骨打用杨朴策,始称皇帝,建元天辅。以王为姓,以旻为名。国号大金。"①该书卷首《金国九主

————————

① 《大金国志》卷一《太祖武元皇帝》(上)。

年谱》云:"太祖武元皇帝以戊戌(宋徽宗重和元年、辽海滨王天庆八年)称帝,国号大金,建元天辅;至癸卯天辅六年(宋徽宗宣和五年、辽海滨王保大三年)五月乙丑崩,在位六年。"又谓:"金主自宋徽宗重和戊戌称帝,至理宗端平甲午,计九主,一百一十七年。"宋元文献关于金朝建国于 1118 年的说法,不但比金朝官方文献记载的建国时间晚了三年,而且天辅元年也比《金史》的传统纪年要晚一年。

对于上述不同记载,过去人们大都不以为然,如赵翼在谈到《辽史》、《金史》的歧异时就这样说:"按《金史》,金太祖自出河店之捷,即于次年正月称帝,建国号曰金,年号曰收国,凡二年,又改元天辅。《辽史》,出河店之败在天庆四年,则金之建国应在天庆五年,乃《辽史》本纪是年并不载金建国之事,直至天庆七年始云:'是岁,女直阿骨打用铁州杨朴策,即皇帝位,改元天辅,国号金。'则似金太祖至是年始称尊,而收国两年俱抹煞矣。此《辽史》之疏漏也。"①这种观点可以说是很有代表性的。人们之所以如此笃信《金史》,是因为《金史》历来享有较高的声誉,赵翼说:"《金史》叙事最详核,文笔亦极老洁,迥出宋、元二史之上。"②《四库全书总目提要》这样评价《金史》:"其首尾完密,条例整齐,约而不疏,赡而不芜,在三史之中,独为最善。"对《金史》的这种信任感影响了人们的判断力,使他们对于与之相悖的其它异说都不屑一顾。现在看来,《辽史》及宋元人有关金朝开国史的不同记载,是必须予以认真对待的。

---

①《廿二史札记》卷二七"辽金二史各有疏漏处"条。
②《廿二史札记》卷二七"《金史》"条。

三

上述种种异说与金朝的官方记载在以下两点上是一致的：其一，完颜阿骨打起兵的时间，所有记载都说是在辽天庆四年（1114年）；其二，太祖完颜阿骨打的卒年、太宗即位并改元天会的年份，均记载为公元1123年。它们的分歧主要在于：完颜阿骨打何时称帝建国，国号是什么，有没有收国年号，天辅始于何年等等。要想弄清这些问题，就必须对辽末金初的历史进行具体的分析。

按照《金史》的记载，完颜阿骨打在天庆四年（1114年）九月起兵之后，很快便于次年正月一日称帝建国。在此期间，阿骨打统率的女真兵只进行了两次规模很小的战斗。九月的宁江州之战，女真人当时的全部兵力还只有二千五百人，而宁江州的辽朝守军仅八百人而已。十一月的出河店之战，时女真"甲士三千七百，至者才三之一"。① 况且这两个地方也并非什么政治军事要地，这两场战斗的胜负对双方来说都远远不是决定性的。天庆五年（1115年）初的时局态势是，不惟辽朝五京当时尚未受到任何威胁，就连辽朝控制生女真的军事重镇黄龙府（今吉林省农安县）也还没有被女真人攻下，完颜阿骨打在这种情况下就贸然称帝建国，恐怕是不大合乎情理的。

实际上，完颜阿骨打起兵以后好几年内，都在与辽朝进行谈判，目的在于寻求妥协。这在《辽史·天祚皇帝纪》和《金史·太祖纪》里都有记载，只不过《金史》的文字比较隐晦罢了。双方的

---

① 《金史》卷二《太祖纪》。

议和活动从天庆五年(1115 年)正月就开始了,阿骨打提出议和的先决条件是:"若归叛人阿疏,迁黄龙府于别地,然后议之。"①阿疏即生女真之纥石烈阿疏,因故投奔于辽,女真人起兵叛辽,即以索取阿疏为借口;阿骨打所提的条件,其实质性的内容是第二点,即"迁黄龙府于别地"。从各种史料来看,完颜阿骨打起兵反辽,主要是因为不堪忍受辽朝的压迫,在他起兵之初,并没有推翻辽朝并取而代之的打算,而只是想争取女真族的独立地位罢了。天庆五年(1115 年)九月,阿骨打曾对其部众说道:"始与汝等起兵,盖苦契丹残忍,欲自立国。"②这几句话很能说明问题,阿骨打之所以提出"迁黄龙府于别地"的议和条件,就正是为了实施其"自立国"的计划。由此我们想到,吕颐浩说金朝原名女真国,后来才改国号为大金,看来并非天方夜谭。女真族起初只是为了获得独立而"自立国",故自称为"女真国",这是一种合乎逻辑的推理。辽朝建国之初,不也曾经以"契丹"作为国号么? 至于女真国的国号是什么时候建立的,则很难有一个明确的答案。

从天庆五年(1115 年)正月开始的议和活动,持续到当年九月。其间双方使节至少往返四次,但各自提出的条件相距太远:辽朝要求女真"为属国"、令其"速降",女真要求迁走黄龙府、脱离辽朝的控制。因此谈判没有结果。当年九月,辽天祚帝调集大军,准备亲征,"女直复遣赛剌以书来报:'若归我叛人阿疏等,即当班师。'"③不再提迁走黄龙府这一要害问题了,这是为什么呢?

---

① 《辽史》卷二八《天祚皇帝纪》(二)。
② 《辽史》卷二八《天祚皇帝纪》(二)。这段话又见于宋王称《东都事略》卷一二五《金国传》。
③ 《辽史》卷二八《天祚皇帝纪》(二)。

据说当时"延禧(即辽天祚帝)举国亲征,女真大惧",①阿骨打提出遣归阿疎、即当班师的条件,可能只是为了给自己找一个台阶下,妥协的态度很明显;孰料辽朝大军云集,志在必胜,竟连这点面子也不肯给,索性杀害了女真派来的使者赛剌,②致使谈判终于破裂。此后两年,双方数度交战,但没有议和的迹象。

根据《辽史》的说法,阿骨打是在起兵三年之后的天庆七年(1117 年)才称帝建国的,南宋方面的记载比这还要晚一年,两说孰是孰非暂且不论。值得注意的是,《辽史》及若干宋代文献都一致指出这样一个事实:完颜阿骨打称帝建国是采纳铁州渤海人杨朴的建议的结果。《三朝北盟会编》卷三对此有比较详细的叙述:

> 有杨朴者,铁州人,少第进士,累官至秘书郎,说阿骨打曰:"匠者与人规矩,不能使人必巧;师者人之模范,不能使人必行。大王创兴师旅,当变家为国,图霸天下,谋为万乘之国,非千乘所能比也。诸部兵众皆归大王,今力可拔山填海,而不能革故鼎新;愿大王册帝号、封诸蕃,传檄响应,千里而定。东接海隅,南连大宋,西通西夏,北安远国之民,建万世之磁基,兴帝王之社稷。行之有疑,则祸如发矢。大王何如?"阿骨打大悦,吴乞买等皆推尊杨朴之言,上阿骨打尊号为皇帝,国号大金。

杨朴,一作"杨璞",南宋方面的文献有关他的记载很多,如赵良嗣

---

① 《东都事略》卷一二五《金国传》。
② 《金史》卷八四《耨盌温敦思忠传》云:"自收国元年正月,辽人遣僧家奴来,使者三反,议不决。使者赛剌至辽,辽人杀之。"

《燕云奉使录》、马扩《茆斋自叙》、张汇《金虏节要》等书,都如实反映了他作为完颜阿骨打的主要谋臣在金朝建国前后的重要活动。赵良嗣和马扩是宋金海上结盟时宋方的主要谈判代表,多次往返于宋金两国之间,有关杨朴的记载当系他们的亲身见闻。张汇本为宋人,靖康之变后陷金十五年,后于绍兴十年(1140年)南归,他的记载也很值得信赖。然而令人奇怪的是,对于杨朴这样一位重要人物,《金史》却几乎不予记载,仅在《褥盌温敦思忠传》中提到一句,而对他建议阿骨打称帝建国等等关键活动都只字不提。过去人们历来把其中的原因归之于元朝史臣的疏漏,如《四库全书总目》在《金史》提要中就是这样说的:"其列传之中,颇多疏舛,如杨朴佐太祖开基,见于《辽史》,而不为立传。"现在看来,杨朴之不见载于《金史》,原因恐怕不在元朝史臣,而是金朝实录和国史有意隐讳的结果,因为杨朴建请阿骨打称帝建国的史实与金朝官方杜撰的开国史是相互矛盾的。

首先,从杨朴劝说阿骨打称帝的那些话来看,不像是阿骨打刚刚起兵不久的事情;其次,《契丹国志》和《大金国志》都说杨朴是渤海高永昌起兵叛辽时归降女真的,而高永昌在东京起兵是天庆六年(1116年)正月的事情,这就是说,杨朴劝阿骨打称帝不得早于天庆六年。另外,据《三朝北盟会编》卷三和苗耀《神麓记》记载,在杨朴劝阿骨打称帝的同时,由韩企先为阿骨打确定汉姓汉名,"以王为姓,以旻为名"。韩企先是辽朝进士,何时降金不详;若按《金史》的说法,谓阿骨打天庆五年(1115年)正月称帝建国,当时女真人只占有一个小小的宁江州,仍僻处于金源一隅,韩企先恐怕不会在这个时候就已归降女真吧?这些都是与《金史》的记载相抵牾的。

金朝实录和国史对杨朴的忌讳还有一个更重要的原因。据辽宋方面的史料记载,杨朴在劝阿骨打称帝建国之后,又建议遣使议和,请求辽朝加以册封。《辽史·天祚皇帝纪》云:"杨朴又言:'自古英雄开国或受禅,必先求大国封册。'遂遣使议和,以求封册。"女真方面提出议和的具体条件有十项:"乞徽号大圣大明者一也;国号大金者二也;玉辂者三也;衮冕者四也;玉刻'御前之宝'者五也;以兄弟通问者六也;生辰、正旦遣使者七也;岁输银绢二十五万疋两者八也(盖分大宋岁赐之半);割辽东、长春两路者九也;送还女真阿鹘产、赵三大王者十也。"①从这些条款来看,阿骨打的目的只不过是想得到辽朝对生女真建国的承认,想获得与辽朝平等的地位而已。实际上,请求辽朝册封这件事本身就充分说明了这样一个事实:在阿骨打称帝建国之后,仍然没有灭亡辽朝、取而代之的打算,因为此时女真人的力量还不够强大,他们还不敢奢望能够动摇契丹人的庞大帝国。

此次议和大约始于天庆八年(1118年)初,《辽史·天祚皇帝纪》和《金史·太祖纪》分别在这年的正月和二月开始出现双方遣使议和的记载,议和活动一直持续到天庆十年(1120年)三月。尤其引人注意的是,自天庆八年(1118年)闰九月以后,由于南宋方面的主动提议,宋金双方开始商议夹攻辽朝事宜,而与此同时,辽金之间的议和活动却仍未停止,完颜阿骨打还在继续寻求辽朝的册封,这表明当时女真人对灭辽尚无信心。这一阶段的议和活动,主要围绕着册封问题讨价还价,双方互遣使节不下十余次。天庆九年(1119年)六月,辽遣太傅萧习泥烈等册封完颜阿骨打为"东怀国至圣至明皇帝","杨朴以仪物不全用天子之制,又东怀

---

① 《三朝北盟会编》卷三。

国乃小邦怀其德之义,仍无册为兄之文",①于是"阿骨打大怒,鞭其使,却回之"。② 此后双方仍就册封的具体内容往复商议,久拖不决。直到天庆十年(1120年)三月,辽朝"以金人所定'大圣'二字,与先世称号同,复遣习泥烈往议。金主怒,遂绝之"。③ 和议最终破裂的一个重要因素,是因为这年春天金宋双方达成了夹攻辽朝的海上之盟,在这种情况下,女真人才终于下定灭辽的决心。是年三月,完颜阿骨打"诏咸州路都统司曰:'朕以辽国和议无成,将以四月二十五日进师。'"④四月,阿骨打率军亲征辽上京临潢府,拉开了与辽决战的架势。

完颜阿骨打向辽朝请求册封一事,清楚地反映了天庆十年(1120年)以前辽金关系的真实状况。此事虽主要见于辽宋方面的记载,但其真实性是绝无可疑的。北宋宣和元年(1119年)春,遣直秘阁赵有开等人报聘女真,因传闻女真已受辽册封,故临时改派军卒呼延庆前往。当年十二月二十五日,呼延庆离开女真前,完颜阿骨打亲口对他解释说:"大辽前日遣使人来,欲册吾为东怀国者,盖本朝未受尔家礼之前,尝遣使人入大辽,令册吾为帝,取其卤簿。使命未归,尔家方通好。后既诺汝家,而辽国使人册吾为至圣至明皇帝,当时吾怒其礼仪不全,又念与汝家已结夹攻,遂鞭其来使,不受法驾,乃本国守尔家之约,不谓贵朝如此见侮。卿可速归,为我言其所以。"⑤这是根据呼延庆向朝廷的报告而留下的记录,无疑是非常可靠的。

---

①《契丹国志》卷一〇《天祚皇帝》(上)。
②《三朝北盟会编》卷三。
③《辽史》卷二八《天祚皇帝纪》(二)。
④《金史》卷二《太祖纪》。
⑤《三朝北盟会编》卷四。

颇有意思的是，关于天庆八年到十年的辽金议和情况，虽然在辽、金史中都有记载，但两书有一个明显的区别：《辽史·天祚皇帝纪》对双方在册封问题上的讨价还价直言不讳，而《金史·太祖纪》却只记载双方互遣使节的情况，不提议和的内容。翻遍《金史》，只有《耨盌温敦思忠传》中的一段文字透露了阿骨打请求辽朝册封的事实："天辅三年六月，辽大册使太傅习泥烈以册玺至上京一舍，先取册文副录阅视，文不称兄，不称大金，称东怀国。太祖不受，使宗翰、宗雄、宗幹、希尹商定册文义指，杨朴润色，胡十荅、阿撒、高庆裔译契丹字，使赞谋与习泥烈偕行。赞谋至辽，见辽人再撰册文，复不尽如本国旨意。……辽人前后十三遣使，和议终不可成。"我猜想，这篇列传的史料来源可能不是金朝的官方文献（或许出自神道碑、墓志铭之类），所以无意间透露了真情。前面说过，杨朴其人也只是在这篇列传中才偶然地被提到一次，这更说明了我的猜测是有道理的。

日本学者外山军治氏对辽金之际的政治形势有一个概略的评析。他认为，完颜阿骨打于收国元年（1115 年）称帝之后，虽在对辽的战争中节节获胜，但直到天辅四年（1120 年）与宋朝达成夹攻辽朝的盟约时为止，始终没有推翻辽朝的计划；至天辅四年，金朝虽已占有辽的上京和东京，但对能否灭亡辽朝仍没有把握，金人产生灭辽的信心是在天辅五年（1121 年）五月耶律余睹降金，金人尽知辽朝虚实以后。① 从本文的分析来看，这个结论基本上是符合当时的实际情况的。

至此我们可以对金代官方文献篡改金朝开国史的动机做出

---

① 《金朝治下的契丹人》，见《金朝史研究》，李东源译，黑龙江朝鲜民族出版社 1988 年版，第 50 页。

一个合乎情理的解释了。完颜阿骨打起兵以后,由于女真人与辽朝实力相差悬殊,在很长一段时间之内,阿骨打是以争取女真的民族独立并获得辽朝的承认为其奋斗目标的,所以他最初建立的国家可能是以"女真"为国号的。而且即使在他称帝建国之后,仍与辽朝进行长期的和谈,希冀得到辽朝的册封,直到与宋朝达成海上之盟,阿骨打才决意灭亡辽朝并取而代之。及至女真人灭亡辽宋,入主中原,建立了一个庞大帝国之后,就对当初那段开国的历史讳莫如深了。于是他们在实录、国史等官方文献中重新塑造了一部开国史,要让人们知道,完颜阿骨打起兵伊始即称帝建国,并以取代辽朝为目的。当然,在金朝前期,可能还有少数人知道历史的真相,上文提到的《博州防御使墓志铭》称金国为女真国,就是一个证明。此墓墓主是由辽入金的契丹人,他的墓志既是用契丹小字写成的,当然也是契丹人的手笔。金代的契丹人大凡都有一点遗民心态,墓志作者刻意使用女真国的国号,似乎就是遗民心态的一种流露。

顺便指出,金朝统治者伪造本朝历史,这并不是唯一的例子。日本学者池内宏氏在他的名篇《〈金史·世纪〉研究》一文中指出,《世纪》所载太祖阿骨打以前的十代先祖中,从第六代景祖以后才是实有其人的,而前五代全系子虚乌有,是金人为了夸示其历史的悠久而虚构出来的世系。① 类似的例子还可以举出一些。

当我们对金朝开国史的真实性给予一个否定性的结论之后,还需要对大金国号及收国、天辅年号做一些具体分析。首先,"大

---

① 《满鲜地理历史研究报告》第 11 册,1926 年。参见三上次男:《关于金朝皇室完颜氏始祖的传说》,载《金史研究》第 3 卷,中央公论美术出版(东京),1973 年。

金"这个国号就很值得考究。"大金"一名,取义若何?《金史·太祖纪》是这么解释的:"上曰:'辽以宾铁为号,取其坚也。宾铁虽坚,终亦变坏,惟金不变不坏。金之色白,完颜部色尚白。'于是国号大金。"《金史·太祖纪》的蓝本是《金太祖实录》,《实录》引用阿骨打的话说:"辽以镔铁为国号,镔铁虽坚刚,终有销坏,唯金一色最为真宝,自今本国可号大金。"①按照这种解释,完颜阿骨打确定"大金"国号的本意,是因为金优胜于镔铁,明显流露出女真人想要取代辽朝的意图。然而这种说法并不可信。

金代中叶以后,关于"大金"国号又衍生出一种新的解释。章宗时朝廷百官讨论德运问题,因为各种意见分歧很大,主张维持金德的一派就以大金国号附会金德,如"刑部尚书李愈以为:'本朝太祖以金为国号,又自国初至今八十余年,以丑为腊。若止以金为德运,则合天心、合人道、合祖训。'"户部尚书孙铎等人也说:"圣朝太祖圣训:'完颜部色尚白,白即金之正色,自今本国可号大金。'又尝有纯白鸟兽瑞应,皆载之国史。请依旧为金德。"但这种附会之说在当时就遭到许多官员的反驳,泰和二年(1202年)尚书省奏曰:"李愈所论太祖圣训,即是分别白黑之姓,非关五行之叙。"②可以肯定地说,在完颜阿骨打起兵之时,女真人根本就没有中原王朝的德运观念,金德的确定是世宗大定初年以后的事情。"大金"国号与金德毫无关系。

总之,以上两种解释都不符合"大金"国号的本意。实际上,"大金"一名源自女真完颜部世代生息的按出虎水(今黑龙江省境内之阿什河),《金史》卷二四《地理志》就如是说:"上京路,即海

①《三朝北盟会编》卷一八,引《金太祖实录》。
②以上均见《大金德运图说》。

古之地,金之旧土也。国言'金'曰'按出虎',以按出虎水源于此,故名金源,建国之号盖取诸此。"我们不清楚《金史·地理志》的史料来源是什么,但很明显,它对"大金"国号的解释与刻意改造金朝开国史的《太祖实录》完全不同。《地理志》的这种解释可以得到许多史料的有力支持,《金国语解》说:"金曰桉春。""桉春"即按出虎之异译。《三朝北盟会编》卷三云:"以水名阿禄阻为国号。阿禄阻,女真语'金'也。以其水产金而名之,故曰'大金',犹辽人以辽水名国也。"这里说的"阿禄阻"也是按出虎的异译。又南宋归正人张汇《金虏节要》也说:"阿骨打为帝,以本土爱新(按:即桉春,此系清人以满语改译)为国号。爱新,女真语'金'也。以其水生金而名之,犹辽以辽水名国也。"①综合这些史料所得到的解释是:女真语称金为按出虎,按出虎水以产金而得名,"大金"国号即来自按出虎水,此外没有别的任何含义。

《太祖实录》对"大金"国号的解释既不可信,那么《实录》说的"辽以镔铁为国号"究竟是什么意思呢?这句话令多少辽金史研究者为之头疼。自元以来,人们对此解释各异。元世祖时的翰林学士王磐是这样理解的:"契丹以其国产镔铁,乃为国号,故女真称金以胜之。"②这是他的想当然之说,并没有任何根据。清人张穆则说:"契丹建国号曰辽,译言镔铁,盖《尔雅》'白金美者谓之镣'。故女真抗辽,则名其国曰金。"③《尔雅·释器篇》明明说镣是白金(银)之美者,与"镔铁"有何相干?况且"镣"和"辽"也不能划等号。此乃强为解人。30年代初,冯家昇先生在《契丹名

①《建炎以来系年要录》卷一,建炎元年正月辛卯条附注引《金虏节要》。
②王恽:《玉堂嘉话》卷三。
③《蒙古游牧记》卷七。

号考释》一文中专门就此问题做了详细的论证。他煞费周章地引证中亚、北亚各民族语言中"钢铁"一词的读音,试图证明"镔铁"即为"契丹"之音译或意译。① 但由于证据太薄弱,不为学界所认同。直至今日,"辽以镔铁为国号"仍是辽金史上的一个不解之谜。

我的解释是:"镔铁"一词与"辽"或"契丹"都没有任何关系,《太祖实录》里的那段话纯属杜撰。前面已经证明,"大金"国号来源于按出虎水,而《太祖实录》的纂修者为了表明完颜阿骨打起兵伊始即以取代辽朝为目的,于是随意编造了一个"辽以镔铁为国号"、"故女真称金以胜之"的话柄,曲解"大金"国号的本意,以期混淆世人的视听。不幸的是,后人果真深受其蒙蔽,致使这句话困扰人们达数百年之久。

最后要谈的是收国和天辅年号的真伪问题。

根据本文的考述结果来判断,我认为收国年号是不存在的。金朝的建国,看来并不像《太祖实录》所记载的那么早,如果天庆五年(1115 年)没有建国的话,当然也就无所谓收国年号了。从文献记载来看,《辽史》以及绝大多数宋人著述中都没有提到这一年号,金代考古材料中唯一涉及收国年号的是《海龙女真摩崖石刻》。这一石刻位于吉林省海龙县城西杨树林山山崖上,最早发现于光绪年间,1929 年奉天省通志馆搜罗金石材料时得到拓片,罗福成据此作《女真国书碑考释》,②释出"收国二年五月五日"数字,故以为这就是该石刻的镌刻年代。60 年代初,金光平、金启孮父子根据拓片译释出石刻全文,认为石刻内容记述的是收国二年

---

① 《冯家昇论著辑粹》,中华书局 1987 年版,第 20—39 页。
② 《支那学》5 卷 4 号,1929 年。

(1116 年)五月在番安儿必罕建置谋克的事情,但镌刻于世宗大定七年(1167 年)三月。① 70 年代末,孙进己根据实地考察结果,又将石刻年代订正为承安五年(1200 年)三月。② 总之,石刻内容是事后的追记,不能据此判断收国年号的有无。

天辅年号的存在应该是没有问题的,问题在于它始于何年。《金史》和《辽史》都以公元 1117 年为天辅元年(一谓改元,一谓建元),宋代文献多以 1118 年为天辅元年,范成大《揽辔录》则以 1122 年为天辅元年。按照前两种说法,天辅总共当有七年或六年,但是目前所见金代考古材料还无法证实这一点。迄今出土的金代文物中只有两件记有天辅年号的石刻和题记砖,一是河北省兴隆县出土的契丹小字《萧仲恭墓志》,其中第 10 行有"天辅六年"字样,但这方墓石为海陵王天德二年(1150 年)所立。③ 另外一件文物是从河北省固安县金代宝严寺舍利塔塔基地宫中出土的一块题记砖,上有墨书题记"大金国天辅十(当作"七")年"、"天会十五年至天眷元年"云云,④题记写于天眷元年(1138 年),也不能据此证明天辅年号究竟有几年。

综上所述,本文的基本结论是:由《金太祖实录》所撰造而为《金史》所承袭的金朝开国史肯定是不真实的,但是其历史真相究竟如何,目前还不能给予十分肯定的回答。我初步认为,完颜阿骨打于公元 1114 年起兵以后,可能在 1117 年或 1118 年建立了国

---

① 金光平、金启孮:《女真语言文字研究》,文物出版社 1980 年版,第 328 页。
② 孙进己:《海龙女真摩崖石刻考释》,《社会科学战线》1979 年第 2 期。
③ 王静如:《兴隆出土金代契丹文墓志铭解》,《考古》1973 年第 5 期;刘凤翥、于宝林:《契丹小字〈萧仲恭墓志〉考释》,《民族研究》1981 年第 2 期。
④ 河北省文物研究所等:《河北固安于沿村金宝严寺塔基地宫出土文物》,《文物》1993 年第 4 期。

家,国号是"女真",年号为"天辅",1122 年改国号为"大金"。——当然,这远远不是定论。彻底恢复金初历史的真实面貌,仍有待于我们的继续努力。

原载《历史研究》1998 年第 6 期

金代的一桩文字狱

——宇文虚中案发覆

宇文虚中本为蜀人,仕宋累官资政殿大学士,建炎二年(1128年)奉使金朝,被留不遣,后仕金为翰林学士承旨。金熙宗皇统六年(1146年),虚中下狱被杀,翰林直学士高士谈因受其牵连,也同时被处死刑。关于此案的性质,金宋文献记载两歧:金朝方面的记载谓虚中以藏书而获罪,但宋人的记载却无一例外地都说虚中图谋起事,嗣因谋泄而被害。两种说法孰是孰非,迄今尚无一定之论,遂使宇文虚中之死成为宋金史上沉积八百余年的一桩疑案。本文的写作初衷原本只是为了了结这桩疑案,然而在翻检史料的过程中更使我感觉兴趣的,却是从双方对此事的不同记载中所表现出来的宋金两国关系的某些微妙之处。

先看金朝方面的记载。《金史》卷七九《宇文虚中传》云:"虚中恃才轻肆,好讥讪,凡见女直人辄以矿卤目之,贵人达官往往积不能平。虚中尝撰宫殿榜署,本皆嘉美之名,恶虚中者摘其字以为谤讪朝廷,由是媒蘗以成其罪矣。(皇统)六年二月,唐括酬斡家奴杜天佛留告虚中谋反,诏有司鞫治无状,乃罗织虚中家图书为反具,虚中曰:'死自吾分。至于图籍,南来士大夫家家有之,高士谈图书尤多于我家,岂亦反耶?'有司承顺风旨,并杀士谈。至今冤之。"据《金史·熙宗纪》,虚中及高士谈被杀于皇统六年六月乙巳。元好问《中州集》卷一的宇文虚中小传与《金史》的上述记载约略相同,只是又多了一个细节:"皇统初,上京诸虏俘谋奉叔通(虚中字)为帅,夺兵仗南奔,事觉,系诏狱。诸贵先被叔通嘲笑,积不平,必欲杀之,乃锻炼所藏图书为反具。"又《中州集》卷一载有高士谈狱中诗二首,题为《丙寅刑部中二首》(丙寅即皇统六年),其一云:"衅来无朕兆,意外得俘囚。忠信天堪仗,清明泽自流。"另一首诗也有"缧绁元非罪,艰难已备尝"之句。由此可见高士谈确系无辜得罪,这可以视为《金史》的一个佐证。

综合金朝方面的史料来看,可以肯定宇文虚中一案绝非谋反事件,而是一起以藏书获罪的文字狱。元好问谓上京南人欲奉虚中起事可能确有其事,但虚中显然并不知情,否则又何须"罗织图书以为反具"? 这一事件是金朝前期女真统治者与南人之间紧张脆弱的民族关系的一个反映。宋人曾将金初的民族政策总结为五个民族等级,即女真、渤海、契丹(奚)、汉人、南人,其中南人指的是北宋遗民,他们处于五个民族等级的最低一等,受到严重的民族压迫和民族歧视。[①] 身为南人的宇文虚中和高士谈,正是这种民族政策的牺牲品。

那么,宋人有关此案的不同说法是如何形成的呢?

宋人关于此事的最早记载,见于施德操的《北窗炙輠录》,作者在此书中引述了宇文虚中陷金后所作的三首诗,其中一首有"人生一死浑闲事,裂眦穿胸不汝忘"之句,因云:"所谓'人生一死浑闲事'云云,岂李陵所谓欲一效范蠡、曹沫之事? 后虚中仕金为国师,遂得其柄,令南北讲和,太母得归,往往皆其力也。近传

---

① 请参看本书《金朝的民族政策与民族歧视》一文。

明年八月间,果欲行范蠡、曹沫事,欲挟渊圣以归,前五日为人告变,虚中觉有警,急发兵,直至金主帐下,金主几不得脱。遂为所擒。呜呼痛哉!实绍兴乙丑也。审如是,始不负太学读书耳。"①施德操,"字彦执,盐官人",②与同里张九成友善,张九成《横浦先生文集》卷二〇有《祭彦执》文,谓"余素寡交,生平朋友不过四人,姚叶先亡,公继又去"。③按九成卒于绍兴二十九年(1159年),则施德操之卒必在此年之前,其文既称"近传"云云,说明这是宇文虚中死后不久南宋人的一种传说。值得注意的是,施氏谓虚中死于绍兴乙丑(即绍兴十五年,公元1145年),即与事实不符,又谓"虚中仕金为国师",亦于金代文献无征。可见这种传闻之辞是多么不可信。至于施氏引虚中诗为证,也不过是他的一种附会而已。上面引的那首诗,曾有虚中手书诗帖传入南宋,后归其孙升祖,刘克庄有文跋其后:"宇文公上粘罕五诗,造次颠沛,不忘朝廷。其云'人生有死浑闲事,不斩奸邪此恨深',又云'横磨大剑人何在,裂背穿胸不汝忘',岂非追原祸乱之始,恨不食京、黼、贯、攸之肉乎。"④此跋反映了两个问题,首先是诗句与《北窗炙輠录》的文字有所出入,当然应以刘克庄所见诗帖为准;其次,根据刘克庄之跋,我们知道此诗是虚中滞留云中时期上宗翰(粘罕)五诗之一,可见施德操显然是误解了这首诗,而刘克庄对诗意的理解才是正确的。

绍兴三十一年(1161年)十月,太学生程宏图上疏高宗请正

---

①《北窗炙輠录》卷上,《读画斋丛书》本。
②《咸淳临安志》卷六七《人物》(八),道光钱塘汪氏刊本。
③明万历刊本。
④《后村先生大全集》卷一〇五《邓枅桐宇文枢密诗帖》,《四部丛刊》本。参见同书卷一〇九《再跋宇文肃愍公诗》。

秦桧之罪,其中有一节文字说道:"宇文虚中有反虏之谋,计策已就,乃以谕桧,桧意忌其功在己上,既匿不上闻,私遣首者告之虏酋,遂致宇文族诛。……今者要令有司正秦桧之罪,追夺官爵而籍其家财,追赠宇文之爵而为之立祠。"①这里披露了一个新的情节,即谓虚中之死是秦桧告变的结果。自绍兴八年(1138年)秦桧与金议和以来,南宋朝野内外的政治反对派就不断制造和散布有关秦桧的一些政治谣言,如谓秦桧是金人有意放回来的奸细,谓兀术曾遗秦桧书令其杀岳飞等等。我想程宏图关于宇文虚中案的说法,大概也是当时流传的此类政治谣言之一。

　　南宋文献中有关宇文虚中案的最详细和最权威的记载是《宇文虚中行状》,《行状》云:"时中原、东北豪杰之心愤于左衽,公密以信义感发之,从者如响。乃以绍兴乙丑与伪翰林学士高士谈等同谋结集,欲因虏酋拜天,就劫杀之。先期以蜡书来告朝廷,欲为之外应,秦桧怀奸无状,且忌公功在己上,缴回蜡书。会事亦觉,公父子俱死,家无噍类。"此《行状》载于《三朝北盟会编》卷二一五,②作者无考。从《行状》内容来看,可以肯定是作于孝宗时,但其中不载淳熙六年(1179年)赐谥事,故当作于此年之前。另外一件比较权威的文献是虚中之女于淳熙六年向朝廷请谥的陈请状,其中说道:"故父于建炎年间奉使金国,抗节不屈,被虏人锁系北去。……至绍兴十六年,故父与氏亲兄师爱同为翰林学士高谭(按即高士谈)等结集徒众,欲候虏主祭天,就行劫杀。志期恢复,不幸败露,致虏人将故父全家尽行杀戮。"③

---

①《三朝北盟会编》卷二三七绍兴三十一年十月,光绪三十四年清苑许涵度刻本。
②此据光绪三十四年许刻本,以光绪四年活字本参校。
③《宋宰辅编年录》卷一三靖康元年条,中华书局点校本。

以上两种记载与施德操和程宏图听到的传闻已有很大的不同,施氏谓虚中"欲挟渊圣(即钦宗)以归",而《行状》和陈请状却都说虚中的计划是劫杀金帝;程氏说虚中被诛是由于秦桧告变,《行状》虽也有秦桧缴回蜡书的记载,但却说虚中之死是自己败露的结果。①

《行状》和陈请状除了对宇文虚中案的年份记载不同(《行状》误为绍兴十五年,与《北窗炙輠录》同),其它内容基本上是一致的,估计两者当来自同一个消息源。李幼武《皇朝名臣言行录续集》卷四引留正之言曰:"公在虏中久,其诸名王大族皆尊信之不疑,因与其子师瑗暨伪翰林学士高士谭谋为复雠之举,欲因九月虏主祭天而劫之,虏之诸王宗亲约为内应,不幸而功不成者,天也。……是时国家中兴二十年,而公之事不显,最后张魏公招韩王来归,始能言其详。"②"韩王",各本皆同,其实当为"韩玉"之误。叶绍翁《四朝闻见录》丙集"司马武子忠节"条引韩玉文,述司马朴使金被留,生子名通国,"通国有大志,尝结北方之豪韩玉举事,皆未得要领。绍(当作"隆")兴初,玉挈家以南,授京秩江淮都督府计议军事,其兄璘犹在敌中,以弟故与通国善。癸未(即隆兴元年)九月,都督魏公遣张虬、侯泽往大梁伺璘",后事泄,通国、璘等皆遇害。从这段记载中可以看出韩玉的来历和他与张浚

---

① 《建炎以来朝野杂记》甲集卷八《宇文肃愍死事》条曰:"缴还蜡书,《谥议》云尔,而或谓未必然,盖自露耳。"这里引录的《谥议》,即淳熙六年议谥之文,似可代表当时人们的一般看法。
② 同治七年刊本。按《宋史》卷三九一《留正传》谓正于光宗绍熙间以左丞相领修《孝宗圣政》,今本《中兴两朝圣政》中也屡见"臣留正等曰"的史评文字,估计《名臣言行录续集》的引文就出自《孝宗圣政》;但《宛委别藏》本《皇宋中兴两朝圣政》系南宋坊间抄撮而成的一个节本,故没有这段文字。

的关系，又韩玉《东浦词》中有贺"张魏公生旦"《水调歌头》一首，也能说明同样的问题。总之，根据留正的记载可以知道，南宋人对宇文虚中一案详情的了解，是来自归正人韩玉的介绍。《宇文虚中行状》和宇文氏的陈请状显然就主要是以此为依据而写成的，但同时又采纳了一些宋人的传说内容，如秦桧缴回蜡书等等。不过宋人传说虚中被诛是由于秦桧告变，而韩玉讲述的故事中显然没有这一情节，所以《行状》的作者既称秦桧"缴回蜡书"，又谓"会事亦觉"云云，为的是将两种说法加以弥合。

尽管韩玉来自金朝，我却以为他的话也未必可信。其一，韩玉自称是"北方之豪"，大概并非士大夫，而只是一位地方豪强罢了，因此他虽然身为金人，可是否洞悉宇文虚中案的真相，实在是很值得怀疑的；其二，韩玉隆兴元年（1163 年）南来之日，正是张浚等人积极措置北伐之时，故韩玉之类的归正人当时都竭力鼓倡对金用兵。隆兴二年五月，孝宗与宰执谈及归正人太平州添差通判刘蕴古时，"因语'蕴古诞妄，亦韩玉、高禹之徒，信用之必大误国事'。汤思退等曰：'此徒多欲结约，为国生事，诚不逃圣鉴。'"①可见韩玉当时已有"诞妄"之名。所以我想宇文虚中图谋劫杀金主的故事，很可能是出自韩玉的杜撰，这个故事非常适合隆兴元年的政治形势。

不论如何，毕竟因为韩玉是金人的缘故，他讲述的宇文虚中的故事终归还是被不了解事实真相的宋人相信了。淳熙六年（1179 年），因虚中女宇文氏的陈请，赠虚中开府仪同三司，赐谥"肃愍"，且为置后，以族人绍节为之孙；十一年（1184 年），更与恩泽二名，令曾孙承受；嘉泰二年（1202 年），绍节陈请建庙，赐额

①《宋会要辑稿》兵一五之一四。

"忠显";开禧元年(1205年),加赠少保,赠虚中子师瑗宝谟阁待制,赐姓赵氏。① 这表明宇文虚中之死节得到了南宋朝廷的承认。

李心传在《建炎以来系年要录》一书中记载的宇文虚中死事,系以"《虚中行状》及其家诉理状参修","其家诉理状"就是指的淳熙六年虚中之女向朝廷请谥的陈请状。李心传还在附注中对虚中死节进行了如下考证:"李大谅《征蒙记》云:'都元帅兀术回师,忽承诏报:宇文国相连中外官守七十余员,欲乘边事未息及迁都之冗谋反,幸得万户司寇沃赫先告首,捕获宇文等,请即暂归议事。'王大观《行程录》所云亦同。二人皆北人,盖知虚中死节无疑也。"②《征蒙记》所披露的这一情节,是以往的宋人传说和《宇文虚中行状》中都没有的内容。朱熹在与他的学生谈起关于虚中死节的各种传闻时,其中有一种说法是:虚中"因其子为帅,又兀术是时往蒙国,国中空虚,虚中遂欲叛,剋日欲发。兀术闻之,遂亟走归,杀虚中,而尽灭其族"。③ 此说大概也是出自《征蒙记》或《行程录》。王国维在《南宋人所传蒙古史料考》一文中,考定李大谅《征蒙记》和王大观《行程录》均为南宋人所作伪书,指出"此二书实一人所伪撰,或一书之变名,且出于南人之手而托之北人者也"。④ 这一考证结果早已成为定论,故《征蒙记》和《行程录》二书所载虚中死节故事也完全不可信据。

---

①参见《宋宰辅编年录》卷一三靖康元年条、《建炎以来系年要录》卷一五四绍兴十五年九月壬子条、《建炎以来朝野杂记》甲集卷八《宇文肃愍死事》条、《两朝纲目备要》卷八开禧元年八月条、《皇朝名臣言行录续集》卷四、《宋史》卷三七一《宇文虚中传》。
②《建炎以来系年要录》卷一五四绍兴十五年九月壬子条,文渊阁《四库全书》本。又《三朝北盟会编》卷二一五也引李大谅《征蒙记》的这段文字。
③《朱子语类》卷一三〇"自熙宁至靖康用人",中华书局点校本。
④《观堂集林》卷一五。

关于宇文虚中之忠义节慨，《行状》还提供了其它一些证据："公知豫欲寇蜀，遣使臣相偶潜告宣抚张浚，欲其持重，为万全之举。且云：'江左人钱钉、傅升乃引者，勿令近行在。'又遣使臣杨安以矾书经文寄季弟，南阳公及龙图公尝具奏，今在御府。豫尝遣公策伪豫，公力辞不行，四川宣抚使尝以使臣徐福状闻。副使杨可辅来归，公复以蜡书潜言豫中事。"朱熹也曾经提到过类似的传闻："或者谓虚中虽在豫中，乃为朝廷尝探伺豫动静来报这下，多结豪杰，欲为内应。"①这些传闻使得南宋人对虚中死节的说法深信不疑。

《行状》记载的上述内容可以得到南宋方面的史料印证，基本上都是确有其事的，然而它却并不能证明虚中的死节。试考以《系年要录》，我们发现《行状》中所列举的那些事情都发生在绍兴四年（1134年）以前。虚中于建炎二年（1128年）五月以大金祈请使出使左副元帅宗翰军中，此后直至绍兴四年（1134年）七月，一直滞留于左副元帅府所在地云中（今山西大同市）。在此期间，虚中不肯为金人所用，拒绝接受金朝官爵，并暗中向南宋通报金军的动向。绍兴四年七月十七日，虚中离开云中去上京（今黑龙江阿城市），②《金史》称"宇文虚中朝至上京，夕受官爵"，③这是他政治态度的一大转折。从此以后虚中就再也没有与南宋发生过任何联系。

---

① 《朱子语类》卷一三〇"自熙宁至靖康用人"。
② 《建炎以来系年要录》卷七八绍兴四年七月甲子条载：时南宋使臣杨安至云中见宇文虚中，据杨安后来追述说："蒙相公分付经一卷、诗一首，又说国相要我入国去。……安今年七月十七日离云中府，亲见相公入国去。"这里说的"国相"是指国论右勃极烈兼都元帅宗翰。
③ 《金史》卷七九《宇文虚中传·赞》。

虚中之赴上京,主要是当时的金朝统治者想利用他来进行汉制改革,《金史》卷七九《宇文虚中传》云:"朝廷方议礼制度,颇爱虚中有才艺,加以官爵,虚中即受之。"绍兴四年(1134年)宋人王绘出使金朝时,金朝接伴官李聿兴对他说:"本朝目今制度并依唐制,衣服、官制之类,皆是宇文相公共蔡大学并本朝十数人相与计议。"①这是虚中刚到上京不久的事情。曾长期居留金朝的宋使洪皓后来也说:"其官制、禄格、封荫、谥讳,皆出宇文虚中,参用国朝及唐法制而增损之。"②在虚中皇统三年(1143年)撰写的《时立爱墓志铭》中,有这样一个值得注意的结衔:"特进翰林学士承旨知制诰兼太常卿修国史详定内外制度仪式上柱国郇国公食邑三千户食实封三百户臣宇文虚中奉敕撰。"③令人感到惊讶的是,"详定内外制度仪式"竟然已经成了虚中的一个正式名衔,这可以为虚中在金朝汉制改革中所起的作用做一个很好的注脚。

应该说,宇文虚中到上京以后是受到金朝重用,而他本人也甘心为其所用的。金人曾说:"丞相得宇文相公,直是欢喜。尝说道:'得汴京时欢喜,尤不如得相公时欢喜。'如今直是通家往来,时复支赐,宅库里都满也。"④这也是刚到上京之后不久的情况。当虚中接受金朝官爵以后,像洪皓、朱弁这些以气节自重的宋使都对他表示鄙薄。天会十三年(1135年),"洪皓至上京,见虚中,甚鄙之"。⑤ 绍兴和议后回到南宋的洪皓,仍指斥虚中"卖国图

①《三朝北盟会编》卷一六三,引王绘《绍兴甲寅通和录》。
②《鄱阳集》卷四《又跋〈金国文具录〉札子》,文渊阁《四库全书》本。
③河北省文化局文物工作队:《河北新城县北场村金时立爱和时丰墓发掘记》,《考古》1962年第12期。
④《三朝北盟会编》卷一六三,引王绘《绍兴甲寅通和录》。
⑤《金史》卷七九《宇文虚中传》。

利,靡所不为"。① 朱弁对宇文虚中的态度,从他天眷三年(1140年)在金朝作的一首诗中看得很清楚,此诗诗题云:"李任道编录济阳公文章,与仆鄙制合为一集,且以'云馆二星'名之。仆何人也,乃使与公抗衡,独不虑公是非纷纭于异日乎!因作诗题于集后,俾知吾心者不吾过也。庚申六月丙辰江东朱弁书。"这首诗被元好问收进《中州集》卷一〇,并加了一条小注:"济阳公谓宇文叔通。叔通受官,而少章以死自守,耻用叔通见比,故此诗以不敢齐名自托。至于书年为庚申,与称江东朱弁者,盖亦有深意云。"洪皓和朱弁的态度代表着当时宋人对虚中仕金的评价。总而言之,绍兴四年后的宇文虚中和绍兴四年前的宇文虚中是截然不同的,不能以他在云中时期的所作所为来证明他后来的"死节"。

对于宋金双方文献有关宇文虚中案的不同记载,元代苏天爵在《三史质疑》一文中发表了自己的见解:"金人入中原,宋臣死节者仅十数人,奉使不屈如洪皓、朱弁辈又数人,而宇文虚中者既失身仕金为显官矣,金初一切制度皆虚中所裁定。如册宋高宗为帝文,亦虚中在翰林时所撰。第以讥讪慢侮权贵被杀。今《宋史》书曰:'欲因虏主郊天举事。'果可信乎?甚至比为苏武、颜真卿,而又录用其宗人,固曰激劝臣下,然亦何为饰诈矫诬之如是乎!"②《三史质疑》是元顺帝至正三年(1343年)朝廷敕令开局纂修宋辽金三史时,苏天爵将三朝史中若干有疑问的问题记录下来,寄给史馆总裁官欧阳玄的一篇文字,因此他这里所称的"宋史"不是指元修《宋史》,而是指宋朝国史。苏天爵娴于辽金故实,他说宇文虚中"第以讥讪慢侮权贵被杀",必定是言之有据的。不过他以为

①《鄱阳集》卷四《乞不发遣赵彬等家属札子》。
②《滋溪文稿》卷二五,《适园丛书》本。

宋人之说只是为了"激劝臣下"而杜撰出来的故事,倒也未必完全如此,根据上文的考证来看,问题并不是像他所想象的那么简单。

苏天爵关于宇文虚中死事的辨正不知是否引起过《宋史》纂修者们的注意,在我们今天看到的《宋史·宇文虚中传》中,有关此案的记载实际上是揉合了宋金两方的说法而写成的,其中自"虚中恃才轻肆"以下一段文字与《金史·宇文虚中传》略同,而在此段文字之前,又根据宋人所作《宇文虚中行状》加上了这样几句话:"(虚中)知东北之士皆愤恨陷北,遂密以信义结约,金人不觉也。"①这样一来就肯定了虚中谋反的事实。

明清时期,人们在这个问题上大都倾向于宋人的记载。如袁枚在引证施德操《北窗炙輠录》之后,提出了下述看法:"按两史皆不载此事,而但云以谤讪得罪。然百口全死,似必有他故,不止谤讪也;况淳熙初赠开府仪同三司,谥肃愍,开禧中又赐姓赵氏,观宋之尊崇如此,则《北窗炙輠》之言必非虚妄。"②《四库全书总目》中的《金史》提要也涉及到这个问题:"惟其列传之中,颇多疏舛。……至昌本之南走,施宜生之泄谋,宇文虚中之谤讪,传闻异辞,皆未能核定,亦由于只据实录,未暇旁考诸书。"这代表了清人对宇文虚中案的一般认识。③

在清人有关宇文虚中案的论辩文字中,以全祖望和施国祁两人的意见最值得注意。全祖望有五首与杭世骏讨论《金史》的札

①《宇文虚中行状》此段原作"时中原、东北豪杰之心愤为左袒,公密以信义感发之,从者如响",《宋史》作者添上"金人不觉也"一句,是照顾到下文"有司鞫治无状"的记载,这样就弥合了宋金双方的歧说。
②《随园随笔》卷二三"宇文虚中之死野史与《宋史》不符"条,《随园三十二种》本。
③厉鹗《宋诗纪事》卷三八也采纳了《北窗炙輠录》的说法。

子,其中《与杭堇浦论〈金史〉第二帖子》就是专为辨白宇文虚中一案而写的,他在此文中力主虚中死节说,谓"虚中虽失身异域,而报国之诚炳炳如丹"。① 对于全谢山这样一位民族主义者来说,持虚中死节说是很自然的。尔后施国祁针对全祖望论《金史》五帖,写下了《史论五答》,其中之三即为专门辨正宇文虚中案而作。施国祁极言宋人记载之不可信,其结论是:"要之宋事无征,而《金史》之言谤讪则可据。盖宋人南渡,受侮已极,朝野冤声,尤多著录,土印活板,滥刻甚众,传本之入北者,大率叫嚣怒骂、慢侮北人之语。宇文家籍,良必有之,即谤书为反具,抑复何疑。"②这个见识显然要比全谢山等人来得高明,施国祁不枉读《金史》二十年。

原载《庆祝邓广铭教授九十华诞论文集》,河北教育出版社,1997 年版

---

①《鲒埼亭集外编》卷四二,《四部丛刊》本。按此帖末云:"宋金二史荒陋已甚,……足下能为一洗其沉屈,则旧史之功臣矣。"全谢山之所以屡以笔札与杭世骏讨论《金史》,是因为杭世骏当时正在对《金史》进行辑补和考订。北京大学图书馆藏有两部杭世骏《金史补》,一为清钞本,一为燕京大学图书馆钞本,不分卷,无序跋,前者自《金史·世纪》至太宗天会五年(1127年)二月,后者自《世纪》至天会五年四月。当是出自杭世骏未完成的稿本。因为下限均只到天会五年,所以没有涉及宇文虚中案。
②《史论五答》,《昭代丛书》本。

试论辽朝的民族政策

　　自公元 10 世纪以后,契丹、女真、蒙古、满族等四个北方民族相继入主汉地,前后历时七百余年。这些所谓的"征服王朝"都是多民族的国家,而且无一例外地都是由人口数量居于劣势的少数民族统治着人口众多的汉族。因此,这些王朝的统治策略,尤其是它们所奉行的民族政策,自然成为历史学家不容忽视的研究课题。

　　在对辽金时期的民族关系进行系统研究之前,我曾经就上述"征服王朝"的民族政策提出过一个既定的模式:北方民族与汉民族的生活方式差异越大,文化隔膜越深,它的民族政策就表现得越为褊狭,民族歧视状况也就越为严重;反之亦然。以民族融合(主要指北方民族的汉化)的程度而论,自深而浅的顺序是满族、女真、契丹、蒙古,所以民族政策的开明程度也应该是这样一个顺序。① 然而当我对辽朝的民族政策有了较为深入的了解之后,发现上述模式并不适合于辽朝。契丹的汉化程度远远不及女真,但

---

① 对于清朝的民族压迫和民族歧视,人们的印象似乎格外深刻,这主要是因为时代较近的缘故,另外与晚清以来反满思潮的影响也有莫大关系。平心而论,清朝的民族政策比辽、金、元中的任何一个朝代都显得更加温和。

辽朝的民族歧视却未必就比金朝更为严重。当然,这里还有一个捉摸不定的因素,那就是史料的问题。老实说,由于文献过于匮乏,迄今为止,人们对于辽朝历史以及辽代社会状况的了解是极为有限的。就现有史料所得出的印象而言,与其说辽朝的民族政策接近于元朝,毋宁说它更接近于清朝。

一

谈到辽的民族政策,我们不妨先简单地描绘一幅辽朝的民族学地图:在这个国家的北部(上京道)是契丹人传统的聚居地,南部(南京道、西京道)则分布着广大的汉人,居住在这两个区域之间(中京道)的是奚人,东部(东京道)的主要居民是渤海人。另外,在东京道和上京道北方广袤的疆域内,还分布着女真、室韦、阻卜等许多民族,但他们不在辽的行政辖区之内,契丹人对这些民族充其量只是一种羁縻关系,所以不在本文的讨论范围之内。辽朝境内契丹、汉人、奚人、渤海四个主要民族的地理分布概况,按宋人的说法就是:"胡人东有渤海,西有奚,南有燕,北据其窟穴。"①这样的表述也大致是正确的。

在契丹、汉人、奚人、渤海四个民族中,汉人的人口数量占有绝对的多数,理应是辽朝民族关系中最值得注意的一个方面。上文指出的辽朝境内主要民族的分布概况只能表明一种基本态势,实际上,辽朝治下的汉人应该分为两个部分:一个部分是辽朝前期通过战争俘掠的汉人,以及在唐末五代战乱中投附契丹的汉族

①余靖:《契丹官仪》,《武溪集》卷一八。

百姓,他们散布于长城以北的上京道、中京道和东京道,大多隶属于斡鲁朵州县或头下州军;另一部分则是天显十三年(938年)燕云十六州被割让给契丹之后入辽的汉人,也就是南京道和西京道境内的汉人。讨论辽朝对汉人的民族政策,必须把这两部分汉人加以区别看待。

早在辽朝建国前后,契丹兵马就屡屡越过长城侵掠汉地,战争的主要目的就是俘获人口,许多遭到掳掠的汉族百姓被安置在西剌木伦河(湟河)流域的契丹内地,曾经居留辽朝七年的胡峤在记述世宗时上京临潢府汉人充斥的情形时说:"有绫锦诸工作、宦者、翰林、伎术、教坊、角觝、秀才、僧尼、道士等,皆中国人,而并、汾、幽、蓟之人尤多。"①徙居长城以北的汉人,除了俘户以外,还有来自燕蓟河朔的汉族移民。《新五代史》卷七二《四夷附录》对辽初汉人的来源有这样一段记载:"是时,刘守光暴虐,幽、涿之人多亡入契丹,阿保机乘间入塞,攻陷城邑,俘其人民,依唐州县置城以居之。"这些汉人由于长期与契丹等北方民族间错杂居,因而具有明显的胡化(尤其是契丹化)倾向,与契丹人的生活习俗和文化旨趣日渐趋同,这就使得他们有可能获得契丹统治者的充分信任。于是我们就不难理解这样的现象:在辽朝,一部分汉人具有相当显赫的政治地位和社会地位,他们甚至可以跻身于通常是由契丹显贵构成的最高统治阶层。

一个最典型的例子是玉田韩氏。辽朝二百年间,韩、刘、马、赵号称燕蓟四大族,②其中列于首位的就是玉田韩知古一系。不

①《新五代史》卷七三《四夷附录》(二),引胡峤《陷虏记》。
②王恽《秋涧先生大全文集》卷七三《题辽太师赵思温族系后》、卷四八《卢龙赵氏家传》,郝经《陵川集》卷三五《房山先生墓铭》。

过韩氏与其他三门望族有一个很大的不同:刘、马、赵三氏确实都是燕蓟地区的著姓贵族,而韩氏却不是;之所以把它列入"燕蓟四大族",只是因为韩知古本贯为蓟州玉田(今河北省玉田县)罢了。事实上,韩氏是一个已经彻底融入契丹人社会,并且是最典型的契丹化了的汉人家族。

大约在阿保机建国前夕,韩知古被契丹人掳掠为奴,隶宫籍。后因受知于太祖,"信任益笃,总知汉儿司事,……为佐命功臣之一"。① 韩知古入辽后定居柳城(即东京道霸州,今辽宁省朝阳市),此后韩氏家族世居其地,与燕蓟汉地的汉人自是有所不同。从韩氏第二代开始,便与辽朝后族、契丹萧氏累世联姻,表现出强烈的契丹化倾向。与此同时,韩氏家族开始显达。知古子匡嗣封燕王,历任上京、南京留守。匡嗣次子德让在圣宗朝先后封楚王、齐王、晋王,任北院枢密使,拜大丞相,赐姓耶律,"位亲王上","出宫籍,隶横帐季父房后",② 亦即取得宗室的身份。德让死后,"赠尚书令,谥文忠,……拟诸宫例,建文忠王府"。③ 其位望之显赫,就辽朝一代来说,即便是契丹臣僚也无人可及。德让之外,"其余戚属族人,拜使相者七,任宣猷者九,持节旄,绾符印,宿卫交戟入侍纳陛者,实倍百人"。④ 统和二十六年(1008 年)出使辽朝的宋人路振,甚至从燕人口里听到过这样的说法:"虏政苛刻,幽蓟苦之,……加以耶律、萧、韩三姓恣横,岁求良家子以为妻妾,幽蓟之女,有姿质者,父母不令施粉白。"⑤当时的燕人居然将韩氏与契丹

---

①《辽史》卷七四《韩知古传》。
②《辽史》卷八二《耶律隆运传》。
③《辽史》卷三一《营卫志》(上)。
④《全辽文》卷六《韩橁墓志铭》。
⑤《宋朝事实类苑》卷七七,引路振《乘轺录》。

皇族耶律氏和后族萧氏相提并论,可见韩氏家族之贵显委实是非同寻常。

尽管玉田韩氏只是一个特例,但它可能说明了这样一个问题,即对于那些契丹化的汉人来说,辽朝统治者是将他们和契丹人一体看待的。——当然,前提是民族界限的泯灭。

不过,长城以北的汉人在辽朝境内的汉人中毕竟只是少数,长城以南的南京道和西京道才是传统的汉地。辽朝对汉人的民族政策,主要涉及的是燕云十六州的汉人社会。自燕云十六州并入辽朝版图之后,随着宋辽两国关系的变化,辽朝对其境内汉人的政策也相应进行调整,尤其是澶渊之盟的缔结,成为辽朝民族政策发生变化的一个重要契机。因此,以圣宗统和间为界,辽朝的汉人政策可以明显地划分为前后两个阶段。

圣宗以前,辽朝与五代及北宋始终处于敌对和战争状态,在这种大的时代背景下,契丹统治者对汉人的民族压迫是颇为严重的。宋人田况谈及辽朝的汉人地位,谓其"居常右虏下汉,其间士人及有识者亦尝怅然,无可奈何"。①《宋史》卷二九二《田况传》云:"其先冀州信都人。晋乱,祖行周没于契丹。父延昭,景德中脱身南归。"田况的父亲延昭既是真宗景德间(1004—1007年)南归的,则他所说辽朝汉人受歧视的现象自然是澶渊之盟以前的事情了。当时的民族不平等表现在法律上至为明显,南宋人洪皓指出:"辽制:契丹人杀汉儿者皆不加刑。"②洪皓的说法是有根据的,只是太过于笼统了;应该说明,"契丹人杀汉儿不加刑"的法律规定仅仅是圣宗以前的"辽制"。此类法令与辽朝实行的二元体

①《儒林公议》卷下。
②《松漠记闻》卷上。

制有关,太祖神册六年(921年),"诏大臣定治契丹及诸夷之法,汉人则断以律令"。① 也就是说,在法律制度上对汉人行"汉法",对契丹等北方民族行"蕃法",两套法律制度决定了汉人与蕃人在法律地位上的不平等。

辽朝对燕云汉人经济剥削之苛酷,可以从路振《乘轺录》里看到如下的记载:"虏政苛刻,幽蓟苦之。围桑税亩,数倍于中国,水旱虫蝗之灾,无蠲减焉。以是服田之家,十夫并耨,而老者之食,不得精凿;力蚕之妇,十手并织,而老者之衣,不得缯絮。征敛调发,急于剽掠。"②虽说路振使辽已是在澶渊之盟订立之后的统和二十六年(1008年),但他这里说的并不是当时的情况。在这段文字后面作者加了一条小注说:"自'虏政苛刻'已下事,并幽州客司刘斌言。斌大父名迎,年七十五,尝为幽州军政校,备见其事,每与子孙言之。"如此看来,这位老人描述的该是燕云十六州割让之初的情形。

圣宗统和间,辽朝对其燕云汉人的民族政策作了重大调整。圣宗即位时年仅十二,由承天太后主持国政,故当时的变革实际上主要出自这位声名显赫的太后。如上所述,汉人和蕃人法律地位的不平等是辽朝前期民族歧视的一个关键性问题,承天太后在这方面进行了有决定意义的改革。"先是,蕃人殴汉人死者,偿以牛马;汉人则斩之,仍没其亲属为奴婢。萧氏(即承天太后)一以汉法论"。③ 统和十二年(994年)七月庚午,"诏契丹人犯十恶者依汉律"。④ 即犯有重罪的契丹人不能再获得"蕃法"的纵容庇

---

①《辽史》卷六一《刑法志》(上)。
②见《宋朝事实类苑》卷七七。
③《续资治通鉴长编》卷七二,大中祥符二年十二月癸卯。
④《辽史》卷一三《圣宗纪》(四)。

护,而必须与汉人同样治罪。《辽史》卷六一《刑法志》对承天太后的法律改革有一段总体评述:"圣宗冲年嗣位,睿智皇后(即承天太后)称制,留心听断,尝劝帝宜宽法律。……当时更定法令凡十数事,多合人心,其用刑又能详慎。先是,契丹及汉人相殴致死,其法轻重不均,至是一等科之。"上述改革肯定不可能彻底消灭汉人和契丹人在法律地位上的不平等现象,尽管如此,汉人的法律地位显然已经得到了很大的改善。

辽朝前期燕云汉人极为沉重的经济负担,也是自统和以后逐渐减轻的。统和十四年(996年)十二月,"以南京道新定税法太重,减之"。① 这是有关燕云减税的最早记载。兴宗以后,辽朝政府进一步削减燕云汉人的赋税。据陆游《老学庵笔记》卷七记载,辽兴宗时,翰林学士刘六符指出:"燕蓟云朔,本皆中国地,不乐属我。非有以大收其心,必不能久。"兴宗问道:"如何可收其心?"六符谓"敛于民者十减其四五,则民唯恐不为北朝人矣",并且建议向宋朝提出割让瓦桥关以南十县之地的要求,若宋朝不允,则要求增加岁币,然后即可用增加的岁币来抵销部分燕云赋税。兴宗"大以为然,卒用其策得增币。而他大臣背约,才以币之十二减赋,民固已喜。及洪基(道宗)嗣立,六符为相,复请用元议。洪基亦仁厚,遂尽用银绢二十万之数,减燕云租赋。故其后房政虽乱,而人心不离"。这里说的增加岁币一事,是指兴宗重熙十一年(1042年)宋辽达成的一项和议,根据这项和议规定,北宋每年增纳岁币银绢各十万两、匹。而在达成这项和议的交涉过程中,刘六符曾作为辽朝方面的使节两度出使宋朝。《契丹国志》卷一八《刘六符传》说:"契丹既得岁币五十万,勒碑纪功,擢六符枢密使、

① 《辽史》卷一三《圣宗纪》(四)。

礼部侍郎、同修国史,后迁至中书政事令。"从刘六符在此过程中所起的作用来看,陆游记述的故事应该是可以相信的。

统和二十二年(1004 年)订立的澶渊之盟,标志着辽朝汉人政策的一个转折点的到来。田况对这一变化过程作了如下分析:宋太宗时两度北伐燕云,导致宋辽关系空前紧张,"尔后河朔之民,数被其毒,……及真宗幸澶渊亲征,遂与盟,……自是河朔之民渐有生意矣"。[①] 自澶渊之盟订立之后,在宋辽双方文献中就很难再见到有关辽朝虐待歧视汉人的记载。对于辽朝后期契丹与汉人的民族关系,苏辙有相当翔实的观察和分析:

> 北朝之政,宽契丹,虐燕人,盖已旧矣。然臣等访闻山前诸州祇候公人,止是小民争斗杀伤之狱,则有此弊。至于燕人强家富族,似不至如此。契丹之人每冬月多避寒于燕地,牧放住坐,亦止在天荒地上,不敢侵犯税土。兼赋役颇轻,汉人亦易于供应。惟是每有急速调发之政,即遣天使带银牌于汉户须索。县吏动遭鞭棰,富家多被强取,玉帛子女不敢爱惜,燕人最以为苦。兼法令不明,受赇鬻狱,习以为常。此盖夷狄之常俗,若其朝廷郡县,盖亦粗有法度。上下维持,未有离析之势也。[②]

苏辙于哲宗元祐四年(1089 年)充贺辽主生辰国信使出使辽朝,这是他回朝后写给哲宗的一份辽朝国情分析报告。他看到的这种情况基本上可以代表澶渊之盟以后辽朝的汉人政策,如果说当

---

① 《儒林公议》卷下。
② 《栾城集》卷四二《北使还论北边事札子五道》之二《论北朝政事大略》。

时契丹人对汉人还有什么民族歧视的话,那也只是下层百姓的感受,而汉族豪强地主似乎具有相当优越的社会地位。

当然,要说汉人的政治地位,大概与契丹人总归还是有所不同的。契丹人作为辽朝的统治民族,享有最优先的政治权利。《辽史·百官志》说:"百官择人,必先宗姓。"所谓"宗姓"自然就是指耶律氏了,因为契丹只有耶律和萧两个姓氏,所以这里说的"宗姓"实际上是泛指契丹人。至于辽之宗室、外戚,更是统治者所依赖的主要对象,《辽史》云:"辽之秉国钧,握兵柄,节制诸部帐,非宗室外戚不使。"①相比之下,汉人的政治地位必然处于劣势。宋人评论说:"契丹之兴,当朝柄国,率其种人,名曰蕃汉杂用,然汉人无几矣。"②这种说法与实际情况相差不远。宋人还有一种说法,谓"辽国旧例,凡关军国大事,汉人不预"。③ 这么说就未免太绝对了。辽朝的军国大计主要取决于北面官,而长城以北的契丹化汉人出任北面官的情况并不少见,其中不乏玉田韩氏那样身居显要、与闻军国大计的汉人。再者,即便是南面官,也不是全无参与决策的机会,曾经三次出使辽朝的宋人余靖,对辽朝官制有颇为详晰的了解,据他记载说:"契丹枢密使带平章事者在汉宰相之上,其不带使相及虽带使相而知枢密副使事者即在宰相下。其汉宰相必兼枢密使乃得预闻机事。蕃官有参知政事,谓之夷离毕,汉官参知政事带使相者乃得坐穹庐中。"④在辽代政治史上,汉人应该说还是一支重要的力量,很多地方都能看出他们的

①《辽史》卷一一四《逆臣传》(下)。
②《契丹国志》卷一六传论。
③《契丹国志》卷一〇《天祚皇帝》(上)。此说亦见于《辽史》卷一〇二《张琳传》,但估计也是出自《契丹国志》。
④余靖:《契丹官仪》,《武溪集》卷一八。

影响,对他们的政治地位应有恰如其分的估价。

历史时期入主汉地的北方民族,往往强迫汉人改变本民族的服饰衣冠,对于汉族人民来说,这无疑是严重的民族压迫和民族歧视行为,自然成为民族关系中一个非常敏感的问题。那么,辽朝汉人是否也曾被强制改俗呢? 这是一个值得探讨的问题。先看燕云汉人的情况。统和二十六年(1008年)出使辽朝的汉人路振,在前往中京的途中经过燕京,据他所见,当时燕京百姓"俗皆汉服,中有胡服者,盖杂契丹、渤海妇女耳"。① 看来燕京汉人没有改服胡服的迹象。半个多世纪以后,于道宗大康元年(1075年)充大辽国信使出使辽朝的沈括,在《熙宁使虏图抄》中记述他的见闻时说:"山之南乃燕蓟八州,衣冠、语言皆其故俗,惟男子靴足幅巾而垂其带,女子连裳,异于中国。"②沈括所见已是辽朝后期的情况,当时燕蓟汉人的衣冠基本上仍是蹈袭"故俗"。另外一位曾经使辽的宋人刘跂,在他的一首使辽诗中,写下这样的诗句:"文物燕人士,衣冠汉典仪。举知缯絮好,深厌血毛非。形势今犹古,规模夏变夷。"③诗里反映的情况与路振、沈括的见闻大致相似。我们在传世的辽宋双方文献中,没有看到辽朝强迫汉人改俗的记载。自太宗朝获得燕云十六州之日起,辽朝就确定了"因俗而治"的统治政策;听任汉人保持其传统的服饰衣冠,大概就是这一政策的重要内容之一吧。

徙居长城以北的汉人则是另外一种情况。宋人苏颂于道宗咸雍四年(1068年)出使辽朝贺辽主生辰正旦,他在一首使辽诗

①《宋朝事实类苑》卷七七,引路振《乘轺录》。
②《永乐大典》卷一〇八七七"虏"字韵,引沈括《熙宁使虏图抄》。
③《永乐大典》卷一〇八七七"虏"字韵,引刘跂《刘学易先生集》"使辽诗十八首"之二。按刘跂使辽年代不详。

中这样写道:"山谷水多流乳石,旄裘人鲜佩纯绵。服章几类南冠系,星土难分列宿缠。安得华风变殊俗,免教辛有叹伊川。"诗下自注云:"虏中多掠燕蓟之人,杂居番界,皆削顶垂发以从其俗,惟巾衫稍异,以别番、汉耳。"①这首诗的诗题是《和晨发柳河馆憩长源邮舍》,柳河馆在中京道北安州境内,这一带本是奚人聚居区,但也有不少汉人杂居其地,而这些汉人都已经改从胡俗了。苏辙出使辽朝时写的一首诗也有类似的描写:"燕疆不过古北阙,连山渐少多平田。……汉人何年被流徙,衣服渐变存语言。"②诗名《出山》,是指出古北口而进入中京道,"由古北口北至中京北,皆奚境"。③ 此诗与前引苏颂使辽诗一样,都反映的是杂居奚境的汉人改服胡服的情形。问题的关键在于,这些汉人是不是被辽朝强制改俗的?我想恐怕不是。所谓"衣服渐变",说明是经过了一个逐渐胡化的过程而自然导致的结果。对于这些"杂居番界"的汉人来说,这是并不奇怪的。

众所周知,金朝和清朝都曾对汉人实行过严厉的改俗政策。以金朝为例,自女真入主中原之日起,就强制南人薙发左衽,而且即使在女真族完成其汉化进程之后,仍一如既往地坚持实行改俗政策。④ 为什么汉化程度不深的契丹人不曾强迫汉人改俗,而汉化很彻底的女真人反倒要求汉人改从胡俗呢?这似乎很不好理解。其中恐怕有这样的隐衷:由于女真人汉化迅速而又彻底,令金朝统治者对女真族的民族传统和民族文化产生深刻的危机感,在女真人纷纷改汉姓、着汉服,其民族性丧失殆尽的情况下,却仍

①《苏魏公文集》卷一三《前使辽诗·和晨发柳河馆憩长源邮舍》。
②《栾城集》卷一六《奉使契丹二十八首·出山》。
③《宋会要辑稿》蕃夷二之九,引宋绶《契丹风俗》。
④请参看本书《金朝的民族政策与民族歧视》一文。

然强制汉人改俗,乃是金朝统治者缺乏民族自信的表现。辽朝则不同,契丹人从未真正感受到汉文化的威胁,他们尽可坦然地"因俗而治"。

二

  渤海是公元 7 世纪至 13 世纪活动于中国东北的一个民族。一般认为,渤海族是以粟末靺鞨为主,又融入一部分高句丽遗民而形成的一个新的民族共同体。存在于公元 698 年至 926 年间的渤海国,其全盛时期曾拥有五京、十五府、六十二州,"地方五千里,户十余万",①号称海东盛国。天显元年(926 年)正月,渤海国为强大的邻国契丹所灭亡,渤海王大諲譔举族西迁,被押送到辽上京临潢府西,"筑城以居之"。② 但渤海各地的抵抗运动仍坚持数月之久,最后终于被契丹镇压下去。

  辽太祖在攻占渤海都城忽汗城以后,就决定在渤海故地建立东丹国,③通过这个属国对渤海遗民实行间接统治。同时宣布以太子耶律倍为东丹国王,称人皇王,"仍赐天子冠服,建元甘露,称制,置左右大次四相及百官,一用汉法"。④ 治东丹国用汉法,是因为渤海早已是一个汉化很深的民族,渤海国时期的文物典章制度可以说是全盘照搬唐制。太祖不改渤海旧制,实际上就是对渤海

①《新唐书》卷二一九《渤海传》。
②《辽史》卷二《太祖纪》(下)。
③金毓黻《渤海国志长编》卷一九《丛考》云:"东丹之名得自契丹,以其建国在契丹国之东也,亦即东契丹国之简称。"
④《辽史》卷七二《耶律倍传》。

族采取"因俗而治"的政策。不仅如此,辽朝还给予东丹国高度的自治权力,"凡渤海左右平章事、大内相已下百官,皆其国自除授"。① 东丹国的最高政权机构中台省,按惯例参用契丹人和渤海人,如太祖最初任命的东丹四相中,左大相为契丹人迭剌,右大相是原渤海老相,左次相是原渤海司徒大素贤,右次相为契丹人耶律羽之。

辽太祖死后,身为太子的东丹王耶律倍在争夺皇位的斗争中失利,其弟耶律德光因得到述律太后的支持而立为帝,是为太宗。太宗即位后,对耶律倍不免心存猜忌,最令他担心的是,耶律倍会不会利用渤海遗民的势力来争夺皇位? 所以当天显元年八月耶律倍前来行在奔丧时,太宗就借故把他留下,不允许他再返回东丹国。在此情形下,东丹国对于辽太宗来说变成了一个很棘手的难题。

天显四年(929 年),东丹国右次相耶律羽之上疏太宗说:"渤海昔畏南朝,阻险自卫,居忽汗城。今去上京辽邈,既不为用,又不罢戍,果何为哉? ……遗种浸以蕃息,今居远境,恐为后患。梁水之地乃其故乡,地衍土沃,有木铁盐鱼之利。乘其微弱,徙还其民,万世长策也。"②东丹国所在的渤海故都忽汗城,也就是渤海上京龙泉府(今黑龙江省宁安县渤海镇),此地远离辽朝的政治中心上京临潢府,故契丹对渤海遗民势必难于控制,这就是耶律羽之的主要忧虑,他提出的对策是将渤海遗民迁往辽东(梁水,即今辽宁境内之太子河)。这项建议正符合太宗的意图,于是很快被采

① 《契丹国志》卷一四《东丹王传》。
② 《辽史》卷七五《耶律羽之传》。参见《耶律羽之墓志》,见内蒙古文物考古研究所等《辽耶律羽之墓发掘简报》,《文物》1996 年第 1 期。

纳。就在这一年,东丹国被南迁至东平府(今辽宁省辽阳市),并升东平为南京。与此同时,大批渤海遗民被勒令迁往辽东,不愿南迁的渤海人纷纷逃亡,史称"其民或亡入新罗、女直"。① 这次大规模的移民运动,从根本上改变了渤海族的地理分布状况,因此我们从文献中所看到的辽金两朝渤海人的活动多以辽阳为中心。

及至东丹国南迁后,东丹王耶律倍才被允许返回南京,但太宗仍对他猜疑多端,"又置卫士阴伺动静"。② 据说后唐明宗知道这种情况后,曾派人送来一封密信,示以招纳之意。耶律倍迫于无奈,遂于天显五年(930年)十一月浮海奔唐。

东丹王耶律倍的出逃并未使东丹国发生什么实质性的变化。对于东丹国来说,东丹王似乎只是一个象征性的人物,因为即使没有东丹王,东丹国也照样可以存在下去。辽朝前后总共只任命过两个东丹王,第二位东丹王是太祖弟安端。天禄元年(947年),耶律倍之子兀欲登上皇位,是为世宗。当年九月,世宗追谥父亲为让国皇帝,同时"以安端主东丹国,封明王"。③ 这一举措似乎含有让安端嗣袭耶律倍东丹王的意思,总之是世宗替他受屈的父亲张目的一个措施。估计安端之任东丹王,大概也只是一个虚名罢了。在应历二年(952年)安端死后,辽朝就再也没有任命过新的东丹王。

辽朝历史上的东丹国究竟存在了多久? 这是渤海史研究中一个尚未解决的问题。判断东丹国之存亡,不是看东丹王之有

①《辽史》卷三《太宗纪》(上)。
②《辽史》卷七二《耶律倍传》。
③《辽史》卷五《世宗纪》。

无,而是看东丹国的政权机构中台省存在到什么时候。《辽史·圣宗纪》有这样一条记载:乾亨四年(982年)十二月庚辰,"省置中台省官"。金毓黻《渤海国志长编》即根据这条史料得出结论,谓是年"辽罢东京中台省,东丹国除"。① 自此说一出,辽史研究者即视为定论,至今无人提出异议。其实这完全是一个误解。以下两条史料足以证明,中台省在乾亨四年以后仍然存在:据《辽史·圣宗纪》,统和二年(984年)十二月辛丑,"大仁靖(为)东京中台省右平章事",右平章事即右次相;统和十六年(998年)二月丙午,"以监门卫上将军耶律喜罗为中台省左相"。这就是说,至少到统和十六年,中台省仍未撤销。那么乾亨四年"省置中台省官"的记载又当作何解释呢? 这句话实际上是减省中台省官员的意思,不能把它理解为"省置中台省"。至于中台省究竟是什么时候撤销的,东丹国到底存在了多久,因记载阙如,只能存疑了。在辽朝这个多民族国家中,渤海族的政治社会地位无疑是最低的。从历史渊源来说,契丹与渤海历来不和,太祖起兵之初即称渤海为"世仇"。② 辽朝统治者对渤海遗民始终缺乏信任感,渤海人也因此对契丹人深怀怨尤。靖康之变时随徽、钦二帝北迁的赵子砥,就曾指出这样一个事实:"契丹时不用渤海,渤海故此深恨契丹。女真兵兴,渤海先降,所以女真多用渤海为要职。"③从辽代文献来看,事实确实如此。辽朝的渤海人,一般只能担任东丹国或东京(即原东平府,先升南京,后改称东京)地方官员,很少有在辽东以外地方任职的,至于跻身朝廷显要的,只能找到一个唯一的

---

①《渤海国志长编》卷四《后纪》。
②《辽史》卷二《太祖纪》(下)。
③《三朝北盟会编》卷九八,引赵子砥《燕云录》。

例子:渤海人大康乂,圣宗时累官南府宰相。① 这就是整个辽代官位最高的渤海人。那么担任东京地方官的渤海人又是怎样一种情况呢? 有关统计结果表明,辽代东京留守可考者共计 28 人,全部是清一色的契丹人。② 也就是说,即使在渤海遗民聚居的东京,渤海人也不能担任长官,只能屈就副贰。圣宗开泰间任东京留守的萧惠,是太祖淳钦皇后弟阿古只的五世孙,史称"朝议以辽东重地,非勋戚不能镇抚,乃命惠知东京留守事"。③ 可见东京留守一职,择人是如何的慎重,这也反映了辽朝统治者对渤海人的戒惕。

契丹人对渤海的戒惕不是没有道理的,渤海是辽朝统治下最为桀骜不驯的一个民族。辽人称渤海人"勇劲乐战",④宋人谓渤海人"骁勇出他国右,至有'三人渤海当一虎'之语",⑤其民族性之强悍可见一斑。他们对契丹人的亡国之恨,导致这两个民族之间的关系经常处于紧张的状态。曾经仕辽后来归宋的宋琪,在一首奏札中指出:"渤海兵马土地,盛于奚帐,虽勉事契丹,俱怀杀主破国之怨。"⑥辽朝治下的汉人和奚人始终是驯服的,很少出现有组织的反抗行为;而渤海人则大不一样,在辽朝统治的二百多年间,他们曾发动四次大规模的反抗行动,即保宁七年(975 年)的燕颇之叛、太平九年(1029 年)的大延琳之叛、天庆五年(1115 年)的古欲之叛和天庆六年(1116 年)的高永昌之叛,其中大延琳和

①《辽史》卷八八《大康乂传》。
②见杨若薇《契丹王朝政治军事制度研究》附录 3《辽五京留守年表》,中国社会科学出版社 1991 年版。
③《辽史》卷九三《萧惠传》。
④《宋朝事实类苑》卷七七,引路振《乘轺录》。
⑤《松漠记闻》卷上。
⑥《宋史》卷二六四《宋琪传》。

高永昌的叛辽自立带有浓厚的渤海复国运动色彩。

大延琳之叛是辽代渤海遗民规模最大的一次反抗行动。圣宗太平九年（1029年）八月，"东京舍利军详稳大延琳囚留守、驸马都尉萧孝先及南阳公主，杀户部使韩绍勋、副使王嘉、四捷军都指挥使萧颇得，延琳遂僭位，号其国为兴辽，年为天庆"。① 此次事变的直接起因，应归咎于辽朝对辽东渤海遗民的经济政策。"先是，辽东新附地不榷酤，而盐曲之禁亦弛"，②"冯延休、韩绍勋相继以燕地平山之法绳之，民不堪命"。③ 时任东京舍利军详稳的大延琳，据说是渤海国创建者大祚荣的七世孙，在这种"民怨思乱"的社会危机下，他不失时机地率部起事，并在东京建立了渤海政权。辽东各地的渤海遗民闻讯纷纷起兵响应，原渤海南京南海府、西京鸭渌府等均据城坚守，与大延琳遥相呼应。长期遭受契丹民族压迫的女真人也加入了叛辽的行列，史称"时南、北女直皆从延琳"。④ 考虑到渤海族与高丽人之间的亲缘关系，大延琳还试图与高丽建立一个反辽同盟，据《高丽史》卷五《显宗世家》记载，显宗二十年（1029年）九月，"大延琳遣大府丞高吉德告建国兼求援"，但高丽朝议的结果，决定暂不介入，"以观其变"。

大延琳事变一起，圣宗"即征诸道兵"，命南京留守萧孝穆为都统，率兵进讨。萧孝穆对东京城进行长期围困，次年八月，东京守将杨详世夜开城门迎降，大延琳被擒，渤海人的复国运动遭致失败。

---

①《辽史》卷一七《圣宗纪》（八）。《高丽史》卷五《显宗世家》谓"建元天兴"。
②《辽史》卷五九《食货志》（上）。
③《辽史》卷一七《圣宗纪》（八）。
④《辽史》卷一七《圣宗纪》（八）。

辽朝统治者在乱平之后所做的头一件事,就是将卷入叛乱的渤海人大量外迁。太平十年(1030年)十一月,诏迁渤海旧族"分居来、隰、迁、润等州"。① 此四州均在中京道境内,可以使这些渤海移民与辽东渤海人隔绝开来。从《辽史·地理志》里还可以看到,上京临潢府附近也安置了不少渤海人,如易俗县,"本辽东渤海之民,太平九年,大延琳结构辽东夷叛,围守经年,乃降,尽迁于京北,置县居之";迁辽县,"本辽东诸县渤海人,大延琳叛,择其谋勇者置之左右。后以城降,戮之,徙其家属于京东北,故名"。另一方面,辽朝政府积极鼓励汉人迁居辽东,以改变渤海人过分集中的状况。道宗时,枢密副使贾师训说:"辽东旧为渤海之国,自汉民更居者众,迄今数世无患。"②看来这种办法是行之有效的。

　　大延琳事变后,辽朝对东京渤海人采取了极为严格的防范措施。《辽史》卷八一《萧孝忠传》云:"重熙七年(1038年),为东京留守。时禁渤海人击毬,孝忠言:'东京最为重镇,无从禽之地,若非毬马,何以习武? 且天子以四海为家,何分彼此? 宜弛其禁。'从之。"由于大延琳事变的影响,辽朝甚至连渤海人击毬都曾一度加以禁止,可见当时渤海人是怎样一种处境。

　　辽末高永昌自立于东京,是渤海人的又一次复国企图。天庆六年(1116年)正月,东京留守萧保先被一群恶少年劫杀。"东京,故渤海地,太祖力战二十余年乃得之,而萧保先残酷,渤海苦之,故有是变"。③ 渤海人高永昌为东京裨将,当时屯驻于白草峪,

----

①《辽史》卷一七《圣宗纪》(八)。
②《贾师训墓志》,见《辽代石刻文编》(河北教育出版社1995年版)第479页。
③《辽史》卷二八《天祚皇帝纪》(二)。

闻变后即率部入据东京,"遂僭称帝",①建元隆基,据有辽东五十余州。辽天祚帝遣萧韩家奴、张琳率军攻讨,高永昌遂派人向金朝求援,称"愿并力以取辽",金太祖的答复是:"同力取辽固可。东京近地,汝辄据之以僭大号,可乎?若能归款,当处以王爵。"②然而高永昌的目标是重建一个独立的渤海国,岂肯再沦为金朝的藩属?当年五月,金军都统斡鲁大败辽军于沈州,随后进军东京,高永昌兵败被杀,复辟渤海国的企图又一次落空。天地间换了主人,渤海人从此成了金朝的臣民。

三

奚族本名库莫奚,《新唐书》卷二一九《北狄传》云:"奚亦东胡种,……元魏时自号库莫奚,……至隋始去'库莫',但曰奚。"库莫奚与契丹同源于鲜卑宇文部,故史称契丹"与库莫奚异种同类"。③公元345年,宇文部为鲜卑慕容皝所破,奚和契丹始从宇文部中离散出来。至北魏登国年间(386—395年),它们又被北魏道武帝击败,自此才相互分离,发展成为两个独立的部族。在唐代,奚和契丹被称为"两蕃",它们几度附唐,又几次叛唐而臣服于突厥,步调始终一致;安史乱后,又一同依附于回纥等西北大族。由于族源相同,在这两个民族之间表现出极为明显的文化亲

①关于高永昌的国号,辽金二史均不记,《宋会要辑稿》蕃夷二之三二、《契丹国志》卷一〇作"大渤海国",《高丽史》卷一四《睿宗世家》、《东国通鉴》卷二〇作"大元",不知孰是。
②《金史》卷七一《斡鲁传》。
③《北史》卷九四《契丹传》。

缘关系,《辽史·国语解》云:"辽之初兴,与奚、室韦密迩,土俗言语大概近俚。"宋人记载谓奚族"语与契丹小异"。① 耶律阿保机征讨奚部时,命耶律曷鲁前去劝降,曷鲁就对奚人这样说:"契丹与奚言语相通,实一国也。"②

奚族与契丹族的历史渊源,注定了它在辽朝的民族关系中具有某种特殊的地位。在辽的被统治民族中,奚是最受信任、地位最高的一个民族,是契丹人的主要依靠对象。由于契丹族人口数量有限,在辽朝处于少数民族的地位,要想统驭包括汉人、渤海人在内的诸多民族,就必须寻找一个同盟者,而奚就正是这样的一个政治盟友。奚人对于辽朝的贡献,表现在军事上尤为明显。在辽朝统治期内,举凡对回鹘、吐蕃、党项、新罗、沙陀、室韦、乌古、迪惹、阻卜、渤海、后唐、后晋、北宋的历次战争,奚人都在其中发挥了重要的作用。类似契丹与奚族的这种政治同盟,是民族关系史上值得注意的一个现象。辽、金、元、清等北方民族所建立的王朝,作为一种政治手段和民族策略,均存在着统治民族与某一被统治民族之间的政治同盟,如辽之奚族、金之渤海、元之色目、清之蒙古,可以说都是具有特殊地位的政治盟友。

说到奚族在辽朝的特殊地位,有一条史料经常为人们所引用。《辽史·百官志》称"辽太祖有帝王之度者三",其中之一就是"并奚王之众,抚其帐部,拟于国族"。所谓"拟于国族",是指将五院部、六院部、乙室部、奚六部并列为辽朝的四大部族,而其中的前三者都是契丹的腹心部族,可见奚六部的地位是多么的特殊。

---

① 《五代会要》卷二八"奚"。
② 《辽史》卷七三《耶律曷鲁传》。

辽朝对奚族的基本政策可以归纳为:保持其传统的部族组织和领地,仍由奚王进行统治,同时设官监视其军队。自唐以来,奚族一直保持着五部部落联盟,故号"五部奚"。辽初的五部奚是指遥里、伯德、奥里、梅只、楚里。天赞二年(923年),辽太祖在镇压了奚人胡损的反抗之后,又以"奚府给役户,并括诸部隐丁,收合流散",新置堕瑰部,"遂号六部奚"。圣宗统和十二年(994年),因奥里、梅只、堕瑰三部"民籍数寡",遂合三部为一,同时又以奚王府北剋军、南剋军升置二部,"以足六部之数"。① 终辽之世,奚六部的部族组织始终得以保存。故奚王亦称"奚六部大王"或"奚六部长"。

奚王的地位也反映出辽朝对奚人的政策。在辽太祖刚刚征服奚人时,曾有契丹贵族觊觎奚王之位。公元913年,太祖"弟迭刺哥图为奚王,与安端拥千余骑而至,绐称入觐",②结果为太祖断然拒绝。整个辽朝一代,历任奚王均由奚人担任,只是不再像过去那样实行世袭制,而是由辽朝皇帝从奚五族中选择合适的人选加以任命。在圣宗统和间建立中京大定府之前,奚王府一直保有其传统领地,"奚部落,南距古北口,北距潢水,东即营州,千余里皆其境土"。③ 至少从辽朝前期的情况来看,奚王府与辽朝中央政权类似一种藩属关系,而奚人的境土则具有相当的独立性,尚未成为辽朝行政区域的一部分。

圣宗统和间,辽朝对奚族的政策可能发生了我们尚不十分清楚的重大变化。有两件事情应该引起我们的足够注意。《辽史》

①《辽史》卷三三《营卫志》(下)。
②《辽史》卷一《太祖纪》(上)。
③《武经总要前集》卷一六(下)"北蕃地里"。

卷三三《营卫志》有这样一条记载："奚王和朔奴讨兀惹,败绩,籍六部隶北府。"据《辽史·圣宗纪》,和朔奴讨兀惹是统和十三年(995年)的事情。"籍六部隶北府",是说将奚六部改隶于契丹北宰相府。由于史料记载过于简略,我们已无法知道此事的究竟。不过这里有一个疑问。奚六部改隶北府之后,奚王府岂不是有名无实了吗? 可是从辽代文献来看,辽朝后期的奚王似乎并不只是一个象征性的职位。另一件事就是奚王府献牙帐地。《辽史·圣宗纪》载,统和二十年(1002年)十二月,"奚王府五帐六节度献七金山土河川地",《地理志》则称为"五帐院进故奚王牙帐地"(五帐院指原奚五部)。统和二十五年,辽朝就在原奚王牙帐所在地建起了中京大定府,并在中京道境内陆续设置州县,这样一来,奚人的境土就被纳入了辽朝的行政管辖区域。

辽朝对奚族的统治促进了奚人的契丹化。《金史》云:"奚有五王族,世与辽人为昏,因附姓述律氏中。"[1]述律氏即契丹后族萧氏。从辽圣宗以后,奚王以及入仕辽朝的奚人均得以萧为姓,故蔡美彪先生认为,奚族附姓契丹萧氏大概就始于圣宗朝。[2] 到了金朝,奚人的契丹化愈益明显。当时人们往往将奚人视同于契丹人,如萧怀忠、萧裕,《金史》明确记载他们为奚人,而《萧怀忠传》则称"海陵意谓怀忠与萧裕皆契丹人,本同谋"云云。又如金废伪齐后任命"契丹萧保寿奴行台右丞相",[3]而据王国维考证,这个萧保寿奴其实就是天辅二年(1118年)降金的奚人萧宝。[4] 奚与契丹"异种同类"的亲缘关系是奚人契丹化的内在原因,而辽朝的

①《金史》卷六七《奚王回离保传》。
②蔡美彪:《试说辽耶律氏萧氏之由来》,《历史研究》1993年第5期。
③《伪齐录》卷下。
④《观堂集林》卷一五《南宋人所传蒙古史料考》。

民族政策则是重要的外部条件。

尽管奚族在辽朝的地位颇为特殊，但契丹人对他们仍多方加以防范和箝制。辽太祖一方面将奚六部与契丹五院部、六院部、乙室部并列为四大部族，但同时却另有他的打算和安排。《辽史·百官志》谓太祖"有英雄之智者三"，其中一条就是"崇乙室以抗奚王"。至于他怎样崇乙室、抗奚王，我们已无从了解。辽朝对奚人所采取的主要防范手段，是设置奚王府监军。赵志忠《虏廷杂记》云："太祖一举并吞奚国，仍立奚人依旧为奚王，命契丹监督兵甲。"[①]见于《辽史》的奚王府监军寅你己、迪烈、安吉、耶律室鲁等，均为契丹人。奚军虽是辽朝相当倚重的一支军事力量，但对奚王府发兵却是限制很严的，《辽史》卷三四《兵卫志》云："凡举兵，帝率蕃汉文武臣僚，以青牛白马祭告天地，……乃诏诸道征兵。惟南北奚王、东京渤海兵马、燕京统军兵马，虽奉诏，未敢发兵，必以闻。"统治民族与被统治民族之间毕竟有一条鸿沟，不管它们多么亲和。

在辽朝统治期内，奚人表现得相当驯服，仅在太祖时有过胡损的一次小规模反叛。然而当辽朝即将崩溃之时，奚王回离保终于独树一帜，建立了独立的大奚国；尽管这个短命王朝只存在了几个月，但它在奚族的历史上却具有特别的意义。奚王回离保又名萧幹，他于保大二年（1122年）在燕京与李处温等人拥立耶律淳为帝；次年初，金军攻燕，萧幹等出奔，"至松亭关，议所往。耶律大石林牙者，契丹也，欲归天祚；四军大王萧幹欲就奚王府立国。于是契丹、奚军列阵相拒而分矣"。[②]"奚、渤海军从幹留奚

<hr />

①《资治通鉴》卷二六九后梁贞明二年十二月，"考异"引《虏廷杂记》。
②《三朝北盟会编》卷一二，引史愿《亡辽录》。

王府,斡遂僭号大奚国神圣皇帝,改元天嗣"。① 当年五月,萧斡南掠燕蓟,败于宋将郭药师,遂被其部将杀害,大奚国就此灭亡。

综观辽朝一代,契丹对奚族的政策虽然有过一个演变过程,但奚族的民族地位始终在汉人和渤海人之上,这是辽朝民族关系的基本格局。

此文原定由《中国史研究》发表,后因出版在前,经与《中国史研究》编辑部协商,不再刊发此文

---

① 《宋会要辑稿》蕃夷二之三五。

金朝的民族政策与民族歧视

　　12 世纪初叶,兴起于白山黑水之间的女真族入主中原,统治北中国达一百二十年之久。金代是一个多民族国家,在金朝境内,生活着汉、女真、契丹、奚、渤海等诸多民族,民族关系无疑是金史研究中的一个重要课题。本世纪 40 年代初,日本学者对金朝统治下的各民族的状况表现出一种特殊的兴趣,其中以三上次男对金代汉人的研究、外山军治对金代契丹人和渤海人的研究最为引人注目。① 由于此项研究工作所具有的服务于军国主义的目的,因此他们的注意力主要侧重于金朝统治者对汉、契丹、渤海诸族的统治手段和统治策略,而对各民族的不平等地位,对民族歧视和民族压迫等问题,则都很少涉及或根本不予涉及。近几十年来,国内史学界虽对宋金时期的民族关系倾注了许多力量,但几乎所有的论著均只着眼于宋金之间的和战问题,很少有人将目光投向金朝内部的民族关系。本文试图从金代的民族政策与民族歧视的角度对此做一初步的探索,希望藉此引起学界对这个问题

---

① 三上次男:《金朝前期的汉人统治政策》,《东亚研究所报》第 21 号,1943年;《金世宗对汉人的统治方针》,《日本学研究》3 卷 10 号,1943 年。外山军治:《金朝统治下的契丹人》、《金朝统治下的渤海人》,均见《金朝史研究》,同朋舍(京都),1979 年。

应有的关注。

一

在历史时期,民族平等是相对的,而民族歧视是绝对的。尤其是在北方民族入主中原后所建立的政权之下,民族歧视和民族压迫的现象一般都显得较为突出,金朝当然亦不例外。

民族等级的存在是民族歧视政策的明显特征。众所周知,元代有蒙古、色目、汉人、南人四等人的区分,这一向被人们视为严重的民族压迫行为,而金代也曾有过类似的民族等级。赵子砥《燕云录》云:"有兵权、钱谷,先用女真,次渤海,次契丹,次汉儿;汉儿虽刘彦宗、郭药师亦无兵权。"[①]赵子砥是宋代宗室,仕至鸿胪丞,靖康之变时随徽、钦二帝北迁,后于建炎二年(1128 年)八月遁归南宋,[②]《燕云录》一书是他在金朝的见闻实录,这段记载真实地反映了金朝初年的民族关系。需要注意的是,《燕云录》所称的"汉儿"是专指原辽朝统治区内的汉人,而原北宋境内的汉人则被称为"南人",这与元朝的情形也大致相似,赵翼对此有确当的解释:"金、元取中原后,俱有汉人、南人之别:金则以先取辽地人为汉人,继取宋河南、山东人为南人;元则以先取金地人为汉人,继取南宋人为南人。"[③]

赵子砥所指出的女真、渤海、契丹、汉儿四个等级的差别,在

---

① 见《三朝北盟会编》卷九八。
②《建炎以来系年要录》卷一七,建炎二年八月庚申。
③《廿二史札记》卷二八"金元俱有汉人南人之名"条。

与此同时的其他宋人记载中也可以得到印证,邓肃《辞免除左正言第三札子》谓金陷汴京后,"自粘罕以下至于步卒,分朝廷所赐之绢,人得五十有五正。……其数虽同,其物不等,金人得锦,渤海得绫,契丹得绢织之类,而九州所得者杂色而已"。[①] 这里所称的"金人"即指女真人,"九州"指原属辽朝的燕地,北宋与金联手灭辽后,曾收复燕蓟六州,并于宣和四年(1122年)在此置燕山府路,下辖一府九州,故"九州"亦即赵子砥所称"汉儿"的代名词。这条史料反映的情况表明当时的民族等级是无处不在的,甚至连分配战利品也有优劣臧否之分。

80年代初,有人根据赵子砥《燕云录》的记载,首次提出金朝存在着五个民族等级,即女真、渤海、契丹和奚、汉人、南人。[②] 这一说法在学术界引起了一定的反响。但我以为,以上五个民族等级并不能正确地反映金代民族政策的全部内容,对金代各民族的不平等地位需要加以具体的分析。与元代相参照,金代的民族等级有两点值得我们注意。

第一,金代的五个民族等级并非法定的。在元代文献中虽然也找不到划分民族等级的明确记载,但从《元典章》、《通制条格》等书中所载的有关敕旨条令来看,当时对蒙古、色目、汉人、南人的政治地位和法律地位都有不同的规定,因此可以认为元代的四等人制是法定的。而金代的情形则大不相同,金代文献中并没有关于上述五个民族等级不平等地位的法令性规定,我们今天所知道的金代民族等级的情况乃是由南宋人总结出来的。

---

① 《栟榈集》卷一二。
② 张中政:《汉儿、签军与金朝的民族等级》,《社会科学辑刊》1983年第3期。《燕云录》所记载的民族等级虽没有南人,但在宋金文献中关于南人受歧视的记述很多,其地位显然更低汉人一等,下文将详细讨论这个问题。

第二,金代的五个民族等级只能代表一个时期内的民族政策。我们知道,元代的四等人制是始终存在的,从元初至元末,各个民族的地位没有什么太大的变化。而金代的五个民族等级则只是反映了金初的情况,前引两条史料都是如此。金代的民族政策有一个演变过程,太祖至熙宗时代,各民族间的不平等地位最为明显,海陵王以后,民族畛域逐渐淡化,五个民族等级成为历史的陈迹,但民族间的不平等现象并未从此消失,只是表现形式有所不同罢了。

二

在金初的五个民族等级中,南人处于最低一等,是女真统治者进行民族压迫的主要对象。太宗时,女真初入中原,在战争中普遍采取烧杀抢掠的野蛮手段,由于遭到北宋遗民的激烈反抗,太祖弟谙班勃极烈斜也曾计划将南人斩尽杀绝,洪皓《松漠记闻》卷上云:"撒也(即斜也)称揞板孛极烈,吴乞买时为储君,尝谋尽诛南人。"苗耀《神麓记》也说:"按班勃极列谢也称皇太弟储君,尝欲尽坑南人,吴乞买不从其请。"①这个计划虽然未能付诸实施,但从中可以窥见金初女真贵族对南人的敌视程度。

金初对南人进行民族压迫的主要表现之一,就是强制南人薙发左衽。早在太宗天会四年(1126 年)十一月二十九日,金朝就发布了第一个改俗令:"今随处既归本朝,宜同风俗,亦仰削去头

---

① 见《三朝北盟会编》卷一六六。

发、短巾、左衽。敢有违犯，即是犹怀旧国，当正典刑。"①此时宗翰、宗望两路大军正围攻汴京，河南大部尚未沦陷，这纸改俗令主要是针对河北、河东两路百姓的。天会七年（1129 年），宋室南渡，淮河以北地区均被纳入金朝统治之下，于是又在更大的范围内强制汉族百姓改从女真之俗，而且措施也更为严厉，请看南宋归正人关于此事的记载："伪元帅府禁民汉服，及削发不如式者死。刘陶知代州，执一军人于市验之，顶发稍长，大小且不如式，即斩之。后贼将韩常知庆源，耿守忠知解梁，见小民有依旧犊鼻者，亦责以汉服斩之。生灵无辜被害，不可胜纪。"②

在此有必要对女真人的服制发式稍加了解，《三朝北盟会编》卷三云："其衣服则衣布，好白，衣短而左衽。妇人辫发盘髻，男子辫发垂后，耳垂金环，留脑后发，以色丝系之，富者以珠玉为饰。"从这段文字对女真男子发式的描述来看，与后来的满人颇为接近，其基本特点是剃去颅顶及两侧头发，只留脑后之发，编结为辫，妇人辫发均于头顶盘为圆髻，男子则径垂于后。范成大于乾道六年（1170 年）出使金朝，据他记述汴京百姓改从胡俗后的发式云："民久习胡俗，态度嗜好与之俱化。男子髠顶，月辄三四髠，不然亦闷痒。余发作椎髻于顶上，包以罗巾，号曰'蹋鸱'，可支数月或几年。村落间多不复巾，篷辫如鬼，反以为便。"③这与上引《三朝北盟会编》所记女真男子发式略有不同，不同之处在于其辫

---

①《大金吊伐录》卷三《枢密院告谕两路指挥》。

②《三朝北盟会编》卷一三二，建炎三年闰八月二十四日引张汇《金虏节要》。又《建炎以来系年要录》卷二八记此事于建炎三年九月，《大金国志》卷五《太宗文烈皇帝》（三）记于天会七年六月，此次改俗令的发布约在是年夏秋间。

③《永乐大典》卷一一九五一"顶"字韵引《揽辔录》佚文。

发既可垂于脑后,也可盘髻于头顶,但髡发(薙顶发)这一基本特征是相同的。

海陵王即位之后,对太宗以来强迫南人改俗的政策做了某些调整。天德二年(1150年),"诏河南民,衣冠许从其便"。① 这一让步不是无缘无故的。在天会七年(1129年)普遍推行改俗令之后不久,金朝扶植刘豫建立了齐国,而齐国在其领有的河南、陕西地区是否继续强迫百姓薙发左衽,文献中并没有明确的记载,但《大金国志》中的一条材料有助于说明这个问题。天眷二年(1139年)金废伪齐后,任命齐国旧臣李邺为翰林学士承旨,冯长宁为东京户部使,"命下日,各髡发、左衽赴任"。② 这表明连齐国臣僚都一仍汉俗之旧,遑论庶民百姓。由于这个原因,金朝在河南地区重新推行改俗政策倍加困难,海陵王审时度势,不得不放弃了这种努力。

但是对黄河以北的广大地区来说,改俗令是不可违拒的。在金朝统治者的严厉禁令下,中原百姓不得不改变传统的民族习俗,如"衣装之类,其制尽为胡矣,……惟妇人之服不甚改"。③ 近年在山西高平发现的金正隆间乐舞杂剧石刻,其中的汉人均为左衽。④ 卫绍王时,宋人程卓出使金朝,在沃州柏乡县的一座汉光武庙中,看见壁绘云台二十八将竟也都是左衽,⑤由此可见金朝推行胡俗的效果。章宗承安五年(1200年)朝议女真、汉人拜仪,司空

①《大金国志》卷一三《海陵炀王》(上)。
②《大金国志》卷一〇《熙宗孝成皇帝》(二)。
③范成大:《揽辔录》,《说郛》卷四一。
④景李虎等:《金代乐舞杂剧石刻的新发现》,《文物》1991年第12期。
⑤程卓:《使金录》,《碧琳琅馆丛书》本。

完颜襄谓"今诸(色)人祗发皆从本朝之制,宜从本朝拜礼"。① 这些事实说明,至金代中后期,女真祗发之制已经取得了统治地位。而且即使在女真族完成其汉化进程之后,仍一如既往地坚持实行薙发左衽,这是一个值得深思的现象。

金熙宗时发生的两桩文字狱,从另一个角度反映了金初南人的受压迫地位。如果说强制改俗是针对广大汉族百姓的,那么这两起文字狱则是女真统治者对汉族士人采取高压政策的真实记录。

熙宗皇统六年(1146年),仕金的宋人、翰林学士承旨宇文虚中下狱被杀。此案的起因,乃是由于"虚中恃才轻肆,好讥讪,凡见女直人辄以矿卤目之,贵人达官往往积不能平。……乃罗织虚中家图书为反具",而同时被杀的翰林直学士高士谈也是因藏书而获罪的。② 另一桩文字狱发生在皇统九年(1149年)。《金史》卷一二九《萧肄传》记载了这起事件的始末:"皇统九年四月壬申夜,大风雨,雷电震坏寝殿鸱尾,有火自外入,烧内寝帏幔。帝徙别殿避之,欲下诏罪己,翰林学士张钧视草。钧意欲奉答天戒,当深自贬损,其文有曰'惟德弗类,上干天威'及'顾兹寡昧,眇予小子'等语。(萧)肄译奏曰:'弗类是大无道,寡者孤独无亲,昧则于人事弗晓,眇则目无所见,小子婴孩之称:此汉人托文字以詈主上也。'帝大怒,命卫士拽钧下殿,榜之数百,不死,以手剑劙其口而醢之。"③张钧一案的性质很明确,它与宇文虚中文字狱说明了

<hr/>

① 《金史》卷三五《礼志》(八)"本国拜仪"。
② 《金史》卷七九《宇文虚中传》。参见本书《金代的一桩文字狱——宇文虚中案发覆》一文。
③ 此事亦见于《三朝北盟会编》卷二一六引《神麓记》。

同样一个问题,即金初女真统治者与汉族士人之间的关系是十分紧张和脆弱的。

三

在金代前期,"汉人"(为避免歧义,下文出现的"汉人"一词,凡指这种特定概念者均加引号)与南人的区别是十分明显的,"汉人"在辽朝统治下生活了二百多年,其生活习俗乃至社会文化心理都与中原地区的汉族人民存在较大的差异。这一点在南宋人看来是很清楚的,世宗大定九年(1169 年),宋人楼钥以书状官的身份跟随贺正旦使汪大猷出使金朝,据他沿途所见,原北宋故地"只是旧时风范,但改变衣装耳",及过白沟,进入原辽朝境内,"人物衣装,又非河北比,男子多露头,妇人多着婆。把车人曰:'只过白沟,都是北人,人便别也。'"①这种情形显示了民族融合的一个迹象。过去人们在谈到历史上的民族融合时,总是片面地强调少数民族融合于汉族,这只是看到了问题的一个方面,其实历史上的民族融合往往是相互的融合,辽代汉人契丹化的例子并不少见,如玉田韩氏就是一个典型的契丹化的汉人大家族。由于自辽朝以来长期形成的这种胡化倾向,②使得金初的"汉人"处于一种边缘人的尴尬境地,绍兴间,宋人陈康伯出使金朝,"有李愈少卿者来迓客,自言汉儿也,云:'女真、契丹、奚皆同朝,只汉儿不好。

---

① 《北行日录》(上),《攻媿集》卷一一一。
② 燕云地区的胡化倾向最早可以追溯到唐代后期,陈寅恪先生在《论李栖筠自赵徙卫事》一文中指出,河北自"安史乱后已沦为胡化藩镇之区域",见《金明馆丛稿二编》,上海古籍出版社,1980 年。

北人指曰汉儿,南人却骂作番人。'"①又《三朝北盟会编》卷二三载,宣和间,"宣抚司招燕云之民置之内地……官给钱米赡之。……时我军所请皆腐余,亦怨,道路相逢,我军骂辱之曰:'汝番人也,而食新;我官军也,而食陈。吾不如番人耶?吾诛汝矣。'汉儿闻之惧"。"汉人"的这种境况使得他们在金初的民族关系中有别于南人。

金朝统治者入主中原之初,即有意识地对"汉人"和南人实行区别对待的政策,这种政策的一个显著事实,就是在科举制度上实行"南北选"。② 太宗天会六年(1128 年),初创南北选,北人(汉)试诗赋,只试一场,南人试经义,依南朝法试三场,"北人四百人,取六分,南人六千人,取五百七十一人",③两者的比例表明是时在科举取士上的倾向性是十分明显的。又据《金史》卷五一《选举志》(一)载,熙宗天眷二年(1139 年),北选进士二百人,南选一百五十人;皇统二年(1142 年),北选一百人,南选一百五十人。单从录取人数上来看,南选与北选彼此约略相当,但如果考虑到南人的应试人数大大多于"汉人"的因素,其中的趋向也就很清楚了。从下面这件事中可以看出女真权贵在科举上对南人的歧视:天会十年(1132 年)西京白水泊会试,"粘罕密诚试官不取中原人,故是岁止试词赋,不试经义",南人胡砺因冒用燕人韩防乡贯而夺得魁首,"胡砺之余,中原人一例黜之,故少年有作赋讥者,其略云:'草地就试,举场不公,北榜既出于外,南人不预其

---

① 陆游:《老学庵笔记》卷六。
②《金史》卷五一《选举志》(一)对南北选是这样解释的:"(天会)五年,以河北、河东初降,职员多阙,以辽宋之制不同,诏南北各因其素所习之业取士,号为南北选。"
③《三朝北盟会编》卷九八,引赵子砥《燕云录》。

中.'由是士子之心失矣"。① 南北选的差异还不仅仅表现在取士人数多寡上,从官途迁转来看也有速滞之分。贞元元年(1153年)规定,南选进士释褐授官后需历三任九十个月才能升至下令(从七品),而北选进士只需两任即可。②

"汉人"在金初之所以能享有高于南人的政治社会地位,是与女真统治者对他们的信任和倚重分不开的。由于"汉人"长期处于异民族的统治之下,他们比起南人来更容易接受女真人的政权,加上燕云地区自唐末以来数易其主,人们的政治态度一般都较为灵活,世宗对此可谓深有感触:"燕人自古忠直者鲜,辽兵至则从辽,宋人至则从宋,本朝至则从本朝,其俗诡随,有自来矣。虽屡经迁变而未尝残破者,凡以此也。"③故当金代辽后,他们便转而效忠于女真统治者,并积极支持金朝南下灭宋,在金初的政治舞台上扮演了重要的角色。大定十四年(1174年),诏定开国功臣21人、亚次功臣22人,其中的非女真人只有五名,一为渤海人,一为契丹人,其他三人都是"汉人":刘彦宗列开国功臣第18位,韩企先列开国功臣第21位,韩常列亚次功臣第21位;而南人则一个也没有。④ 这表明金朝统治者对"汉人"在金初的政治活动给予了很高的评价。如韩企先本不在开国功臣之列,世宗特意提出将他增补进去:"衍庆宫图画功臣,已命增为二十人。如丞相韩企先,自本朝兴国以来,宪章法度,多出其手。至于关决大政,但与大臣谋议,终不使外人知觉。汉人宰相,前后无比,若褒显之,亦

---

① 《大金国志》卷七《太宗文烈皇帝》(五)。
② 《金史》卷五二《选举志》(二)。
③ 《金史》卷八《世宗纪》(下)。
④ 《金史》卷七〇《完颜习室传》、卷八〇《完颜阿离补传》。

足示劝,慎无遗之。"①"汉人"在金初的政治地位也可以从中得到解释。

但金朝统治者对燕人也并非一概予以信任和重用。宋宣和五年(1123年)至靖康元年(1126年),燕京六州之地曾一度归宋,在此期间,不少燕人有过仕宋的经历,金朝对这些人就在政治上进行压制,太宗天会十年(1132年)创立的磨勘法便主要是针对他们的。据宋人记载说:"是春,……左副元帅宗维(即宗翰)谕枢密院磨勘文武官出身迁秩冒滥,命西京留守高庆裔参主之,夺官爵者甚众。"②从这条史料中看不出立磨勘法的底蕴所在,但《金史》里有两个例子颇能说明问题:其一是涿州人赵元,赵曾从郭药师降宋,为药师掌机宜文字,后又降金,天会间,同知蓟州事,"其后朝廷立磨勘格,凡尝仕宣和者皆除名籍,元在磨勘中";③其二是易州人张通古,张本为辽进士,宣和间入宋,后又归金,仕为工部侍郎,"高庆裔设磨勘法,仕宦者多夺官,通古亦免去"。④

金代"汉人"与南人的政治社会地位差异最明显的时期是太祖、太宗、熙宗三朝,熙宗皇统七年(1147年)发生的田玦党狱,成为"汉人"政治势力式微的一个转折点。田玦是广宁人,皇统间为吏部侍郎,时韩企先为相,所援引者多为燕人,且有意荐举田玦继任丞相,田玦既典铨选,朝中燕人势力益盛,颇有朋党之嫌,以此遭致女真统治者的疑忌。蔡松年、曹望之、许霖等欲与田玦通好,遭其拒绝,于是心怀怨望,借机向女真大臣宗弼诋毁田玦。及韩

①《金史》卷六《世宗纪》(上)。
②《建炎以来系年要录》卷五二,绍兴二年"是春"条。
③《金史》卷九○《赵元传》。
④《金史》卷八三《张通古传》。

企先病卒,熙宗遂以专擅朝政的罪名将田毂、奚毅、邢具瞻、王植、高凤庭、王效、赵益兴、龚夷鉴等八人处死,又将孟浩等三十四人放逐遐荒。① 此案对燕人政治集团是一次致命的打击,史称"田毂党事起,台省一空",②可见牵涉面之广。日本学者外山军治认为这次事变"意味着以燕人为中心的旧辽官僚集团在金廷的衰落",③这是一个切中肯綮的结论。

"汉人"势力一旦衰微,南人势力必然会起而代之,海陵王贞元二年(1154年)合并南北选之举是南人地位上升的一个标志。④南北选是在金初多种制度并存的情况下所采取的一种权宜性措施,至海陵王时,金朝对中原的统治已经巩固,国内的民族矛盾也已有所缓和,科举制度上的抑宋扬辽、重北轻南的倾向开始发生变化。合并南北选后,南人在科举入仕之途上逐渐取得了优势,

―――――――――

① 有关田毂党狱的记载主要见于《金史》卷八九《孟浩传》、《遗山集》卷二九《忠武任君墓碣铭》。陶晋生先生将此次党祸解释为燕人和南人之间的党派之争(见《金代的政治冲突》,《历史语言研究所集刊》第43本第1分,1971年),笔者觉得这种背景并不明显。所谓"南人"者,仅蔡松年一人可以当之,而曹望之据《金史》本传称"其先临潢人,辽季移家宣德",实属燕人,许霖又不详其里贯,故很难将这一派称为南人集团。但党争的结果客观上导致了燕人的失势和南人的崛起。

②《金史》卷八三《张浩传》。

③《米芾虹县诗卷跋——金人田毂及其党祸》,《金朝史研究》附录四,第658页,同朋舍(京都),1979年。

④ 合并南北选后,罢去经义、明经、经童等科,专以词赋、律科取士。《金史》卷五一《选举志》(一)记此事于海陵王天德三年(1151年),但《中州集》卷二称亳州人刘瞻"天德三年南榜登科",《金史》卷九七《贺扬庭传》谓贺"登天德三年经义进士第",可见天德三年仍有南北选之分。《三朝北盟会编》卷二四四引张棣《金虏图经》云:"迨(完颜)亮杀亶自立,……次举又罢经义、专经、神童,止以词赋、法律取士。"海陵朝首科是天德三年,"次举"罢诸科,合南北选为一,则系贞元二年(1154年)事。

兹据陶晋生先生的有关统计结果制成下表。①

表 1　金代各时期"汉人"、南人进士比例

年代	汉人	南人
1115—1144 年	90%	10%
1145—1174 年	64%	36%
1175—1204 年	42.5%	57.5%
1205—1234 年	34.5%	65.55%

　　这一统计结果约略显示了金代"汉人"、南人政治势力的消长盛衰大势。海陵至世宗朝是"汉人"衰落、南人地位上升的关键时期，从世宗关于"汉人"、南人的如下两段评语中，可以看出女真统治者对南人的政治态度已经发生了明显的改变：世宗曾对贺扬庭说："南人矿直敢为，汉人性奸，临事多避难。异时南人不习词赋，故中第者少，近年河南、山东人中第者多，殆胜汉人为官。"②又大定二十三年（1183 年），世宗在比较"汉人"巨构和南人段珪时说："燕人自古忠直者鲜，……南人劲挺，敢言直谏者多，前有一人见杀，后复一人谏之，甚可尚也。"③从世宗朝开始，活跃在金朝政治舞台上的汉族知识分子，已由金初的以"汉人"为主变为以南人为主。"汉人"和南人在原有的五个民族等级中的地位有了根本的改变，他们之间的界限也就渐渐趋于模糊了。

---

①见前揭陶晋生：《金代的政治冲突》。
②《金史》卷九七《贺扬庭传》。
③《金史》卷八《世宗纪》（下）。

四

渤海族在金代的民族关系中享有特殊的政治社会地位,根据宋人所总结的金代民族等级的状况,渤海仅次于金朝的统治民族女真族,其地位优于其他各个被统治民族。这其中的一个重要原因是渤海与女真族源相同,他们都同为靺鞨人的后裔,渤海源于粟末靺鞨,女真出自黑水靺鞨,金朝统治者对两族间的这种同源关系非常看重,视为怀柔渤海人的一个天然机缘,完颜阿骨打起兵之初就宣称"女直、渤海本同一家",[①]以此号召渤海人加入女真的反辽同盟。渤海在辽朝深受民族歧视,始终处于被压迫的地位,这也是他们与女真人易于投合的一个原因,所以当女真建国后,渤海人便纷纷前来归附。宋人对渤海在金朝所得到的优遇是这样解释的:"契丹时不用渤海,渤海故此深恨契丹,女真兵兴,渤海先降,所以女真多用渤海为要职。"[②]

为了巩固女真—渤海政治联盟,金建国之初就有计划地选取辽阳渤海望族女子作为宗室诸王的侧室,《金史》卷六四《后妃传》云:"天辅间,选东京士族女子有姿德者赴上京。"与女真皇室联姻的主要是辽阳大氏、李氏、张氏三支渤海右姓,从太祖至世宗朝,他们与宗室累世通婚,以致在金朝的九位皇帝中有三位都是由渤海人所生,这就是海陵王、金世宗、卫绍王。渤海世家与女真皇室的政治联姻密切了这两个民族之间的关系,使渤海人在金代

①《金史》卷二《太祖纪》。
②《三朝北盟会编》卷九八,引赵子砥《燕云录》。

所享有的优越地位得以长期保持。

但金朝的渤海政策在各个时期也有所变化。金代前期，渤海人尚未能够进入统治集团的上层，在政治上影响不大。海陵、世宗两朝是渤海人的鼎盛时期，大臬、张浩在海陵朝都官至宰相，其中张浩从贞元三年（1155年）至正隆六年（1161年）独任首相七年，为金代所仅见；而世宗朝共四位尚书令，其中有两位都是渤海人。大定后期，渤海人集团卷入了皇室内部的继承权之争，结果陷于失败，章宗即位后，遂一反海陵、世宗重用渤海人的政策，逐步清除宗室内的渤海人势力，从而致使渤海世家与女真皇室间长期形成的联姻关系陷于破裂。金朝后期，渤海人在政治上遭到女真统治者的排斥，其政治影响已经十分有限。但是值得注意的是，渤海上层人物与女真统治集团的矛盾并未使这两个民族交恶，金朝治下的渤海人始终是驯服的，从来没有任何反抗行为，因此其民族地位也就相对比较稳定。

契丹与女真的关系是金代民族关系中一个引人注目的问题。契丹是辽的统治民族，驾驭这些前朝遗民对女真来说绝非易事，金朝的契丹人始终处于一种不安分的状态，他们曾经进行过多次反抗，金对契丹的政策也随着两族关系的变化而不断进行调整。

金朝灭辽之后，紧接着便南下攻宋，金宋矛盾上升为当时主要的民族矛盾。出于对宋廷联结女真攻灭辽朝的宿怨，许多降金的契丹人都积极参予了对宋战争。在宋金的对立和斗争中，契丹人变成了女真坚定的同盟者，因此从金初民族关系的总的格局来看，契丹人的地位显然要高于"汉人"和南人，宋人关于五个民族等级的总结基本上是符合当时的实际情况的。

契丹与女真关系的恶化，是由正隆、大定间发生的契丹人的大起义造成的。正隆间，海陵王为准备南征，在全国各地强制签军,这一措施遭到了契丹人的强烈抵制,并成为这次起义的导火索。正隆六年(1161年)四月,起义首先在西北路爆发,并很快蔓延到西京、北京、咸平府、上京等路,"契丹部族大抵皆叛"。① 直到大定二年(1162年)九月,历时一年半的起义才被金世宗镇压下去。②

由于这次起义参与人数众多,涉及范围很广,从而导致金朝对契丹人的政策发生了重大的转折。世宗平叛之后采取的一个重要措施是废罢参与叛乱的契丹猛安谋克,而将"其户分隶女直猛安谋克"。③ 后来发生的一起偶然事件,促使世宗对契丹人采取更严格的控制手段。大定十七年(1177年),遣监察御史完颜觌古速巡边,随行的契丹押剌四人趁机越界逃奔西辽。耶律大石建立的西辽存在了八十年之久,对金朝及其治下的亡辽遗民来说,西辽始终是一个非常敏感的问题。此事对世宗震动很大,为防止西北路的契丹人与西辽交通,世宗决定把他们迁往辽东。是年,"徙西北路契丹人尝预窝斡乱者上京、济、利等路安置"。④ 然而契丹人的东迁却为金末耶律留哥之乱埋下了祸根。

世宗对契丹人的态度,可以从下面这段对话中看得很清楚:一次,世宗对朝廷臣僚谈及契丹人时说道:"海陵时,契丹人尤被信任,终为叛乱,群牧使鹤寿、驸马都尉赛一、昭武大将军术鲁古、金吾卫上将军蒲都皆被害。赛一等皆功臣之后,在官时未尝与契丹有怨,彼之野心,亦足见也。"尚书右丞唐括安礼回答说:"圣主

①《金史》卷九一《蒲察世杰传》。
②此次起义的详细经过,请参看三上次男、外山军治《金正隆大定年间的契丹人叛乱》,《东洋学报》26卷第3、4号,1939年。
③《金史》卷六《世宗纪》(上)。
④《金史》卷八八《唐括安礼传》。

溥爱天下,子育万国,不宜有分别。"世宗又曰:"朕非有分别,但善善恶恶,所以为治。异时或有边衅,契丹岂肯与我一心也哉。"[1]随着金朝民族政策的变化,契丹人的民族地位明显下降了。如果说金代前期民族矛盾的焦点是女真与汉民族之间的矛盾的话,那么金代中期女真与契丹的矛盾则显得更为尖锐。

卫绍王即位以后,蒙古的崛起对金构成了巨大的威胁,同时北方的契丹人也渐有不稳定的迹象,为防患于未然,金朝进一步加强了对契丹的控制。《元史》卷一四九《耶律留哥传》云:"(元)太祖起兵朔方,金人疑辽遗民有他志,下令辽民一户以二女真户夹居防之。"这种严密的防范措施更坚定了契丹人的叛意。大安三年(1211年),蒙古南下攻金,契丹千户耶律留哥趁机在隆州举兵反金,契丹人闻讯纷纷前来归附,很快就众至十余万。世宗的预言终于应验了。耶律留哥的抗金斗争一直持续到兴定四年(1220年)才告结束。

奚族与契丹同出于东胡,"异种同类",因此奚人在辽享有"拟于国族"的优遇。奚王族与宗室耶律氏累世通婚,史称"奚有五王族,世与辽人为昏,因附姓述律氏中"。[2]自辽以来,奚与契丹间的民族融合十分明显,以致到了金代,人们已难以确定某些奚人的族属,即使明知其为奚人,也往往以契丹人视之。如《金史》卷九一《萧怀忠传》称"海陵意谓怀忠与萧裕皆契丹人,本同谋",而萧怀忠与萧裕却都是奚人,这在《金史》里有明确的记载。正是由于这种原因,金朝对于奚和契丹的政策基本上是一致的,所以人们理所当然地将他们视为同一个民族等级。

----

[1]《金史》卷八八《唐括安礼传》。
[2]《金史》卷六七《奚王回离保传》。

金代前期,奚人与女真统治者的关系比较融洽,在政治上也较易受到重用。海陵朝是奚人政治势力最强盛的时期,有两位奚人官至宰相,一为尚书左丞相兼侍中萧玉,一为尚书右丞相兼中书令萧裕。但贞元元年(1153年)的萧裕谋反事件导致了与女真关系的危机。萧裕曾协助海陵王夺取皇位,后又为海陵清除政敌,设计杀太宗、宗翰子孙,因此深得海陵信任,被任命为右丞相。"裕弟萧祚为左副点检,妹夫耶律辟离剌为左卫将军,势位相凭藉",①一时权倾朝廷。萧裕因看到海陵王性好猜疑而感到十分不安,于是暗中联络前真定尹萧冯家奴、前御史中丞萧招折、博州同知遥设、五院节度使耶律朗等进行谋反活动,这些人都是奚人和契丹人。这一叛乱计划尚未付诸实施就被粉碎了,预其反谋者均被处死,牵连甚众。奚人的政治势力受到严重打击。

正隆末至大定初,许多奚人部族卷入了契丹人的大起义,这使奚与女真的关系更加紧张。世宗以后,奚人在政治上已经完全失去金朝统治者的信任,因此再也无法跻身于高层官僚,大定三十年间,奚人职位最高者是两名正五品官员。奚族的政治社会地位从此衰落了。

五

金代前期的民族歧视主要表现为女真、渤海、契丹(奚)、汉人、南人五个民族等级的不平等地位,海陵王至世宗时期,金的民族政策发生了很大的变化,南人地位的上升与汉人、契丹及奚人

---

① 《金史》卷一二九《萧裕传》。

地位的下降,使得各个被统治民族的等级界限不如过去那么鲜明了,然而表现在女真人与非女真人之间的诸多不平等现象却始终存在,这是金代民族歧视的一个一贯性问题。

女真是金代的统治民族,金朝统治者历来强调女真本位意识,强调金的正统地位,尤其忌讳汉族人民将女真视为外来民族。章宗时,"禁称本朝人及本朝言语为'蕃',违者杖之"。① 明昌六年(1195年),章宗对宰执们说:"凡言女直进士,不须称女直字。卿等误作回避女直、契丹语,非也。今如分别户名,则女直言本户,汉户及契丹,余谓之杂户。"②"女直进士"即策论进士,章宗主张去掉"女直"二字,是为了突出女真的主体民族意识。"本户"的提法也是同样的用意,金朝习称女真人为女真户,汉人为汉户,契丹人为契丹户等,而章宗主张以本户代替女真户的称呼,其他如汉户、契丹户等仍旧,这样就将女真族与其他被统治民族的主次轻重区别开来了。诸如此类的小事从一个侧面反映了金朝统治者的民族观。

金代女真贵族中普遍存在着强烈的民族偏见。熙宗皇统五年(1145年),朝廷将大赦天下,女真臣僚均主张"覃恩止及女直人",③唯尚书左丞宗宪表示反对,于是才修改赦文,使各族人均沾。《金史》卷四《熙宗纪》载,皇统八年(1148年)十一月,"左丞相宗贤、左丞禀等言,州郡长吏当并用本国人。上曰:'四海之内,皆朕臣子,若分别待之,岂能致一? 谚不云乎,疑人勿使,使人勿疑。自今本国及诸色人,量才通用之。'"所谓"本国人"即指女真

①《金史》卷九《章宗纪》(一)。
②《金史》卷四六《食货志》(一)"户口"。
③《金史》卷七〇《宗宪传》。

人,宗贤等人主张连地方官都只用清一色的女真人,可见女真权贵对其他民族的猜忌和成见是何其深。民族偏狭心理的另一面表现为对女真人的纵容和偏袒,大定二十六年(1186年),世宗对大臣们说:"亲军虽不识字,亦令依例出职,若涉赃贿,必痛绳之。"太尉、左丞相徒单克宁答以"依法则可",世宗听出了克宁的弦外之音,于是又说:"朕于女直人未尝不知优恤。然涉于赃罪,虽朕子弟亦不能恕。太尉之意,欲姑息女直人耳。"①

世宗虽在对待女真人的态度上与徒单克宁辈有所不同,但他头脑中的民族偏见其实也是根深蒂固的。大定间,世宗为救济女真屯田军户,欲签汉人佃户入军籍,而以其所佃官田分配给女真人,尚书右丞唐括安礼对此提出异议:"猛安人与汉户,今皆一家,彼耕此种,皆是国人,即日签军,恐妨农作。"世宗斥责安礼说:"卿习汉字,读《诗》《书》,姑置此以讲本朝之法。前日宰臣皆女直拜,卿独汉人拜,是邪非邪?所谓一家者皆一类也,女直、汉人,其实则二。朕即位东京,契丹、汉人皆不往,惟女直人偕来,此可谓一类乎?"②作为金朝的最高统治者,世宗的民族观念颇具代表性。直至宣宗南渡,外患深重,仍"偏私族类,疏外汉人,其机密谋谟,虽汉相不得预",故刘祁在分析金朝亡国的原因时说:"大抵金国之政,杂辽宋非全用本国法,所以支持百年。然其分别蕃汉人,且不变家政,不得士大夫心,此所以不能长久。"③

在金朝,女真族与其他被统治民族的不平等现象表现非常广泛,以下从三个方面加以考察。

---

① 《金史》卷八《世宗纪》(下)。
② 《金史》卷八八《唐括安礼传》。
③ 《归潜志》卷一二《辩亡》。

（一）政治地位

据《金史》卷五五《百官志序》载章宗明昌四年（1193 年）全国官员统计数云："见在官万一千四百九十九，内女直四千七百五员，汉人六千七百九十四员。"文中的分项统计数只有女真官和汉官两项，并没有其他民族的官员数字，但这两项之和又恰好与总数相符，故我估计这里所称的女真和汉人应分别是指猛安谋克户和州县民户，前者以女真人为主，后者以汉人为主。金代的猛安谋克人口约占全国总人口的 14% 左右，州县人口占全国总人口的 80% 以上，①而它们在官员中所占比例则分别为 41% 和 59%，由此可见女真人和汉人在入仕比例上的不平衡状况。

就高层官僚的民族结构而言，女真人与非女真人在政治上的不平等地位显得更为突出，现将都兴智先生的有关统计转载于此。②

表 2　金代三品以上官员民族成份对照表

时代 族别	熙宗朝	海陵朝	世宗朝	章宗朝	宣宗以后	合计
女真	61	53	79	47	104	344
汉	24	35	54	48	59	220
渤海	5	6	9	2	1	23
契丹	3	8	6	3	8	28
奚	1	6			1	8
其它		1			3	4

①详见本书《金代猛安谋克人口状况研究》一文。
②都兴智：《金代的科举制度》，《金史论稿》第 2 卷，吉林文史出版社 1992 年版。

表 3　金代宰执民族成份对照表

时代 族别	熙宗朝	海陵朝	世宗朝	章宗朝	宣宗以后	合计
女真	21	8	22	13	37	101
汉	4	5	10	9	12	40
渤海	1	3	4	1		9
契丹	1	1	1	1	1	5
奚	1	2				3

根据表 2 的统计结果，金代三品以上官员可考者共 627 人，其中女真 344 人，占总数的一半以上，而所有被统治民族所占比例还不到一半。女真和汉人只有在章宗时期数量才处于均衡。表 3 的统计结果更能说明问题，金源一代宰执共 158 人，其中竟有 101 人出自女真，占总数的近三分之二，而且每个时期都占有绝对多数。

金末元初的士大夫对金朝官僚制度中的这种民族差别感受很深，元好问总结说："金朝官制，大臣有上下四府之目，自尚书令而下，左右丞相、平章政事二人为宰相，尚书左右丞、参知政事二人为执政官。凡在此位者，内属、外戚，与国人有战伐之功、豫腹心之谋者为多；潢、霫之人，以伐阅见推者次之；参用进士，则又次之。其所谓进士者，特以示公道、系人望焉尔。轩轾之权既分，疏密之情亦异。"① 所谓"潢、霫之人"是指契丹和奚人，潢即上京临潢，乃契丹兴国之地，奚人辽时聚居于中京道，而中京古称白霫城。表 3 的统计结果表明，契丹和奚人任宰执者远比汉人要少得多，故元好问的这段评论未必完全公允，但女真人在宰执中的优

————————

① 《遗山集》卷一六《平章政事寿国张文贞公神道碑》。

势地位诚如斯言,且汉人宰相与女真宰相也确有轩轾疏密之分。金末文士张德辉对汉人官僚在金朝的受歧视状况也有一段议论。蒙古定宗二年(1247年),张德辉奉召入忽必烈王邸,忽必烈向他提了这样一个问题:"或云辽以释废,金以儒亡,有诸?"张德辉答曰:"辽事臣未周知,金季乃所亲睹。宰执中虽用一二儒臣,余则武弁世爵,若论军国大计,又皆不预。其内外杂职,以儒进者三十之一,不过阅簿书、听讼理财而已。国之存亡,自有任其责者,儒何咎焉!"①元好问和张德辉都是站在汉族知识分子的立场上来看待这个问题的,故其议论不无偏激,但作为金朝士大夫,他们的话还是颇有参考价值的。

从入仕途径来看,女真人既可以通过科举入仕,也可以通过门荫、世袭、军功入仕,而门荫是一个主要的途径,元好问称金代官僚"出于任子者十之四",②其中多为女真人。表2、表3统计的女真三品以上官员和女真人宰执,出身科举者均只占14.8%。与女真人相比,汉人一般不享受世袭特权,以军功、门荫入仕者亦是少数,科举几乎成为汉人入仕的唯一途径,世宗以后,这种倾向尤为明显。③

在官途迁转上,女真人也享有特殊的优遇。大定间,世宗与尚书右丞唐括安礼讨论超迁格,世宗说:"除授格法不伦。……但以女直人有超迁官资,故出职反在奉职上。天下一家,独女直有超迁格,何也?"唐括安礼答道:"祖宗以来立此格,恐难辄改。"④

①《元朝名臣事略》卷一〇《宣慰张公德辉》,引《张德辉行状》。
②《遗山集》卷二七《辅国上将军京兆府推官康公神道碑铭》。
③据陶晋生先生统计,世宗、章宗之世,汉人官员中出身科第者占90%,见《金代的政治结构》,《历史语言研究所集刊》第41本第4分,1969年。
④《金史》卷八八《唐括安礼传》。

由于超迁格只适用于女真人,因此女真官员的升迁速度就明显快
于其他官员。以汉进士和女真进士为例,一般情况下,女真进士
及第不到二十年就可升至三品,而汉进士则需二十五年到三十年
乃至更长的时间。有学者对大定十三年(1173年)创设女真进士
科后有明确科第记载的汉、女真宰执的迁转年数作过一个统计,
现转载于此:①

表4　金代科举出身的汉、女真宰执迁转年数对照表

汉人	年数	女真人	年数
贾铉	30	夹谷衡	18
孙铎	34	尼厖古鉴	21
孙即康	33	裴满亨	17
李革	31	完颜匡	18
耿端义	28	徒单镒	17
高霖	29	完颜伯嘉	28
贾益谦	41	抹撚尽忠	25
高汝砺	35	蒙古纲	17
张行信	29	完颜阿里不孙	23
胥鼎	25	奥屯忠孝	26
侯挚	24	完颜素兰	17
师安石	29	赤盏尉忻	29
		完颜仲德	29
平均	30.7		22.7

　　表中的数字是从及第到升至宰执所历的年数。女真进士迁

---

①见前揭都兴智:《金代的科举制度》。

转最快者,及第十七年就可任宰执,而汉进士最快者则为二十四年,女真进士的平均年数是 22.7 年,汉进士的平均年数是 30.7年,两者相差八年,可见汉进士进入官僚集团上层要比女真进士缓慢和困难得多。

又如武官以功迁转官资,在同等条件下,女真人也要优于其他诸色人。《金史》卷八七《徒单合喜传》载,大定二年(1162 年),因收复陕西十六州府,诏陕西将士迁转官资,"押军猛安,……昭信以下,女直人迁宣武,①余人迁奉信;②无官者,女直人授敦信,③余人授忠武;④押军谋克,……忠勇以下,女直人迁昭信,余人迁忠显;⑤无官者,女直人授忠显,余人授忠翊"。⑥ 猛安谋克除女真外主要是契丹人和奚人,这条史料反映了女真与契丹、奚人的不同待遇。

直到宣宗时,才将女真人与非女真人在官资迁转上的不同规定加以统一。贞祐元年(1213 年),"诏应迁加官赏,诸色人与本朝人一体";贞祐三年(1215 年),"诏诸色人迁官并视女直人,有司妄生分别,以违制论,从户部郎中奥屯阿虎请也"。⑦ 此时蒙古大军压境,金朝国势岌危,宣宗此举意在缓和国内的民族矛盾。

(二)法律地位

女真人与非女真人在法律地位上也是不平等的。大定九年

①据《金史》卷五五《百官志》(一)所载武散官,宣武将军为从五品下。
②《百官志》所载武散官无"奉信","奉信"疑为"承信"之误,承信校尉为正七品上。
③"敦信"疑即"昭信",昭信校尉为正七品下。
④忠武校尉为从七品上。
⑤忠显校尉为从七品下。
⑥忠翊校尉为正八品下。
⑦《金史》卷一四《宣宗纪》(上)。

（1169年），"诏女直人与诸色人公事相关，只就女直理问"。① 在这种情况下，涉及女真人与非女真人的法律诉讼自无公正可言。卫绍王时，东平府寿张"县境多营屯，世袭官主兵，挟势横恣，令佐莫敢与之抗。兵人殴县民，民诉之县，县不决，申送军中，谓之'就被论官司'，民大苦之"。② 这里说的"营屯"是指熙宗以后迁入中原的猛安谋克屯田军户，他们在地方上为所欲为，连州县官也对他们无可奈何，因为按照惯例，地方官府对女真人不具有司法权。

法律诉讼中的民族歧视不仅仅表现在这一个方面，据元好问记载说："在律：官人与部民对讼，无罪犹解职。"③此处"官人"指汉官，"部民"即猛安谋克部民。金律规定，凡汉人官员与猛安谋克部民发生法律纠纷，不管胜诉败诉，汉官都将被解职。哀宗时，康锡为京南路大司农丞，"弹种人以赃污尤狼籍者五六辈，宰相有不说者云：'康锡不欲吾种人在仕路耶？'因以飞语中之，出为河中府治中、充行尚书六部郎中"。④ 康锡只因弹劾了几位女真贪官就被降职，联系上引金律的规定来看，可知这不是偶然的。

但是如果与辽代和元代作一比较，金代法律中的民族歧视成份还是要少一些。辽代以北、南二院分治契丹和汉人，神册六年（921年），太祖"诏大臣定治契丹及诸夷之法，汉人则断以律令"，⑤对契丹和汉人完全是采用的两套法律。圣宗以前曾规定："蕃人殴汉人死者，偿以牛马；汉人则斩之，仍没其亲属为奴婢。"⑥元代法律

①《金史》卷六《世宗纪》（上）。
②《遗山集》卷二〇《吏部尚书张公神道碑铭》。
③《遗山集》卷二一《御史程君墓表》。
④《遗山集》卷二一《大司农丞康君墓表》。
⑤《辽史》卷六一《刑法志》（上）。
⑥《续资治通鉴长编》卷七二，真宗大中祥符二年十二月癸卯。

也有类似的规定："诸蒙古人因争及乘醉殴死汉人者,断罚出征,并全征烧埋银";而汉人如殴死蒙古人,则要处以死刑。① 相形之下,金代法律就要公平得多了,在目前初步认定的金《泰和律》遗文中,尚没有发现女真人与非女真人同罪不同罚的规定。② 元好问云:"国家百余年,累圣相承,一以人命为重,凡杀人者之罪,虽在宗室,而与闾巷细民无二律。"③从我所搜集的有关史料来看,这一记载是基本可信的。

(三)经济地位

反映在经济地位上的民族不平等现象,可以举出两个例子来予以说明。

首先是土地租税高低不等,税率相差极为悬殊。金代的土地租税制度基本上是实行两套规制,即对猛安谋克户实行牛头税制,对州县民户实行两税法。关于牛头税,《金史》卷四七《食货志》(二)是这样解释的:"其制:每末牛三头为一具,限民口二十五受田四顷四亩有奇,岁输粟大约不过一石。"这只是个笼统的说法,《食货志》对牛头税的税率有三种不同的记载:天会三年(1125年),"太宗以岁稔,官无储积无以备饥馑,诏令一末赋粟一石";天会四年(1126年),"诏内地诸路,每牛一具赋粟五斗,为定制";大定二十一年(1181年),世宗对宰执说:"前时一岁所收可支三年,比闻今岁山西丰稔,所获可支三年。此间地一岁所获不能支半岁,而又牛头税粟,每牛一头止令各输三斗,又多逋悬。"由此看

①《元史》卷一〇五《刑法志》(四);《元典章》卷四二《诸杀一》。
②参见叶潜昭《金律之研究》,台北商务印书馆1972年版。
③《遗山集》卷二七《赠镇南军节度使良佐碑》。

来,每牛具纳粟五斗是针对金源内地的规定,其它地方一般是一石,世宗说的每牛一头各输三斗(即每牛具九斗)可能是个约数,实际上也是指的每牛具一石。这样折算下来,牛头税的税率大致为每亩0.12升至0.25升。

金代的两税,据《金史》卷四七《食货志》(二)载:"大率分田之等为九而差次之,夏税亩取三合,秋税亩取五升,又纳秸一束,束十有五斤。"这是九等田制下的一个平均税率,约为每亩5.3升。与猛安谋克户所纳牛头税相比,两税的税额要高二十倍至四十余倍。而且还有一点必须注意,牛头地是官田,而两税是对州县民户的私田征取的地税,如果将牛头税与官田地租相比较,其税率相差更为悬殊。① 由此可见金代猛安谋克户与州县民户的税负是多么的不均衡。

在经济待遇上的民族差别还可举盐价为例。金代盐课居国家财政收入首位,而各地盐价差别很大,这其中就大有文章。据《金史》卷四九《食货志》(四),章宗承安三年(1198年)十二月厘定的七盐司盐价分别为:

山东、沧州、宝坻	42 文/斤
西京	28 文/斤
解州	25.6 文/斤
辽东、北京	15 文/斤②

上列七盐司盐价,以山东、沧州、宝坻为最高,西京、解州次之,辽东、北京最低,这并非因为各地盐的成本高低不同,而是同

---

① 关于金代的租额,《金史》卷四六《食货志》(一)称"金制,官地输租,私田输税,租之制不传"。笔者另有专文探讨这个问题,此处不作详细论证。
② 此据乔幼梅先生的折算结果,参见漆侠、乔幼梅《辽夏金经济史》,河北大学出版社1994年版,第349页。

盐课的配额有关。山东、沧州、宝坻三盐司的行盐范围主要在河北、河南、山东,这些地区的居民多为汉族百姓,所以盐价最高。西京、解州二盐司的行盐区域虽有不少汉人,但猛安谋克民户也不少,故盐价就低了许多。辽东、北京二盐司行盐区内的居民以猛安谋克户为主,故盐价最低。由此可见汉族人民所承受的盐课比猛安谋克户要高得多,这是与金代的民族歧视政策分不开的。

从金代民族政策的演变过程来看,金初的民族歧视最为严重,海陵、世宗以后有很大的改观,宣宗南渡后,由于外患深重,统治者不得不采取某些措施以进一步缓和民族矛盾;但终金之世,民族政策中的歧视性一面并没有发生根本的改变。

原载《历史研究》1996 年第 3 期

渤海世家与女真皇室的联姻

——兼论金代渤海人的政治地位

渤海是金代多民族国家中的几个主要的民族之一,在金朝的政治舞台上曾扮演过十分重要的角色。本世纪三四十年代,日本学者外山军治对金代的渤海人进行了开创性的研究,①其中许多结论已得到今日学界的普遍认同。但外山氏对渤海世家与宗室完颜氏的联姻问题注意不够。渤海人通过累世的联姻与女真统治者结成了牢固的政治同盟,这种族际间的婚媾对渤海人来说无疑具有特殊的意义。因此,要研究金代渤海人的状况,研究渤海人与金朝政治的关系,这一问题显然是不容忽视的。

一

渤海始建国于公元 698 年,其全盛时期曾拥有五京、十五府、

---

①其研究成果见《金朝统治下的渤海人》、《世宗的即位与辽阳渤海人》,两文均已收入《金朝史研究》,同朋舍(京都),1979 年。

六十二州，"地方五千里，户十余万"，①号称"海东盛国"。在历经二百二十九年之后，于公元926年被辽朝吞并。辽灭渤海后，并未立即将渤海州县直接纳入自己的统治，而是在渤海故地建立东丹国，使之成为辽的属国。辽太祖命太子耶律倍为东丹王，统领渤海地区的一切军政事务。太祖死后，太子耶律倍在争夺皇位的斗争中失势，其弟耶律德光以太后的支持得即帝位，是为太宗。太宗因顾忌耶律倍利用渤海人的势力对朝廷构成威胁，遂于天显三年(928年)将东丹国的首府从原渤海上京龙泉府(今黑龙江省宁安县渤海镇)南迁至东平(今辽宁省辽阳市)，并升东平郡为辽阳府。渤海遗民大都在此次迁徙中移居辽阳，因此我们从文献中所看到的辽金两朝渤海人的活动多以辽阳为中心。②

契丹统治者对渤海人始终采取猜忌、防范的态度，渤海人在辽代处于受压迫的地位，他们曾经进行过多次反抗斗争。因此当女真起兵反辽时，渤海人就首先成为争取的对象。当然，还有一点我们不应忘记：渤海与女真族源相同，渤海源于粟末靺鞨，女真出自黑水靺鞨，因而渤海与女真可以说是天然的政治盟友。完颜阿骨打起兵之初就公开宣言："女直、渤海本同一家。"③以此作为招徕渤海人的口号，渤海人遂纷纷站到了女真一边。故金朝建国后唯独对渤海人十分信任，并予以特殊的优遇，宋人对此的解释是："契丹时不用渤海，渤海故此深恨契丹，女真兵兴，渤海先降，所以女真多用渤海为要职。"④

---

① 《新唐书》卷二一九《渤海传》。
② 洪皓《松漠记闻》卷上谓辽灭渤海后，"徙其名帐千余户于燕"。外山军治指出这一记载并不可信，见前揭《金朝史研究》第130—134页。
③ 《金史》卷二《太祖纪》。
④ 《三朝北盟会编》卷九八，引赵子砥《燕云录》。

谈到渤海人的政治社会地位,不能不涉及到金朝的民族等级。靖康之变时随徽、钦二帝北迁的宗室赵子砥,在建炎二年(1128年)南归后曾著《燕云录》一书,备述其在金朝的所见所闻,其中有云:"有兵权、钱谷,先用女真,次渤海,次契丹,次汉儿。汉儿虽刘彦宗、郭药师亦无兵权。"①这里所谓的"汉儿",专指原辽朝统治区内的汉人,而原北宋境内的汉人则被称为"南人",②南人的地位更在汉儿之下。有人根据这条史料,指出金代存在女真、渤海、契丹、汉人、南人这样五个民族等级,并将其与元朝的蒙古人、色目人、汉人、南人四等人相类比。③ 这种看法已经引起了一些学者的共鸣。但我以为,金代的民族等级与元代相比有很大的不同,至少有两点应该注意:其一,元代的四等人是法定的,而金代的五个民族等级则是由南宋人总结出来的;其二,元代的四等人是始终存在的,而金代的五个民族等级则只是反映了金初的情况。金代的民族政策有一个演变过程,上述五个等级的划分远不足以说明金源一代的民族关系。这个问题颇为复杂,容另文讨论。

撇开其它各族的地位等级变迁不谈,单就渤海族而言,它在金代所享有的特殊地位是有目共睹的。渤海人在辽代屡有反抗行为,而在金代,虽然渤海上层人物与女真统治者亦不无矛盾和冲突,但这并未给这两个民族间的关系造成深刻的危机,金朝治下的渤海人始终是驯服的,这与其他被统治民族的状况形成了鲜明的对比。金代的汉人、契丹人、奚人以及北部、西北部边地的诸部族均有过反叛的记录:在宋金和议成立之前及海陵王南侵前后,汉人的反抗甚为

①《三朝北盟会编》卷九八,引赵子砥《燕云录》。
②参《廿二史札记》卷二八"金元俱有汉人南人之名"条。
③张中政:《汉儿、签军与金朝的民族等级》,《社会科学辑刊》1983年第3期。

激烈,金代后期则又有红袄军的起义;契丹和奚人与金朝统治者的关系也一直很紧张,太宗时期有耶律余睹之叛,海陵王时代有萧裕之叛,正隆末至大定初更有契丹人和奚人的大起义,金末又有耶律留哥在辽东发起的抗金斗争;北部、西北部边地的诸游牧部族,从章宗以后也屡有反叛行径。唯有渤海人是一个例外,在金朝统治的一百二十年间,渤海始终是女真人坚定的同盟者。

渤海与女真的关系颇类似于辽代的奚人和契丹人。它们的相似之处在于:首先,奚与契丹"异种同类",族源相同,在此基础上形成了稳定的政治联盟,而渤海与女真的情形与此正如出一辙;其次,奚人王族与耶律宗室累世联姻,史称"奚有五王族,世与辽人为昏,因附姓述律氏中",①这种婚媾关系是维系两族关系的重要纽带,而渤海与女真之间也恰恰存在着这样的联姻。

渤海世家与女真皇族的联姻始于金初。早在太祖时,就有计划地选取辽阳渤海大族之女作为宗室诸王的侧室,《金史》卷六四《后妃传(下)·贞懿皇后传》云:"天辅间,选东京士族女子有姿德者赴上京,后入睿宗邸。"贞懿皇后李氏就是此时被选为宗辅(睿宗)侧室的。此举是金朝统治者为怀柔渤海人而采取的一项意义重大的措施,此后直至世宗时期,与渤海世家的联姻成为女真—渤海政治联盟的重要组成部分。②

①《金史》卷六七《奚王回离保传》。
②日本学者三上次男在《金世宗对汉人的统治方针》一文中对此项举措有不同的理解,他认为太祖时选入诸王邸的渤海女子实际上是一种"质子"。(见《金史研究》第3卷,第422页,中央公论美术出版,1973年。)笔者以为此说欠妥,因为金初女真人对渤海并无猜忌防范之心,无需采用这种手段以挟制对方;且前代质子一般均以男性继承人当之,在妇女地位卑微至极的封建时代,若以女子充当质子,恐难以起到它应有的作用。

二

洪皓《松漠记闻》卷上关于渤海世家有这样的记载:"渤海国,……其王旧以大为姓,右姓曰高、张、杨、窦、乌、李,不过数种。"[1]在金代,与女真皇族联姻者主要是其中的大氏、李氏和张氏,通过对这三支渤海望族婚媾情况的考察,可以约略看出金代渤海人集团政治势力的消长兴衰。

辽阳大氏是原渤海国王族后裔,在渤海遗民中具有举足轻重的影响,自然成为统治者重点笼络的对象。辽代后妃中就有好几位出自辽阳大氏:东丹王耶律倍妃大氏,圣宗妃大氏,天祚帝文妃大氏。其中文妃姊妹共三人,长适耶律挞葛里,次即文妃,次适耶律余睹,姊妹三人均与辽宗室通婚。又辽景宗也有一渤海妃,佚其氏姓,而辽代未见有其他渤海家族与契丹人通婚者,故景宗妃估计也应是大氏。契丹统治者虽与辽阳大氏联姻,但对渤海人并不信任,辽代的渤海人除了出任辽阳地方官之外,从未有人跻身于朝廷显要,而金代的渤海人则完全是另外一种情形。

金代辽阳大氏的核心人物是大㚟。大㚟本名大挞不野,完颜阿骨打起兵攻辽时,"辽人征兵辽阳,时㚟年二十余,在选中。辽兵败,……为军士所获,太祖问其家世,因收养之"。[2] 显然,大㚟与金太祖的遇合主要是因为他的姓望和门第,此时女真正极力争

---

①金毓黻《渤海国志长编》卷一六《族俗考(三).姓氏》共辑得渤海人姓氏56个,其中无姓窦氏者,因疑"洪氏所记'窦'字或为'贺'字之讹"。
②《金史》卷八〇《大㚟传》。

取渤海人加入自己的反辽阵线,出身辽阳大氏的大㚟正是他们所欲物色的有号召力的人选。大㚟之被金太祖收养,奠定了他以后仕途通达的基础。

收国二年(1116年),大㚟被任命为东京奚民谋克,是时渤海高永昌的自立甫遭金人镇压,东京旁近的渤海人尚未帖服,金人"使㚟伺察反侧,有闻必达,太祖以为忠实,授猛安,兼同知东京留守事"。[①] 此后在灭辽攻宋的战争中,大㚟率军征战,立下了赫赫战功。天会四年(1126年)七月南下攻宋时,"命孛堇大㚟以所领渤海军八猛安为万户",[②]即把渤海人的所有八个猛安全都交由他统领。大㚟率领这支渤海人的军队一直攻至江南。世宗大定十四年(1174年),钦定开国功臣21人、亚次功臣22人,图像于衍庆宫圣武殿(即所谓的"衍庆宫功臣"),大㚟是其中唯一的渤海人,位列亚次功臣第18。[③]

大㚟的武将生涯在熙宗时发生了一个重大的转折。天眷三年(1140年),金朝废除了汉人和渤海人的所有猛安谋克,[④]大㚟以开国勋旧,独命依旧世袭猛安,但这只是一个世袭称号而已。渤海猛安谋克的废止,虽与渤海人汉化程度较深、不宜猛安谋克制有关,但不可否认,它也兼有解除渤海人武装的目的。元代史家就持有这种看法,《金史》卷四四《兵志》评论此事时说:金初,

---

① 《金史》卷八〇《大㚟传》。
② 《金史》卷三《太宗纪》。
③ 《金史》卷七〇《完颜习室传》、卷八〇《完颜阿离补传》。
④ 此据《金史》卷八〇《大㚟传》,卷四四《兵志》系此事于皇统五年(1145年),施国祁《金史详校》卷三(下)谓《兵志》记载有误。三上次男对此有详细的考证,参见《金代女真研究》第150—154页,金启孮译本,黑龙江人民出版社1984年版。

女真以其"宗族国人尚少",不得不借助于渤海及汉人,"迨夫国势浸盛,则归土地、削位号,罢辽东渤海、汉人之袭猛安谋克者,渐以兵柄归其内族"。据估计,金初女真本族兵员不过十来万人,[1]及至南下攻宋时,颇感兵力不足,而渤海猛安谋克乃是一支骁勇善战的生力军,时人称渤海"男子多智谋,骁勇出他国右,至有'三人渤海当一虎'之语"。[2] 至熙宗时,时过境迁,且女真统治者对渤海猛安谋克也不无顾虑,于是乃有天眷三年的这一举措。

女真统治者对渤海人主要有什么顾虑呢? 在辽朝统治期内,渤海人先后发起过三次复国运动:辽圣宗太平九年(1029年),渤海遗裔大延琳起兵于东京辽阳,即王位,建国号曰兴辽,年号天庆,坚持一年才告失败;辽天祚帝天庆五年(1115年)二月,渤海人古欲起兵饶州,称大王,是年六月为辽所败;天庆六年(1116年)闰正月,渤海人高永昌据东京自立,称大渤海皇帝,建元隆基(一作应顺),下辽东五十余州。辽军来攻,永昌遣使求援于金,声称"愿并力以取辽",是时金方建国,卧榻之侧,岂容他人酣睡? 于是金太祖遣胡沙补往谕之曰:"同力取辽固可。东京近地,汝辄据之以僭大号,可乎? 若能归款,当处以王爵。"[3]永昌不从,太祖遣斡鲁统军来攻,遂陷东京,擒杀永昌。对于渤海人的复国企图,女真统治者是十分警惕的。而大臭对此是什么态度呢? 宋人的一段记载隐约透露了此中的消息,张汇《金虏节要》云:"渤海万户大挞不也过淮阳,知军张涣话及刘豫,挞不也抚掌叹曰:'某渤海之大,始姓氏也。金人初招某,许某开国辽东。其后披坚执锐,从军

---

①参见本书《金代猛安谋克人口状况研究》一文。
②《松漠记闻》卷上。
③《金史》卷七一《斡鲁传》。

争战,积有年矣,虽一郡之安闲不可得也。豫,山东郡守尔,势孤援寡,出降而已,而今当是任。以是较之,岂不负某耶?'"①张汇是南宋归正人,曾在金朝生活多年,他的这段记载看来相当可信,对于大㚤这样一位渤海王族遗裔来说,"开国辽东"、重建渤海国的允诺当然是极具诱惑力的,但从金太祖对高永昌事件的处置来看,金人向大㚤许下的诺言只能是个诱饵,根本就未打算兑现,大㚤对此不无怨尤。熙宗废除渤海猛安谋克,可以看作是对渤海人的复国企图所做出的一种反应。

但是这一变故并未影响大㚤的仕进,海陵王即位后,大㚤因其与帝室的姻戚关系,屡被委以重任。天德二年(1150年),擢右副元帅。在海陵王清除其政敌左副元帅完颜撒离喝的事件中,大㚤起了关键性的作用,由此获得海陵王的信任,迁尚书右丞相,成为金代渤海人中第一个跻身宰相者。

大㚤在海陵一朝的显达与宗室完颜氏和辽阳大氏的联姻是分不开的,尤其是海陵王本人与辽阳大氏的关系更值得我们注意。

首先要提到的是海陵王的生母大氏。海陵王即位后,尊大氏为皇太后。大氏是宗幹的侧室,生有三子,其长子即海陵王完颜亮。据《金史》卷六三《后妃传》(上),大氏曾祖大坚嗣,祖大臣宝,父大昊天,兄大兴国奴;此四人均于史无考,不知与大㚤是什么关系。《后妃传》甚至连大氏的郡望都未作交待,但《金史》卷九〇《高衍传》有"大奉国臣者,辽阳人,永宁太后(即海陵王生母大氏)族人"的记载,据此可知海陵生母确系辽阳大氏。

大㚤有一子三女,下文的考证结果表明,他的三位女儿均与

---

① 见《三朝北盟会编》卷一八二。

宗室完颜氏结褵：一为海陵王元妃，一为世宗柔妃，一为完颜阿虎里妻。

关于海陵元妃大氏，《后妃传》只有如下一段简略的记载："初即位，封岐国妃徒单氏为惠妃，后为皇后。第二娘子大氏封贵妃。……其后贵妃大氏进封惠妃，贞元元年（1153年）进封姝妃，正隆二年（1157）进封元妃。"从这里无法了解元妃大氏的来历。考《金史》卷七六《完颜宗义传》云："左副元帅撒离喝在汴京与挞不野有隙，挞不野女为海陵妃，海陵阴使挞不野图撒离喝。"挞不野即大㚵，其女显然就是元妃大氏。又《金史》卷八二《海陵诸子传》云："滕王广阳，母南氏，本大㚵家婢，随元妃大氏入宫。"卷一三一《梁珫传》云："梁珫，本大㚵家奴，随元妃入宫。"这两条史料径称"元妃大氏"、"元妃"，其身份一目了然。

关于世宗柔妃大氏，《金史·后妃传》中没有为其立传，仅在世宗元妃李氏传里提到这么一句："（大定）二十八年九月，与贤妃石抹氏、德妃徒单氏、柔妃大氏俱陪葬于坤厚陵。"大㚵子大磐在《金史》中有传，其中称：大定初，大磐以事得罪，"磐有妹在宫中为宝林"，因使其妹向世宗说项。按金代后宫制度，妃凡十二位，柔妃居其一，其下有九嫔、婕妤、美人、才人、宝林等位号。[1] 大磐妹可能初入宫时为宝林，后来才进位柔妃。按照这个推论，我认为世宗柔妃即是大㚵之女。

完颜阿虎里是金太祖弟完颜杲之幼子，"其妻挞不野女，海陵妃大氏女兄"，这是《金史》卷七六《完颜宗义传》的说法；"同判大宗正阿虎里妻蒲速碗（按：姓大，名蒲速碗；大㚵子大磐本名大蒲速越，兄妹之名可互相印证），元妃之妹"，这是《后妃传》的说法。

---

[1]《金史》卷六三《后妃传序》。

记载两歧,孰为姊孰为妹,已难知究竟。值得注意的是,海陵王曾处心积虑地想要铲除对他构成威胁的宗室大臣,而完颜呆子孙就是其中的主要目标之一。天德二年(1150年),海陵诬构左副元帅完颜撒离喝父子谋反,此案牵涉众多宗室,完颜呆子孙百余人皆被诬杀,唯完颜阿虎里以妻大氏之故,获得海陵王的特赦。在这次事件中,右副元帅大臭充当了海陵王的同谋。

除了以上所述外,辽阳大氏与宗室间的婚媾至少还有三例。

完颜亨侧室大氏。完颜亨是宗弼之子,太祖之孙。海陵王时以勇鸷见忌,被杀。正隆六年(1161年),海陵王又遣人杀其妻徒单氏、侧室大氏及子羊蹄。①

完颜昂妻大氏。完颜昂是景祖弟字黑之孙,斜斡之子,为太祖完颜阿骨打族弟。海陵王时官至枢密使、尚书左丞相,及正隆南侵,又被任命为左领军大都督,深得海陵信任。海陵王因以篡弑登位,故忌刻宗室特甚,完颜昂是海陵一朝很少的几位能够获得重用的宗室大臣之一,其中的一个重要原因就是他和海陵王之间有一重姻戚关系:"其妻大氏,海陵庶人从母姊也。"②"从母"一词通常作姨母解,但我们知道海陵王母亦为大氏,那么完颜昂妻就不会是海陵王姨母的女儿了,否则她的父母双方均为大氏,这显然是不可能的。这里的"从母"当是指姑母而言,也就是说完颜昂妻父为渤海大氏,其母则为海陵王父宗幹之姊妹行。虽然我们对这位渤海大氏的情况几于一无所知,但想必在他与宗幹侧室大氏(海陵王母)之间有着某种很亲近的宗属关系,这可能是他们与宗幹兄妹互为婚媾的原因。在金代渤海世家与宗室完颜氏的联

①《金史》卷七七《完颜亨传》。
②《金史》卷八四《完颜昂传》。

姻关系中,这是我发现的唯一的一桩渤海人娶女真人的例子。

三

辽阳李氏与女真皇室联姻者只有两人,但却都是很关键的人物:第一位是太祖子宗辅的侧室李洪愿,其子完颜雍即金世宗,世宗即位后追谥为贞懿皇后;[①]第二位是世宗元妃李氏,李氏乃贞懿皇后弟李石之女,其子卫绍王允济后来成为金朝的第七位皇帝。

关于辽阳李氏的族属问题需要做一点说明。《金史》中并没有明确指出贞懿皇后李洪愿及其弟李石是渤海人,因此自晚清以来国人所著有关渤海史的几种著作,如唐宴《渤海国志》、黄维翰《渤海国记》、金毓黻《渤海国志长编》等,都未将他们列入渤海遗裔之列。外山军治在《世宗的即位与辽阳渤海人》一文中,首次对这个问题做了详细的考证,他提出四点理由来论证李石为渤海人:(1)李石父名雏讹只,而"雏讹只"一名在《金史》中有作渤海人名的先例。(2)洪皓《松漠记闻》所列举的渤海右姓有李氏。(3)李石为辽阳人,而辽阳是渤海人的聚居地。(4)据《金史·后妃传》,辽阳渤海人张玄征妻高氏与贞懿皇后有亲属关系。[②] 除了外山氏举出的这些间接的证据之外,近年又有人发现了一条更具说服力的材料:《三朝北盟会编》卷二四五引《族帐部曲录》云:"李受(一作寿),渤海人,葛王(即金世宗)立,以母舅尝为参知政

[①] 贞懿皇后本名不载于《金史》,此据《通慧圆明大师塔铭》,见邹宝库《辽阳市发现金代〈通慧圆明大师塔铭〉》,《考古》1984 年第 2 期。
[②] 见前揭外山军治《金朝史研究》,第 454—455 页。

事。"世宗之母舅而又曾任参知政事者,只能是李石,但问题是其名与李石了不相符。有的学者遂又提出一种假说:"疑寿是石之初名,因避其高祖李仙寿讳,改寿为石。"①这一推论是无法自圆其说的,既云避其高祖之讳,当初就不可能取名为"寿"。但不管这个问题应如何解释,李受(寿)即李石是不容置疑的。

贞懿皇后李洪愿于太祖天辅间被选为宗辅侧室,宗辅死后出家为尼,号通慧圆明大师。其弟李石,史称"器识过人",②宗辅为右副元帅时引为部属,后来成为世宗夺取帝位的主要谋士。海陵王时,世宗长期任东京留守之职,与辽阳渤海世家建立了密切的关系,除李氏一族外,还有下文将要谈到的辽阳张氏,他们是拥戴世宗的核心力量。时海陵疑忌世宗,令副留守高存福伺察动静,据《金史·世宗纪》称,高存福与推官李彦隆谋为不轨,平定知军李蒲速越知其谋,密告于世宗。③ 李石劝世宗当机立断,先发制人,世宗采纳了李石的意见,遂于正隆六年(1161年)九月举事,称帝于东京辽阳。当时群臣大都主张还都上京,李石又力排众议,劝世宗进驻中都。

世宗即位后,任母舅李石为参知政事,后以定策功拜尚书令,位极人臣之尊。世宗又纳李石女于后宫,大定元年(1161年),封贤妃;二年,进封贵妃;七年,进封元妃。世宗还曾一度打算将她立为皇后。金代对于帝后门第的选择遵循严格的传统,《金史·后妃传序》云:"金代,后不娶庶族,甥舅之家有周姬、齐姜之义。"

①张博泉:《〈辽阳市发现金代通慧圆明大师塔铭〉补正》,《考古》1987年第1期。
②《金史》卷八六《李石传》。
③从李蒲速越之名来看,也很像是渤海人,上文提到渤海人大磐本名大蒲速越,因此我们有理由猜想"蒲速越"一词可能常用为渤海人的名字,这位李蒲速越或许与李石为宗属。

《后妃传》（下）具体指出了传统的外戚是哪些氏族："国朝故事，皆徒单、唐括、蒲察、拏懒、仆散、纥石烈、乌林荅、乌古论诸部部长之家，世为姻婚，娶后尚主。"卷一二〇《世戚传赞》的记载与此有所不同："金之徒单、拏懒、唐括、蒲察、裴满、纥石烈、仆散皆贵族也，天子娶后必于是，公主下嫁必于是。"综合这两条史料，共得出外戚九姓：徒单、唐括、蒲察、裴满、拏懒、仆散、纥石烈、乌林荅、乌古论。日本学者三上次男认为其中的拏懒氏并非外戚之族，传统的外戚之家只有八姓。[1] 自完颜氏先祖石鲁（昭祖）以来，其通婚家族都严格限定在这八支女真贵族的范围之内，在金代前期，不能想象一个非女真族人会被立为皇后。但是到了世宗时代，对皇后族姓的这种严格限制已经有所松动，这种趋势到了金代后期尤为明显，章宗甚至欲立监户出身的汉人李师儿为皇后，当时朝廷大臣虽以有悖传统为由加以反对，但根本的原因还是李师儿的出身太卑贱；后来宣宗就公然立汉人王氏为皇后，只是赐给她一个女真贵族的姓氏而已。

据《金史·后妃传》，世宗四五岁时就与后来成为他的正室的乌林荅氏订婚，这位妻子正是出自上述传统的外戚八姓。乌林荅氏约死于海陵王天德末年，世宗即位后追册为昭德皇后。值得注意的是，世宗在位近三十年，始终没有立过一位皇后，元妃李氏"下皇后一等，在诸妃上"。对李氏之所以未能立为皇后，《后妃传（下）·元妃李氏传》是这样解释的："世宗即位，感念昭德皇后，不复立后。尝曰：'朕所以不复立后者，今后宫无皇后之贤故也。'"但这只是世宗的一个遁词，而并非真正的原因，《金史》卷

---

①《辽末金室完颜家族的通婚形态》，见前揭三上次男《金史研究》第3卷，第80—82页。

八八《石琚传·赞》中的一条不为人注意的史料透露了其中的真情:"大定末,世宗将立元妃为后,以问(石)琚,琚屏左右曰:'元妃之立,本无异辞,如东宫何?'世宗愕然曰:'何谓也?'琚曰:'元妃自有子,元妃立,东宫摇矣。'世宗悟而止。"此事当在大定十几年间,因为元妃李氏卒于大定二十一年(1181年),谓"大定末"显然不确。东宫是指章宗之父太子允恭,允恭为世宗正室乌林荅氏所生,于大定八年(1168年)立为太子。从这里我们已经看到了世宗朝皇位继承权之争的最初迹象。

元妃李氏生有郑王永蹈、卫绍王允济、潞王永德三子。永蹈于章宗明昌四年(1193年)以谋反之罪被诛,成为章宗清除渤海人势力的第一个牺牲品。永济被章宗选为皇位继承人,则主要是因为章宗无子,而看中了永济"柔弱鲜智能"的一面。[1]

四

辽阳张氏在金代的政治舞台上十分活跃,其中位至宰执者就有三人,最显赫的当然要算张浩。张浩历仕太祖、太宗、熙宗、海陵王、世宗五朝,官至尚书令。但他真正获得重用还是在海陵朝,海陵王即位之初,即召拜参知政事,贞元二年(1154年)迁尚书右丞相兼侍中,翌年二月擢左丞相,正隆六年(1161年)七月拜太傅、尚书令。海陵王率军南侵,命张浩留守汴京。海陵遇害后,参知政事敬嗣晖力主立海陵太子光英,张浩不从,却遣使向在辽阳称帝的世宗上贺表,后又入朝拜谒,复拜太师、尚书令,世宗对他

---

[1]《金史》卷一三《卫绍王纪》。

说:"卿在正隆时为首相,不能匡救,恶得无罪？营建两宫,殚竭民力,汝亦尝谏,故天下不以咎汝,惟怨正隆。而卿在省十余年,练达政务,故复用卿为相,当自勉,毋负朕意。"①世宗对张浩如此尊宠,主要是考虑到他在辽阳渤海人中的影响,况且辽阳张氏是拥戴世宗称帝的主要力量之一,张浩族兄玄征之女又是世宗的侧室,故善待张浩是十分必要的。

与张浩同曾祖的张玄征、张玄素兄弟,也是辽阳张氏的两个重要人物。玄征仕金为彰信军节度使,他本人的活动并不十分引人注目,但由于其妻高氏"与世宗母贞懿皇后有属",②世宗遂纳玄征之女为次室,这就是后来追封为元妃的张氏。元妃张氏死得很早,没能看到世宗称帝,但她所生的镐王永中却卷入了日后的皇位继承权之争。

张玄素初仕于辽,辽末高永昌据东京自立,金军来攻,玄素开门出降,特授世袭铜州猛安。正隆间,任东京路都转运使,时世宗为东京留守,颇遭海陵疑忌,玄素虽与世宗有姻戚关系,但却投机逢好,"希海陵旨,言世宗尝取在官黄粮,及擵其数事"。③待到世宗称帝于辽阳,玄素又与其兄玄征之子汝弼前去投奔,世宗不记前嫌,"一切不问"。玄素与李石一起劝世宗进驻中都,为世宗所采纳,后被任命为户部尚书。

关于辽阳张氏与女真皇室的联姻,目前人们所知道的只有世宗元妃张氏这一个例子,但笔者发现的一条材料表明,世宗的父

①《金史》卷八三《张浩传》。
②《金史》卷八三《张汝弼传》。又卷六四《后妃传》(下)称"高氏与世宗母贞懿皇后葭莩亲",意谓一种较疏远的戚属关系,但究竟是什么样的关系并不清楚,高氏也是渤海右姓之一。
③《金史》卷八三《张玄素传》。

亲宗辅也曾与辽阳张氏通婚。据《大金国志》卷九《熙宗纪》(一)载,天会十三年(1135年),"兀朮戍边,屯于黎阳,……窝里嗢自燕山入见,卒于路。兀朮赴丧,取其妻寿昌娘子以归于黎阳。寿昌小名,姓张,渤海人也"。① 窝里嗢即宗辅。宗辅与宗弼(兀朮)都是太祖之子,宗弼纳宗辅遗孀(按宗辅正室为蒲察氏,此张氏应为其侧室)的记载并不令人感到奇怪。金初,在女真人中盛行接续婚制,文惟简《虏廷事实》"婚聘"条云:"虏人风俗,取妇于家,而其夫身死,不令妇归宗,则兄、弟、侄皆得以聘之,有妻其继母者。"②从文献中也可以找到一些这方面的实例,如宗幹弟宗峻死后,宗幹纳其妻蒲察氏为侧室,故蒲察氏之子完颜亶(即金熙宗)遂成为宗幹的养子;③又宗幹从兄宗雄死后,宗幹也曾纳其妻室。④《金史》卷六四《后妃传》(下)记载宗辅死后贞懿皇后李氏出家的原因时说:"旧俗,妇女寡居,宗族接续之。后乃祝发为比丘尼。"近年曾有人撰文对这条材料的可靠性提出质疑,现在看来,宗弼纳宗辅侧室寿昌娘子的事实可以为这段记载做一个极好的注脚,寿昌娘子显然是贞懿皇后的一个前车之鉴。这位寿昌娘子张氏很可能是在天辅间取辽阳渤海女子入诸王邸时,与贞懿皇后李氏同时被选为宗辅侧室的,只是不知道她与张浩一族是什么关系。

金代辽阳张氏第二代的代表人物是张汝弼和张汝霖,汝弼是张玄征之子,汝霖是张浩之子,两人在世宗时都官至宰执,但彼此

①《建炎以来系年要录》卷九〇绍兴五年"是夏"条也记有此事,谓"宗弼自戍所赴其丧,取宗辅之妻张氏以归",但未记载张氏的族属。
②见《说郛》卷八。
③《建炎以来系年要录》卷八四绍兴五年正月"是月"条、《松漠记闻》卷上。
④《金史》卷七三《宗雄传》。

的际遇却颇不相同。张汝弼于大定十六年(1176年)拜参知政事,二十一年迁尚书右丞,二十三年迁左丞,"与族弟参知政事汝霖同日拜,族里以为荣"。① 汝弼妹即世宗元妃张氏,生镐王永中。大定二十五年(1185年)六月,世宗太子允恭病死,永中在诸子中年最长,颇有觊觎皇储之心,"汝弼既与永中甥舅,阴相为党"。② 是年九月,赴上京巡幸的世宗闻太子死讯后赶回中都。十一月,左丞相徒单克宁建请立允恭子完颜璟(即章宗)为皇太孙,这正合世宗的私意。世宗对人说:"克宁与永中有亲,而建议立太孙,真社稷臣也!"③大定二十六年(1186年)四月,尚书左丞张汝弼罢职,出为广宁尹。五月,命完颜璟为右丞相,不久遂立为皇太孙。有意思的是,就在完颜璟任右丞相之后十五天,参知政事张汝霖升任尚书右丞之职。后来有一次世宗敦促宰执荐举人才,"因顾汝霖曰:'若右丞者,亦因右丞相言而知也。'"④显然这是指张汝霖之迁右丞,系由右丞相完颜璟所荐。完颜璟的这一举动是颇有深意的,世宗罢免张汝弼是为立皇太孙扫清障碍,而皇太孙完颜璟却把汝弼的族弟汝霖拉到自己一边,这样做有利于分化辽阳张氏,显见是完颜璟的一种策略。大定二十八年(1188年)十二月,世宗病重,又擢汝霖为平章政事,"与太尉徒单克宁、右丞相襄同受顾命",辅佐皇太孙登位。⑤ 翌年汝霖病死,而张汝弼在这之前也已死去。

---

① 《金史》卷八三《张汝弼传》。
② 《金史》卷八三《张汝弼传》。
③ 《金史》卷六四《后妃传》(下)。按徒单克宁母族、妻族均为完颜氏,不知与永中有何种亲戚关系。
④ 《金史》卷八三《张汝霖传》。
⑤ 《金史》卷八三《张汝霖传》。

皇室内的政治冲突并未随着章宗的即位而结束,明昌间发生的郑王永蹈、镐王永中两案就是这场斗争的继续,渤海人集团的势力在这一系列事变中遭受了沉重的打击。

章宗以皇太孙继承帝位,因此他感到诸叔辈的存在对他构成了威胁。世宗凡十子:太子允恭(章宗父)、赵王夑辇、越王斜鲁为昭德皇后乌林荅氏(女真人)所出,镐王永中、越王永功为元妃张氏(渤海人)所出,郑王永蹈、卫绍王允济、潞王永德为元妃李氏(渤海人)所出,豫王永成为昭仪梁氏(汉人)所出,夔王永升为才人石抹氏(契丹人)所出。章宗即位时,唯昭德皇后乌林荅氏所生三子皆死,而其他诸皇叔均在,故章宗难免会有势孤力单的感觉。尤其是代表渤海人势力的两位元妃之子对他的潜在威胁最大,镐王永中是世宗的庶长子,又曾与章宗争储,郑王永蹈是元妃李氏长子,而元妃李氏在世宗朝形同皇后,章宗对这两人不能不有所猜忌。① 明昌二年(1191年)正月,章宗母孝懿皇后卒,朝廷召诸王赴丧,"永中适有寒疾,不能至。上怒,颇意诸王有轻慢心,遣使责永中曰:'已近公除,亦不须来。'……而嫌忌自此始矣"。次年,朝廷为诸王置傅及府尉官,"名为官属,实检制之也"。后又增置诸王司马一员,专司门户出入,"毬猎游宴皆有制限,家人出入皆有禁防"。② 时河东提刑判官把里海因私谒永中,受到杖一百及解职的严厉处分,近侍局副使裴满可孙也因受永中请托而免官。

明昌四年(1193年)十二月,郑王永蹈因结纳河南统军使仆散揆谋叛,事泄被诛,永中的处境愈加危殆。大定间,永中母舅张

---

① 章宗对待昭仪梁氏所生豫王永成和才人石抹氏所生夔王永升的态度就明显不同,他曾赐诗于豫王永成云:"美誉自应辉玉牒,忠诚不待启金縢。"(《金史》卷八五《豫王永成传》)
② 《金史》卷八五《镐王永中传》。

汝弼曾与之相为朋党，及章宗即位，"汝弼妻高氏每以邪言怵永中 觊非望，画永中母像侍奉祈祝，使术者推算永中"。① 明昌五年（1194年），高氏事发被诛，"事连汝弼及永中，汝弼以死后事觉，得不追削官爵，而章宗心疑永中，累年不释"。② 翌年五月，永中终以"言语得罪"赐死。《金史·后妃传》称"金代外戚之祸，惟张氏云"，即指此案而言。

元妃张氏和元妃李氏的其他诸子也无不受到严密的防范，直到章宗之后仍是如此，《归潜志》卷一云："宣宗南渡，防忌同宗，亲王皆有门禁。"金代后期的四位皇帝，除了在位时间不长的卫绍王外，其他三人都出自世宗昭德皇后乌林荅氏——太子允恭一系，故越王永功、潞王永德等子孙亦始终被"置之冷地"（哀宗语）。

五

渤海世家与女真皇室的累世联姻造成了这样一种结果：在金代的九位皇帝中，至少有三位（海陵王、金世宗、卫绍王）是渤海人所生；此外金宣宗的生母也有可能是渤海人。宣宗是太子允恭的庶长子，母刘氏，《金史》卷六四《后妃传》（下）有关于她的记载："刘氏，辽阳人。……世宗为东京留守，因击毬，见而奇之，使见贞懿皇后于府中，进退闲雅，无恣睢之色。大定元年，选入东宫。"外山军治认为，从刘氏籍贯辽阳以及她与贞懿皇后的这种关系来

①《金史》卷八三《张汝弼传》。高氏名陀斡，也出自辽阳渤海世家。
②《金史》卷六四《后妃传》（下）。

看,她很有可能是渤海人。①

通过以上的考察,可以大致看出金代渤海人政治地位的变迁。在金代,渤海人的政治势力经历了一个从膨胀到萎缩的变化过程。为了说明这一点,现将渤海人在各个时期的官员人数统计列表如下。②

时期	太祖朝	太宗朝	熙宗朝	海陵朝	世宗朝	章宗朝	宣宗以后
宰执	0	0	1	3	4	1	0
三品以上官员	0	0	5	6	9	2	1

从上表可以看出,渤海人政治势力最强盛的时期是在海陵和世宗两朝,而金代前期和后期则显得相当低落。渤海与女真的政治联盟虽然早在金初就已形成,但当时在政治上受到重用的主要是女真军功贵族,渤海人由于在辽代始终处于被压迫的地位,因此普遍缺乏政治经验,还无法进入统治集团的上层。另外从渤海世家与女真皇室的通婚情况来看,当时的通婚对象仅限于诸王,太祖、太宗、熙宗的后妃中都没有一个渤海人,所以也难以产生像后来那样显著的政治效应。不过应该看到,渤海人在这一时期政治资本和政治经验的积累,为他们以后的事业奠定了良好的基础,张浩的经历就很有代表性。熙宗皇统间,张浩为礼部尚书,"田穀党事起,台省一空,以浩行六部事,簿书丛委,决遣无留,人服其才",③充分显示了其政治才干。总的来看,金代前期的渤海

---

① 《金朝统治下的渤海人》,见前揭外山军治《金朝史研究》第150—151页。
② 此表据都兴智《金代的科举制度》一文中的有关统计而作,见《金史论稿》第2卷,吉林文史出版社1992年版。
③ 《金史》卷八三《张浩传》。

人在政治上是处于一种上升的势态。

海陵一朝是渤海人最受信任和重用的时期,其中最典型者即为张浩,他从贞元三年(1155年)至正隆六年(1161年)独任首相七年,为金代所仅见,这与海陵王的用人政策是分不开的。海陵王完颜亮通过一场血腥的宫廷政变夺得皇位,即位后心内颇不自安,为镇压宗室异己力量,他先后杀太宗子孙七十余人、宗翰子孙三十余人、斜也子孙百余人、谋里野子孙二十余人;在疏忌宗室的同时,转而重用非宗室女真人、渤海人,甚至契丹人和奚人。由于海陵王的母亲和元妃都出自渤海世家,因此他对渤海人具有一种特殊的亲近感,这不仅仅表现在重用渤海官僚,在他在位时期,就连宫中近侍也多为渤海人或与渤海人有特殊关系者。如近侍局使梁珫本是大臭家奴,随元妃大氏入宫,海陵对梁珫"委任尤甚,……虽丞相张浩亦曲意事之,与之均礼"。① 近侍局副使大庆山也是渤海人,而且很可能就是出自辽阳大氏。海陵在扬州遇害时,他身边唯一的保卫者就是大庆山,且闻变后唯一整兵来救的又是渤海人大磐,可见海陵王与渤海人的关系非同一般。

世宗与渤海人也有着盘根错节的关系。他的母亲及三位妃子都是渤海人,他得以在辽阳称帝,也靠的是渤海人的帮助。从表面上来看,渤海人的政治势力在世宗时似乎达到了顶峰,《金史》卷八六《李石传》云:"世宗在位几三十年,尚书令凡四人:张浩以旧官,完颜守道以功,徒单克宁以顾命,(李)石以定策,他无及者。"世宗朝共四位尚书令,渤海人就占了两位,不可谓不显赫,然而这两人却都徒具虚名而已。张浩之为尚书令,《金史》已经说得很明白,"以旧官"云尔,并没有什么实际意义。李石大定初为

---

① 《金史》卷一三一《梁珫传》。

渤海世家与女真皇室的联姻 | 111

参知政事，一度曾是朝中的实权人物，但不久就因一桩无关紧要的小事被世宗免职。大定十年（1170年）拜尚书令时，世宗对他说："太后兄弟惟卿一人，故命领尚书事。军国大事，涉于利害，议其可否，细事不烦卿也。"①这段话的言外之意是很清楚的，故《金史·后妃传》云："（李）石有定策功，世宗厚赏而深制之，宠以尚书令之位，而责成左右丞相以下。"世宗对渤海人多加抑制，与海陵王的渤海政策显然有别。

由于渤海人集团卷入了世宗后期的皇室内争，章宗即位后即着手清除宗室内的渤海人势力，这直接导致了渤海世家与女真皇室间联姻关系的破裂，从章宗直至金末，不但皇帝后妃中无一渤海人，且宗室也没有与渤海人通婚者。渤海人的政治势力从此一蹶不振，渐渐退出了金朝的政治舞台。

原载《北大史学》第3辑，北京大学出版社1995年版；暨《大陆杂志》90卷第1期，1995年

①《金史》卷八六《李石传》。

说"汉人"

——辽金时代民族融合的一个侧面

辽金时期是北中国历史上的民族大融合时期,这种民族融合往往被现代历史学家狭隘地理解为契丹、女真等北方民族的汉化,其实这只是问题的一个方面。历史上的民族融合往往都是相互的融合,当北方民族进入汉地建立政权后,长期处于异民族统治之下的汉人也有一个胡化的问题,辽金时期具有特定含义的所谓"汉人(汉儿)",就是北方汉人胡化的结果。通过对辽金"汉人"的透视,希望能够展示历史本身所具有的复杂性和多样性,深化我们对于辽金民族史的认识。

一、"汉人"释义

"汉人"或"汉儿"一词,在各个历史时期有着不同的含义。赵翼《廿二史札记》卷二八"金元俱有汉人南人之名"条说:"金、元取中原后,俱有汉人、南人之别:金则以先取辽地人为汉人,继取宋河南、山东人为南人;元则以先取金地人为汉人,继取南宋人为南人。"赵翼关于金、元汉人和南人的辨析大致上是没有问题

113

的,但还应该指出下述区别:元朝所谓的"汉人",并不单单指原金朝境内的汉族人民,陶宗仪所说的"汉人八种",包括契丹、高丽、女直、竹因歹、术里阔歹、竹温、竹亦歹、渤海;①而金朝所谓的"汉人",乃是专指原辽朝境内的汉族人民。另外还需要说明的一点是,"汉人"之称是金、元人的习惯说法,辽人和宋人则通称"汉儿",这两者是完全同义的,亦无褒贬的色彩。

说到金朝的"汉人",必须追溯到辽朝。早在耶律阿保机建国前后,契丹境内就已经有了许多汉人,一部分是被契丹人掳掠而去的,另一部分是在唐末五代战乱中主动投附于契丹的。这些汉人当时就被称为"汉儿"。太祖时,"韩知古总知汉儿司事","汉儿司"也就是后来的汉人枢密院,"掌汉人兵马之政"。② 太宗时,石晋割让燕云十六州于辽,这一地区的汉人自然也被称为"汉儿"。辽太宗灭石晋后,曾遣使告于南唐,南唐主李璟问:"朝见何如?"契丹使者回答说:"诏则呼'汉儿'。"③大概当时无论是口语还是书面语,都通称"汉儿"。

不过,在辽朝前期,"汉儿"一词的概念相当宽泛,并非特指辽朝境内的汉人。太宗时,述律太后说过这样的一段话:"汉儿何得一向眠!自古但闻汉和蕃,未闻蕃和汉。汉儿果能回意,我亦何惜与和!"④此语是针对当时与石晋的战争而说的,"汉儿"在这里指的是中原汉人。大约自辽朝中叶以后,"汉儿"一词开始用来专门指称辽朝境内的汉人。统和二十六年(1008年)出使辽朝的宋人路振,在途经燕京时听到这样一个故事:"近有边民,旧为虏所

---

①《辍耕录》卷一"氏族"条。
②《辽史》卷四七《百官志》(三)。
③龙衮:《江南野史》卷二。
④《资治通鉴》卷二八四,后晋开运二年六月。

掠者,逃归至燕,民为敛资给导以入汉界,因谓曰:'汝归矣,他年南朝官家来收幽州,慎无杀吾汉儿也。'"①辽朝治下的燕京汉人以"汉儿"自称,"汉儿"的概念似乎已经很固定了。保大二年(1122年),宋人马扩奉命前去招谕在燕京称帝的耶律淳,"至虏界新城县,差到契丹汉儿官一员引伴";至涿州,"燕京差到汉儿官牛稔充接伴使";②"马扩过白沟,有汉儿刘宗吉者,私出见扩,许开涿州门以献"。③ 这里说的"汉儿"、"汉儿官",都是特指辽朝境内的汉人。

金朝灭辽后,因为占有了淮河以北的北宋故地,故称原辽朝境内的汉人为"汉人",称原北宋遗民为"南人";在金人和南宋人的概念里,"汉人"与"南人"的分野是非常清楚的。金世宗说:"南人矿直敢为,汉人性奸。"④以"南人"和"汉人"对称。南宋人习惯上仍称"汉人"为"汉儿",如宗泽在一首上疏中说:"窃见契丹、汉儿自与我宋盟约几百年,实唇齿兄弟之邦。"⑤此处"汉儿"的含义是极为明白的,显然是指燕云十六州的汉人。绍兴三十一年(1161年)十月,宋高宗诏云:"如女真、渤海、契丹、汉儿应诸国人能归顺本朝,其官爵赏赐并与中国人一般,更不分别。"⑥此诏将"汉儿"与"中国人"分别开来,"中国人"实际上就是指的"南人",诏书的意思是说"汉儿"等各色人如能归降,与"南人"归降者同等待遇。绍兴三十二年(1162年)二月,李宝败金军于海州,奏称

①路振:《乘轺录》,载《宋朝事实类苑》卷七七。
②《三朝北盟会编》卷六,引马扩《茆斋自叙》。
③《契丹国志》卷一一《天祚皇帝》(中)。
④《金史》卷九七《贺扬庭传》。
⑤《宗忠简公集》卷一《奏给公据与契丹汉儿及被掳之民疏》。
⑥《宋会要辑稿》兵九之一三。

"蕃贼大败,杀死女真、渤海、契丹、汉儿、签军等"云云,①李宝说的"签军"是专指签充金兵的"南人",故以"汉儿"和"签军"并称。从下面这条史料中可以更明白地看出"签军"的含义:《三朝北盟会编》卷二三二载绍兴三十一年九月宋廷赏格指挥云:"女真、契丹、渤海、汉儿并签发南军等,如自能前来归正、归附,并优与补官爵。""签发南军"的说法再清楚不过地表明了他们的身份是"南人"。另外这段文字中"归正"、"归附"的区别也和"汉儿"、"签发南军"的不同身份有关。请看《宋会要辑稿》兵一七之一七的一段记载:建炎四年(1130年)九月,神武右军统领杨忠悯"奏招到汉儿、签军共一百六十五人,内汉儿归明人共三人,签军一百六十二人"。归正人和归明人是宋代特有的概念,归正人是指原北宋故地的汉人逃归宋朝者,归明人是指辽、金、西夏等国人之叛归宋朝者。朱熹对此做过如下解释:"归正人,元是中原人,后陷于蕃而复归中原,盖自邪而归于正也。归明人,元不是中原人,是徭洞之人来归中原,盖自暗而归于明也,如西夏人归中国,亦谓之'归明'。"②杨忠悯把"汉儿"称之为"归明人",是因为他们原本是辽朝遗民的缘故,而"南人"则必须称为"归正人",故上引宋廷赏格指挥有"归正"、"归附"的区别,"归正"是针对"签发南军"说的,"归附"与"归明"同义,是针对汉儿、女真、契丹、渤海人说的。

由上述概念的辨析可以看出,辽金时代的"汉人(汉儿)"是一个不同于中原汉人的特殊群体,尤其是在金人和南宋人的语汇里,"汉人(汉儿)"是严格区别于"南人"的。

---

① 《宋会要辑稿》兵一四之四一。
② 《朱子语类》卷一一一"论民"。

二、"汉人"的胡化倾向

辽金时代的"汉人",其最为明显的文化特征,就是它的胡化倾向,这也是它被视为一个独特的社会群体的主要原因。如上所述,所谓"汉人"是指辽朝统治区内的汉族百姓。辽朝基本上是一个草原帝国,它所占有的汉地只有燕云十六州,因此辽朝境内的汉人主要就是燕云十六州的汉族百姓。

燕云地区汉人的胡化倾向由来有自。自西晋永嘉之乱以来,北方缘边少数民族就不断内迁。安史乱后,河北始终为藩镇割据区域,民族杂居的现象十分明显,时"天下指河朔若夷狄然"。[1]陈寅恪先生指出,河朔自"安史乱后已沦为胡化藩镇之区域",[2]他在《唐代政治史述论稿》一书中着力论述了唐代后期河朔三镇的胡化问题,认为河朔地区的胡化是由于安史之乱后高丽、东突厥、回纥、契丹、奚以及中亚胡人的不断迁入而造成的。虽然有的学者不同意陈寅恪先生的这一论断,[3]但也无法完全否认河朔地区胡风的影响,分歧只是在于"胡化"的程度和性质而已。

承唐朝以来的胡化之风,燕云十六州入辽后,更深受北方民族的影响,汉人的胡化倾向愈益显著。表现在文化风尚上,就是强烈的尚武精神。钟邦直《宣和乙巳奉使金国行程录》描述燕京的民风说:"民尚气节,……习骑射,耐劳苦。未割弃以前,其中人

---

[1]《新唐书》卷一四八《史孝章传》。
[2]《论李栖筠自赵徙卫事》,载《金明馆丛稿二编》,上海古籍出版社1980年版。
[3]参见方积六《唐代河朔三镇"胡化"说辨析》,载《纪念陈寅恪教授国际学术讨论会文集》,中山大学出版社1989年版。

与夷狄斗,胜负相当。"①辽朝文献中不乏"汉人"善骑射、尚攻战的记载,如《韩瑜墓志》谓瑜"便骑射而成性",②韩瑜为韩知古孙,原籍蓟州玉田(今河北省玉田县),入辽后世居柳城(即东京道霸州,今辽宁省朝阳市),这个家族契丹化的倾向非常突出。70年代出土于辽宁朝阳的耿氏家族墓志,提供了一份很有代表性的胡化汉人家族档案:耿崇美,本唐新州(今河北省涿鹿县)人,"善骑射,聪敏绝伦,晓北方语。当李唐末,会我圣元皇帝(即辽太祖)肇国辽东,破上谷,乃归于我,初授国通事"。③ 耿崇美是一个典型的胡化汉人,不但"善骑射",而且通晓"北方语",所以入辽后能够担任通事之职。"通事"即译者,胡三省曰:"契丹置通事以主中国人,以知华俗、通华言者为之。"④耿崇美之孙耿延毅,"性沉默,有武略";⑤延毅之子耿知新,"善骑射,……自孩幼习将相艺,识番汉书"。⑥ 需要说明的是,耿知新是一个年仅十五而早夭的孩子,亦已"善骑射",并且自孩童时即"识蕃汉书",可见这个家族的胡化程度是多么深入。宋人笔记中记载了这样一则轶事:"室种者,虏相昉之子,来奔于我。以为诸卫将军、领刺史、西京巡检。种好驰逐射猎,洛中水竹尤胜,种常语人曰:'洛阳大好,但苦于园林水竹交络翳塞,使尽去之,斯可以击兔伐狐,差足乐耳。'"⑦室昉乃

<hr/>

①《靖康稗史》七种之一。
②向南《辽代石刻文编》,河北教育出版社1995年版,第94页。
③《耿延毅墓志》,《辽代石刻文编》第159页。
④《资治通鉴》卷二八一,后晋天福二年二月胡三省注。
⑤《耿延毅墓志》,《辽代石刻文编》第159页。
⑥《耿知新墓志》,《辽代石刻文编》第185页。
⑦《宋朝事实类苑》卷七八,引《杨文公谈苑》。之甚,足以反映燕人的文化风尚与中原汉人的差异。

燕京汉人,辽景宗时官至枢密使兼北府宰相,其子室种之好"驰逐射猎"之甚,足以反映燕人的文化风尚与中原汉人的差异。

燕云汉人的胡化倾向还表现在他们的生活习俗上。从文献记载来看,辽朝对汉人始终坚持"因俗而治"的政策,并未强迫他们改从胡俗,①但长期处于异族统治之下的汉人,其生活习俗不能不受到北方民族的影响。譬如在燕云地区发现的辽金时代汉人墓葬中,经常可以看到髡发者的形象:河北宣化辽韩师训墓,前室南壁墓门两侧各绘一髡发门吏,西壁绘一髡发马夫;后室西南壁绘有一幅宴饮图,其中一歌者髡发。② 在宣化发掘的辽张世古墓,葬于天庆七年(1117年),后室东南壁所绘宴饮图,有一髡发男子;同时发现的六号墓,亦为辽代晚期汉人墓葬,前室东壁茶道图中绘有三个髡发男侍者。③ 山西大同发掘的一座辽代后期汉人壁画墓,北壁床帐图绘有一髡发侍者,东西两壁宴饮图绘有三个髡发侍者。④ 另外在大同市郊发掘的金陈庆墓,葬于正隆四年(1159年),北壁东侧和南壁西侧各绘有一髡发男侍;同时发掘的另一座陈氏家族墓,北壁床帐图的两端各绘一髡发男侍,东壁有一左衽男侍。据发掘者分析,以上四位髡发者系两种发式,均接近于契丹人的髡发式样,而与女真人的发式迥然不同。⑤

对于辽金墓葬壁画中的这些髡发者形象,有些考古文物工作

----

① 请参看本书《试论辽朝的民族政策》一文。

② 张家口市宣化区文物保管所:《河北宣化下八里辽韩师训墓》,《文物》1992年第6期。

③ 张家口市宣化区文物保管所:《河北宣化辽代壁画墓》,《文物》1995年第2期。

④ 大同市文物陈列馆:《山西大同卧虎湾四座辽代壁画墓》,《考古》1963年第8期。

⑤ 大同市博物馆:《大同市南郊金代壁画墓》,《考古学报》1992年第4期。

者简单地将他们判定为契丹人,这种意见值得重新考虑。上述墓葬的主人均为汉人,墓室中的壁画又都表现的是汉人的生活场景,我想这些髡发者理应是汉人,他们不过是一些具有胡化倾向的汉人而已。至于大同金墓壁画中的髡发者发式问题,无非是说明了经过辽朝的近二百年统治,燕云汉人受契丹人的影响远比受女真人的影响要大,这些髡发者同样也是汉人。

　　髡发者不仅仅是男子,就连妇女也有髡发的习俗。据宋人庄绰《鸡肋编》卷上记载说:燕地"良家士族女子皆髡首,许嫁,方留发"。从某些北方民族中可以找到这种习俗的渊源,史称乌桓"父子男女,……悉髡头以为轻便,妇人至嫁时乃养发,分为髻"。① 契丹与乌桓同出于东胡,所以我们有理由推测,或许契丹人也有这样的习俗? 80年代初,内蒙古察右前旗豪欠营辽墓出土的契丹女尸,提供了契丹女子髡发的一个实例。② 1986年,在北京昌平县陈庄发掘的一座辽墓,骨灰龛左右两侧立有一对髡发的男女陶俑,发掘者认为这是一座夫妻合葬墓,男女陶俑应是墓主人生前的形象,并据此判定该墓主人为契丹人。③ 近年林沄先生撰文指出,从墓葬形制、葬式及随葬品来看,该墓实为汉人墓葬,因此他认为男女陶俑应是汉人墓主的契丹奴婢。④ 林沄先生对墓主族属的认定无疑是正确的,但他最后的结论还值得斟酌,不能仅仅因为陶俑髡发就判定为契丹人的形象,联系上引《鸡肋编》的记载来看,我觉得这对陶俑更有可能是燕云汉人的形象,其中的髡发女

①《三国志》卷三〇《乌丸鲜卑东夷传》,裴注引王忱《魏书》。
②参见李逸友:《契丹的髡发习俗——从豪欠营辽墓契丹女尸的发式谈起》,《文物》1983年第9期。
③昌平县文物管理所:《北京昌平陈庄辽墓清理简报》,《文物》1993年第3期。
④林沄:《陈庄一号墓女俑身份商榷》,《北方文物》1996年第4期。

俑也许正可为《鸡肋编》的记载提供一个佐证。

燕云汉人的服饰亦不可避免地受到了北方民族的影响。虽然辽朝没有强制汉人改变衣冠，但仍有一些汉人渐渐习惯于左衽胡服，尤其是到了辽朝后期，这种情况似乎已变得比较普遍。曾于哲宗元祐四年(1089年)出使辽朝的苏辙，在一首题为《燕山》的使辽诗中写下过这样的诗句："哀哉汉唐余，左衽今已半。"[1]这话或许有所夸张，但大抵还是可信的。南宋的一条史料也很能说明问题：隆兴元年(1163年)七月二十五日，"臣僚言：临安府士庶乱常，声音乱雅，已诏禁止。访闻归明、归朝、归正等人往往承前不改胡服，及诸军又有效习蕃装，兼音乐杂以女真，有乱风化。诏刑部检坐条制申严禁止，归明、归朝、归正等人仍不得仍前左衽胡服，诸军委将佐、州县委守令常切警察"。[2] 这里说的主要是"汉人"。金朝前期曾经在国内推行严厉的改俗政策，海陵王即位后就放弃了强迫南人改俗的努力，而"汉人"的情况则不同，因久染胡风，他们已经习惯于左衽胡服，甚至到了南宋以后仍"承前不改胡服"，可见其习俗之顽强。

在考虑"汉人"的胡化倾向时，燕云地区的某些民俗值得我们注意。譬如"放偷"。宋人文惟简解释金朝的"放偷"之俗云："虏中每至正月十六日夜谓之放偷，俗以为常，官亦不能禁。"[3]洪皓《松漠记闻》卷上也说："金国治盗甚严，……唯正月十六日则纵偷一日以为戏。……自契丹以来皆然，今燕亦如此。"关于这种民俗的来源，从北宋人的记载中可以了解到更详细的情况，曾经在仁宗朝两度出使辽朝的王易,在《燕北录》一书中记述说:"正月十三日,放国人作贼三日,如盗及十贯以上,依法行遣。北呼为'鹊里迗'。汉人译云:'鹊里'是'偷','迗'是'时'也。"①厉鹗《辽史拾遗》将这条史料列入"国语解补",亦即认为"鹊里迗"是契丹语,那么这种习俗就应当是源自契丹了。后来这一习俗传到燕云汉地,才被意译为"放偷"。

又如"佛妆"。据宋人记载说,燕云地区女子"冬月以栝蒌涂面,谓之'佛妆',但加傅而不洗,至春暖方涤去,久不为风日所侵,故洁白如玉也。其异于南方如此"。② 张舜民《使北记》亦谓"北妇以黄物涂面如金,谓之'佛妆'"。③ 这里说的"北妇"是指北方民族女子,"黄物"自然就是栝蒌了。据有的学者研究说,契丹等北方游牧民族妇女,冬季时为防止皮肤皲裂,习惯于将栝蒌涂在面部。栝蒌学名果裸,属葫芦科植物,其果实色黄,果仁多脂,名栝蒌仁。④ 我想"佛妆"这个词,大概也是这种习俗传到燕云汉地之后,由汉人取的一个译名吧。

检点辽代的文献考古材料,我注意到,从某些"汉人"的姓名中可以看出契丹化的痕迹。辽朝的一些契丹人兼有契丹本名(称为"小字")和汉名(称为"汉字"),而许多"汉人"也有一个契丹名。如玉田韩氏家族,韩德威孙名"谢十",韩德崇子韩制心,"小字可汗奴",⑤都是契丹名。又穆宗时入辽的刘继文,二子名丑哥、

①涵芬楼本《说郛》卷三八和宛委山堂本《说郛》卷五六所载《燕北录》均无此条,此系转引自《辽史拾遗》卷二四。
②《鸡肋编》卷上。
③见《契丹国志》卷二五。
④包恩梨:《"佛妆"小考》,《辽金契丹女真史研究》1985 年第 1 期。
⑤《辽史》卷八二《耶律隆运传》。

善哥,①亦为契丹"小字"。在北京香山发现的《澄赞上人塔记》,作于辽开泰九年(1020年),建塔施主张从信的四个儿子分别叫奴哥、栲栳、和尚奴、善孙,两个女儿名叫祭哥、药师女,②全部是契丹"小字"。估计汉人之取契丹"小字"者,是像契丹人那样将契丹名作为小名来使用的,成年后大概还得另取一个汉名作为学名。生活在塞北的汉人,受契丹文化的影响更大,采用契丹"小字"者也更为常见,出土于辽宁省阜新县的《显州北赵太保寨白山院舍利塔石函记》,其中的题名有不少是契丹"小字",如寿哥、众家奴、曷剌哥、胡睹古、万家奴、栲老儿、大师奴、真家奴、大王奴、大乘奴、长寿奴、长庆奴、和众奴、老君奴、可韩奴、安保奴、世尊奴、胡都儿、慈氏奴等等;③而从塔记内容来看,此地是一个汉人村寨,这些采用契丹"小字"者应该都是汉人。1980年在内蒙古巴林右旗发现的辽《崇善碑》,残存的碑文中保留了大量的题名,其中有许多契丹"小字"。此碑所在地虽然处于契丹腹地,但碑上记载的却都是些汉人村寨,有人认为这是隶属于道宗斡鲁朵太和宫的民户,题名中仅有的少数契丹人,都在姓名前冠有"契丹"二字,故那些采用契丹名而没有注明"契丹"字样的肯定都是汉人。④

经过辽朝二百年的胡风濡染,"汉人"逐渐形成了自己独特的文化特征和文化风貌,因此很容易把他们和中原汉人区别开来。南宋乾道五年(1169年)随从宋使前往金国的楼钥,对原北宋故地和燕云地区有着完全不同的感受:经过中原故地时,他在日记

<hr>

① 《刘继文墓志》,见《辽代石刻文编》第73页。
② 《澄赞上人塔记》,见《辽代石刻文编》第166页。
③ 《辽代石刻文编》第289—292页。
④ 参见苏赫《崇善碑考述》,《辽金史论集》第3辑,书目文献出版社1987年版。

中写到:"此间只是旧时风范,但改变衣装耳。"而一过白沟,情形就为之一变:"人物衣装,又非河北比,男子多露头,妇人多耆婆。把车人云:'只过白沟,都是北人,人便别也。'"①白沟即拒马河,在涿州新城县南六十里,是宋辽两国间的界河,一过白沟就意味着进入了原辽朝境内,所以赶车人说"只过白沟,都是北人"。淳熙三年(1176年)随宋使去过金中都的周辉,与楼钥的感受非常相似:"绝江、渡淮、过河,越白沟,风声气俗顿异,寒暄亦不齐。"②同是在金朝的土地上,又同是传统的汉地,但那种感觉就是不一样,差异是如此的鲜明,这说明了什么? 我想,这应归结于"汉人"所具有的独特的文化背景。

三、"汉人"的民族身份与政治态度

由于与中原汉人之间的巨大差异,"汉人"的民族身份的认定便因此发生了问题,这种情况在宋金时期尤为明显。

宋金联手灭辽后,按照当初"海上之盟"的协定内容,将燕山归还宋朝,宋"宣抚司招燕云之民置之内地,如义胜军等,皆山后汉儿也,……官给钱米赡之。……时我军所请皆腐余,亦怨,道路相逢,我军骂辱之曰:'汝番人也,而食新;我官军也,而食陈。吾不如番人耶? 吾诛汝矣!'汉儿闻之惧"。③ 这里说的"山后汉儿",是指燕山以北、亦即辽西京大同府一带的"汉人",宋人并不

①《北行日录》(上),《攻媿集》卷一一一。
②《清波杂志》卷三"朔北气候"。
③《三朝北盟会编》卷二三,宣和七年十二月八日。

承认他们是汉人，而视之为"番人"。《夷坚志》记载了这样一个故事："燕人程师回，既归国，为江西大将。绍兴十二年，朝廷遣还北方，舟行过大孤山下，舟人白：'凡舟过此者，不得作乐及煎油。或犯之，菩萨必怒。'……师回嘻笑曰：'是何敢然？龙居水中，吾不能制其所为；吾在舟中，龙安能制我！'……舟人皆相顾拊膺长叹曰：'吾曹为此胡所累，命尽今日矣。'"①程师回降宋已经多年，后因绍兴十二年（1142年）宋金和议的成立才被遣还北方，可在宋人的心目中，他始终是一个胡人。

可是另一方面，被宋人视为"番人"的"汉人"却又得不到北方民族的认同。绍兴十三年（1143年），陈康伯出使金朝，"有李愈少卿者，来迓客，自言汉儿也，云：'女真、契丹、奚皆同朝，只汉儿不好。北人指曰汉儿，南人却骂作番人。'"②身为"汉人"的李愈，自然对"汉人"的尴尬处境感受很深：一方面，"汉人"的民族身份得不到宋人的承认；另一方面，在女真、契丹、奚等北方民族看来，"汉人"终究是非我族类的汉人。具有胡化倾向的"汉人"，就处于这样一种非驴非马的边缘人地位。

在此情形下，"汉人"自身的民族意识是比较淡漠的。宋人田况对燕云"汉人"民族意识的变迁做过如下分析："始石晋时，关南山后初苴虏，民既不乐附，又为虏所侵辱日久，企思中国声教，常若偷息苟生。周世宗止平关南，功不克就。岁月既久，汉民宿齿尽逝，新少者渐便习不怪。"③田况先人原来也是燕云"汉人"，至其父延昭始"脱身南归"，④因此他对燕云"汉人"的情况相当了

①《夷坚乙志》卷一五"程师回"条。
②陆游：《老学庵笔记》卷六。
③《儒林公议》卷下。
④《宋史》卷二九二《田况传》。

解。燕云十六州入辽之初,汉人的民族情绪想必十分强烈,然而随着时间的流逝,身经沦亡之痛的一代人故去了,新一代"汉人"自幼便为辽朝臣民,华夷观念自然很淡薄,再加上此后长期形成的胡化倾向,更淡化了他们的民族意识。

"汉人"的政治态度,也是一个很值得考究的问题。自唐以来,燕云地区几经丧乱,数易其主,因此人们的政治态度一般都比较灵活。宋人马扩评价说:燕云"汉人"随事俯仰,"契丹至则顺契丹,夏国至则顺夏国,金人至则顺金人,王师至则顺王师,但营免杀戮而已"。[①] 金世宗对此也深有同感:"燕人自古忠直者鲜,辽兵至则从辽,宋人至则从宋,本朝至则从本朝,其俗诡随,有自来矣。虽屡经迁变而未尝残破者,凡以此也。"[②]世宗对"汉人"这种"诡随"的世风颇为不满,他曾经拿南人和"汉人"做过比较:"南人矿直敢为,汉人性奸,临事多避难。异时南人不习词赋,故中第者少,近年河南、山东人中第者多,殆胜汉人为官。"[③]"汉人"政治态度的灵活多变,除了受政治环境的影响之外,与他们民族意识的淡薄也大有关系,他们没有中原汉人那么强烈的华夷观念,故辽人至则从辽,宋人至则从宋,金人至则从金,并不在乎做谁的臣民。

辽金嬗代之际,燕云地区经历了复杂的政治演变,先后归属于辽、宋、金三朝。从燕云"汉人"在此期间的趋避取舍,可以看出他们"诡随"的一面。如易州人张通古,为辽天庆二年(1112年)进士,补枢密院令史,"(金)太祖定燕京,割以与宋。宋人欲收人

①《三朝北盟会编》卷一五,引马扩《茆斋自叙》。
②《金史》卷八《世宗纪》(下)。
③《金史》卷九七《贺扬庭传》。

望,召通古。通古辞谢,隐居易州太宁山下。宗望复燕京,侍中刘
彦宗与通古素善,知其才,召为枢密院主奏",通古欣然应召,后仕
金至平章政事。① 张通古在辽朝仅仅是一个令史,他之所以不肯
为宋人所用,只是在观望形势罢了,决不是为辽朝守节。在金初
政坛上显赫一时的时立爱,也有一段与张通古类似的经历。时立
爱系涿州新城人,仕辽为辽兴军节度使,后降于金,被任命为南京
(平州)副留守。天辅七年(1123 年),南京留守张觉起兵叛金,时
立爱不肯从乱,"遂逃归故里,杜门索居",时涿州已归宋,"宋朝知
公名甚久,屡召不起,复命宣抚司敦遗(遣?),亦不应命。主将怒,
檄州县以编户役之,冀其可屈,而公志益坚,仍诫宗族数十人皆无
得干禄。如是者累岁,若有所待";②"及宗望再取燕山,立爱诣幕
府上谒,拜同中书门下平章事"。③ 时立爱的例子颇有代表性。在
辽、宋、金三方势力角逐燕云之际,时立爱坚不仕宋,是因为他预
见到了燕云局势的演变结果,于是耐心地等待时机,见机行事。
这充分表现了燕云"汉人"善于应变的政治能力。

当然,燕云"汉人"的政治倾向还隐含着另外一层原因。北宋
末年,宋朝为了收复燕云十六州,背弃与辽朝的长期盟国关系,同
金人达成海上之盟,最终攻灭了辽朝。燕云"汉人"对此普遍心存
不满,怨恨宋人背信弃义。南宋初,朱胜非在一篇奏议中谈到过
这个问题:"国家与北虏结好一百二十余年,彼既乱弱,我乃远交
金戎为夹攻之计;天祚匿于近塞,遣使指踪令金人取之,且露章称
贺,是中国失其柄矣。金戎内侵,每以渝盟失信为辞,是皆燕人之

①《金史》卷八三《张通古传》。
②《时立爱墓志》,见河北省文化局文物工作队:《河北新城县北场村金时立
　　爱和时丰墓发掘记》,《考古》1962 年第 12 期。
③《金史》卷七八《时立爱传》。

语,怨我背契丹之约也。"① 当金朝攻下燕京后,准备依约将燕地归还宋朝时,燕人左企弓曾献诗于太祖云:"君王莫听捐燕议,一寸山河一寸金。"② 极力劝太祖悔约不与。由于对宋人的怨恨,"汉人"在辽朝亡国后转而效忠于金朝,与金人积极合作。譬如建炎三年(1129 年)金朝推行改俗令,强制南人薙发左衽,"刘陶知代州,执一军人于市,验之,顶发稍长,大小目不如式,即斩之;后贼将韩常知庆源,耿守忠知解梁,见小民有依旧犊鼻者,亦责以汉服,斩之"。③ 刘陶、韩常、耿守忠三人都是"汉人",他们在执行改俗令时格外卖力,手段苛酷之极,这种做法可以理解为"汉人"官僚与金朝的合作态度。

宣和五年(1123 年),北宋从金人手中收回燕京六州二十四县,此后便有许多"汉人"陆续迁入宋朝内地。由于燕云"汉人"所具有的胡化倾向,再加上其政治态度的叵测,宋人普遍对"汉人"缺乏信任,范仲熊《北记》云:"辛丑、壬寅年时,朝廷新定燕山,……燕、云两路官吏散处中国,其啸聚之民并引处内地,中国之民日夜疑之,而官吏亦不复以礼待遇,两相忿恨,数至喧争。"④及至金军南侵,"汉人"的处境愈加险恶,往往成为宋人的猜忌对象,以至发生屠杀燕云"汉人"的事件。《三朝北盟会编》卷三〇云:"初,谭稹为宣抚也,募燕云人为义胜军,散居于河东诸州,其在平阳府者,刘嗣初为河东路兵马钤辖以统之,有众四千,河东人呼义胜军为'投附人'。太原府受围,有裨将自太原城中出至平

①《三朝北盟会编》卷二一三,绍兴十四年九月引《朱胜非行状》。
②《金史》卷七五《左企弓传》。
③《三朝北盟会编》卷一三二,建炎三年闰八月二十四日引张汇《金虏节要》。
④见《三朝北盟会编》卷九九。

阳,漏言欲尽杀投附人,于是义胜军皆不安,⋯⋯遂有叛意。"靖康元年(1126年)正月,刘嗣初率义胜军占据平阳城,终于叛归金左副元帅宗翰。消息传开后,"其归朝人老小在州县者,⋯⋯悉行诛戮"。平阳义胜军的叛乱引发了对燕云"汉人"的大规模屠杀,"平阳府义胜军乱之次日,报到绛州。绛州有义胜军四千人,将官牛清统之。清,山后人,粗率勇悍,通判徐昌言谓不先图之,必有平阳府之变,⋯⋯于是尽杀投附义胜军。⋯⋯诸州闻绛州之事,乃皆杀投附人"。① 如果要追究这一系列屠杀事件的最初起因,应该说,平阳义胜军的叛乱是由宋人的猜忌促成的,而这一叛乱事件最终演变成为一场血腥的悲剧。

悲剧并未到此结束。绍兴三十一年(1161年),金海陵王完颜亮渡淮南侵,是年十一月海陵王被杀于扬州后,宋军纷纷转入反攻,其中赵搏一部攻克淮北蔡州(治今河南省汝南县)。次年正月,金军来攻蔡州,"先是,有燕人七八十已与蔡州人结姻亲者,根刷得之,系于狱中,及金人攻西门急,权知州李询皆杀之"。② 蔡州原为北宋故地,这些"汉人"久已迁居此地,并且已经与当地的"南人"通婚,尽管如此,他们却仍然得不到宋人的信任,可见宋人对"汉人"的成见是多么根深蒂固。

四、余论:"汉人"势力的盛衰

北宋宗室赵子砥在靖康之变时随徽、钦二帝北迁,滞留金朝

---

① 《三朝北盟会编》卷三〇,靖康元年正月二十日引《中兴遗史》。
② 《三朝北盟会编》卷二四九,绍兴三十二年正月十五日。

一年有余,根据他的观察,总结出金朝国内所存在的民族等级:"有兵权、钱谷,先用女真,次渤海,次契丹,次汉儿。"①除了这四等人之外,他还缕述南人在当时备受歧视的情状。因此有人根据这一记载指出,在金朝存在着五个民族等级,即女真、渤海、契丹及奚、汉人、南人。②

这五个民族等级虽然是由宋人总结出来的,但确实反映了金朝前期的民族政策。从金太祖至熙宗朝,"汉人"的民族地位和政治势力明显优于"南人",当时科举制度上实行的"南北选",就是金朝统治者对"汉人"和"南人"加以区别对待的一个明证。据统计,天会、皇统间进士可考者共83人,其中北选进士57人,占三分之二强。北选进士官至三品者36人,而南选进士官至三品者仅有10人。③ 关于金朝前期"汉人"、"南人"民族地位的升降和政治势力的盛衰,我在《金朝的民族政策与民族歧视》一文中已经有过论述,在此只做一点补充。

由于燕云"汉人"的胡化倾向,他们比较容易得到金朝统治者的信任,因此在金初的政坛上发挥着重要的作用。但如果仔细分析起来,燕、云"汉人"所起的作用和影响是大不相同的。先从地域概念说起,辽金时期燕、云地区的"汉人"大致可以分为两个部分,一是辽朝南京道境内的"汉人"(泛称燕人),一是辽朝西京道境内的"汉人",两者分别相当于辽金时所说的"山前汉人"和"山后汉人"。在辽代,"山前汉人"的政治势力和社会地位远在"山后汉人"之上,这种历史因素决定了两者在金初的政治作为也不

①《三朝北盟会编》卷九八,引赵子砥《燕云录》。
②张中政:《汉儿、签军与金朝的民族等级》,《社会科学辑刊》1983年第3期。
③都兴智:《金代的科举制度》,见《金史论稿》第2卷,吉林文史出版社1992年版,第403页。

可相提并论。从太祖天辅六年（1122 年）至熙宗天眷三年（1140年），金朝沿袭辽北南面官制的双重体制，以枢密院作为统治汉地的政权机构，以在汉地枢密院任职的"汉人"为例，可以看出燕、云"汉人"政治势力的对比情况：金占领燕京后最早受命主持广宁枢密院的四人中，左企弓为蓟州人，康公弼为宛平人，虞仲文为西京道武州人，曹勇义为营州广平人；知燕京枢密院事刘彦宗、签书云中枢密院事刘等父子为宛平人；权签云中枢密院事时立爱为涿州新城人；知云中枢密院事、尚书右丞相韩企先为燕京人；担任过枢密院令史的张通古为易州易县人，孟浩为滦州人，赵元为涿州范阳人，任熊祥为燕人。上述诸人中，仅虞仲文为"山后汉人"，其余均为燕人，这种情况反映了金政权对燕、云"汉人"倚重程度的不同。①

绍兴和议订立后，金朝国内的民族矛盾已有所缓和。自海陵朝起，"汉人"和"南人"的不平等地位开始发生变化，随着南北选的合并，"南人"在科举入仕之途上逐渐取得优势，"汉人"的政治势力明显走向衰落。

原载《民族研究》1998 年第 6 期

---

①参见李涵：《金初汉地枢密院试析》，载《辽金史论集》第 4 辑，书目文献出版社 1989 年版。

关于契丹、党项与女真遗裔问题

10 至 13 世纪期间曾先后在北中国建立国家的契丹、党项和女真族,经过七八百年的历史变迁,早已不复以单一的民族形态而存在,但他们的遗裔却并非毫无踪迹可寻。本世纪以来,探寻契丹、党项、女真人遗裔成为民族史研究中的一个值得注意的动向,尤其是自 80 年代以后,民族学和历史学研究者都对此表现出强烈的兴趣。这个问题既关系到历史时期的民族演变与民族融合,同时又涉及到今天的民族识别与民族归属,确实值得我们予以深切的关注。

一

契丹族所建立的辽朝于公元 1125 年亡国后,一部分契丹人跟随耶律大石西迁,在中亚地区建立了西辽王朝(穆斯林和西方史籍称之为"哈剌契丹")。西辽最终灭亡于公元 1211 年,此后中亚地区遂纳入蒙古帝国的统治范围。一般认为,在西辽亡国之后,中亚地区的契丹人可能就逐渐融合于回鹘和蒙古族之中了。

西迁中亚的契丹人毕竟只是少数,大部分契丹遗民在辽朝亡国后成为金朝的臣民。在女真人建国之初陆续归附金朝的契丹人,被编为契丹猛安谋克,他们中的一部分后来南迁中原,到了金代中后期逐渐汉化,及至元代已被视为汉人。① 这些契丹人虽然早已融入汉族,但今天也不是没有留下一丝痕迹。陈述先生指出,天津宝坻县有耶律各庄,至今村人多刘姓,而契丹耶律氏自辽金以来译汉姓为刘,故耶律各庄刘姓人家的先世当为契丹人。又宝坻县有达子庄、达子屯、哈喇庄,蓟县有黑家庄、科科庄、野王庄、律家庄,滦县有野里庄;从地名来看,这些村庄的居民都有可能是契丹人的后裔。②

金朝治下的契丹人多数仍旧生活在长城以北地区,他们大致分为两个部分:(1)没有南迁的契丹猛安谋克,主要分布在西京路和北京路境内;(2)没有编为猛安谋克的那部分契丹人,主要分布在金朝北境和西北边境,他们仍保持着传统的游牧生活方式,当时被称为"乣人"或"乣户"。本世纪以来民族史学界对契丹遗裔的探索主要包括两个方向,一是达斡尔族的族源问题,一是云南契丹后裔问题,这两个问题实际上主要就涉及到金代长城以北的契丹人。

(一)达斡尔族的族源问题

达斡尔旧作达呼尔。1952年8月,黑龙江省人民政府应达呼尔人的要求成立了龙江县达呼尔族自治区,而当时达呼尔人还未被中央政府正式承认为一个单一民族。为了确定达呼尔人的民

① 《辍耕录》卷一"氏族"条所列汉人八种,其中之一即为契丹。
② 陈述:《大辽瓦解以后的契丹人》,载中央民族学院研究部编《中国民族问题研究集刊》第5辑,1956年。

族成份,1953年8月,中央民族学院派遣由傅乐焕、林耀华等人组成的一个调查组赴黑龙江和内蒙古的达呼尔人居住区进行民族识别工作,由此引起了关于达呼尔族族源问题的讨论。

有关达呼尔人族源问题的分歧由来已久。达呼尔人追述本族历史只能上溯到清朝初年,对于更早的历史是不清楚的。所以自清朝以来对达呼尔人的族属就有契丹、蒙古、室韦、索伦等各种不同的说法,其中最有代表性的是契丹后裔说和蒙古分支说。

契丹后裔说始于乾隆时期,在乾隆钦定的《八旗姓氏通谱》和《辽史语解》中,最早提出"达呼尔"是契丹古八部部落联盟大贺氏的译音,此后的清代官书多因袭此说。据说清政府还曾经两次派员去达呼尔地区调查其族源问题,第一次是在同治十年(1871年),被调查的达呼尔人自称是女真后裔,但清廷不肯轻信。于是又在光绪六年(1880年)第二次派人调查,调查结果为契丹后裔。① 另外日本学者鸟居龙藏也主张达呼尔即契丹大贺氏、达呼尔族即契丹人的后裔,但他除了因循清人发明的对音之外,并没有举出什么新的证据。②

蒙古分支说盛行于民国时期。此说的主要依据是达斡尔语与蒙古语具有很多的相近成分,尤其是《蒙古秘史》中的某些古蒙古语词汇,虽然在现代蒙古语中业已消失,但却在达斡尔语中保留了下来。1930年,达呼尔人阿勒坦噶塔在他所著的《达斡尔蒙古考》一书中,提出达呼尔是塔塔尔部的后裔。此书问世后在达呼尔人中间产生了很大的影响,"达斡尔蒙古"说盛行一时,直到

---

① 傅乐焕:《关于达呼尔族的民族成份识别问题》,载中央民族学院研究部编《中国民族问题研究集刊》第1辑,1955年。
② 鸟居龙藏:《东北亚洲搜访记》,汤尔和译,商务印书馆1926年版。

50 年代仍有许多达呼尔人自认是蒙古族。应当说明，"达斡尔蒙古"说的产生是有其特殊的历史背景的。清朝达呼尔人被编入八旗，称为"新满洲"，享有优越的政治社会地位。辛亥革命后，他们失去了政治上的依托，在当时"五族共和"的口号下，一些达呼尔知识分子为了依附于一个大族，遂竭力主张蒙古分支说。

由 50 年代的民族识别工作而引起的有关达呼尔族源问题的讨论，主要有两种意见。一种意见以傅乐焕先生为代表，他在为此次民族识别工作撰写的调查报告《关于达呼尔的民族成份识别问题》一文中，对于达呼尔的族源问题采取了比较慎重的态度。他认为根据目前掌握的情况，还不能对达呼尔的族源问题下一定论，契丹后裔说和蒙古分支说都缺乏足够的证据。另一种意见以陈述先生为代表，他先后发表《关于达呼尔的来源》、①《大辽瓦解以后的契丹人》、②《试论达斡尔族的族源问题》③三文，力主达斡尔族为契丹人后裔。

综合陈述先生的意见，大致可以归纳为以下几点理由：

（1）达斡尔人关于本族北迁的传说与契丹人北迁的史实相吻合。有关记载表明，达斡尔人在 17 世纪以前居住在黑龙江和精奇里江河谷地带，清朝初年才南迁到嫩江流域。在达斡尔人中有一种传说，谓其先人是辽末金初从西剌木伦（潢河）、哈剌木伦（黑河）北迁到黑龙江、精奇里江流域的。而根据元许谦《总管黑军石抹公行状》④和黄溍《沿海上副万户石抹公神道碑》⑤的记载，在辽

①《中国民族问题研究集刊》第 1 辑，1955 年。
②《中国民族问题研究集刊》第 5 辑，1956 年。
③《民族研究》1959 年第 8 期。
④《许白云集》卷二。
⑤《金华文集》卷二七。

亡以后,曾有一部以迪烈糺人库烈儿为首的契丹遗民向北迁徙,至今在黑龙江根河以北仍有库烈儿温都儿(库烈儿山)这样的地名。

(2)达斡尔人名与契丹人名相同。1953年,中央民院调查组在达斡尔地区听到这样一种传说:过去曾有人见过"辽时帐本",其中记载的契丹字人名用语与达斡尔人名用语相同;同年呼纳盟统战部提供的材料也有类似说法。① 另外辽代契丹人名如脱罗华察儿、明里帖木儿等,就正与达斡尔人名相同。

(3)达斡尔语言和歌谣反映了金代契丹人的史实。金代的部分契丹人分布在北境和西北边境,为金人驻守界壕和边堡。而达斡尔语中的"乌尔库"即指边堡,在区别氏族地望的时候,往往称某某"斡尔阔"(乌尔库),这是因为契丹人为金廷守边的时候,习惯于用各段边堡的名称来区分彼此的地域和氏族。又达斡尔人叙说本族史事的歌谣云:"边壕古迹兮,吾汗所遗留;泰州原野兮,吾之牧养场。"②歌中所唱的边壕,就是指金朝的界壕。

(4)达斡尔的族称可能源自契丹世居之地的塔兀儿河。陈述先生认为,清人提出的达呼尔即契丹大贺氏的对音的说法并没有什么根据;辽金时的泰州是契丹人的聚居之地,辽代泰州境内有达鲁河,元朝称讨浯儿河(塔兀儿河),达斡尔的族称可能即源于此。

(5)达斡尔族的风俗习惯与契丹人有许多相同之处。如达斡尔人的服色、烧饭、骨卜、求雨仪式、打毯、角觝、吹布楞、穿冰钩鱼

---

① 上述情况由傅乐焕《关于达呼尔族的民族成份识别问题》一文首先披露,但作者认为这一传说不可信据。
② 孟定恭:《布特哈志略》,《辽海丛书》本。

等等习俗,都可以从契丹人的习俗中找到根据。

近几十年来,陈述先生的上述观点得到了比较广泛的响应,70 年代以后,一些中外学者试图以达斡尔语对契丹语言文字的因袭成分来进一步证实这两个民族之间的渊源关系。匈牙利蒙古学家卡拉·捷尔吉指出,契丹人称铁为"曷术",在今天中国北方各民族的语言中,只有达斡尔语的"铁"字才保留了这个读音。①沈汇先生认为,达斡尔语与契丹语之间可能有比蒙古语更为接近的亲缘关系。他举出一个例子说:辽代契丹人耶律白,字习撚,"习撚"一词仍保留在今天的达斡尔语中,意为孝服;"这个例子使我们感觉兴趣的,不是侥幸发现一个被遗忘的契丹语词,而是这个词能使我们从语言、风俗文化的历史中将达斡尔族与其先民契丹人联系了起来"。②刘凤翥教授在将 11 个契丹小字的音义与达斡尔语进行比较研究之后指出,达斡尔语对于契丹语肯定存在因袭关系,并称"语言的因袭必包含着民族成分的继承"。③

不过,直到今天为止,还不能说达斡尔族为契丹苗裔的观点已经成为一种学术定论,在 80 年代中期出版的民族问题五种丛书中,就依然是两种观点并存:《达斡尔族社会历史调查》不主一说,认为这仍是一个有待研究的问题;④而《达斡尔族简史》则持

---

① 《论契丹人的两种文字体系》,原载《第三届国际蒙古学者大会论文集》第 2 卷,乌兰巴托,1977 年;陈乃雄译文,载《蒙古学资料与情报》1985 年第 1 期。
② 《论契丹小字的创制与解读——兼论达斡尔族的族源》,《中央民族学院学报》1980 年第 4 期。
③ 《从契丹小字解读探达斡尔为东胡之裔》,《黑龙江文物丛刊》1982 年第 1 期。
④ 珠荣嘎、满都尔图主编:《达斡尔族社会历史调查》,内蒙古人民出版社1985 年版。

契丹遗裔说。① 近年仍有人撰文就这个问题进行争论,但论战双方提供的论据均没有超出傅乐焕和陈述先生所论述的范围。②

由于历史记载的缺乏,目前对达斡尔族族源的推测只能主要依赖于历史传说,自然很难得出一个确信无疑的结论。持契丹遗裔说者虽然指出达斡尔人在语言、民俗等方面与契丹人有不少相同之处,但我们知道,在历史上东胡系的各个民族之间都可以找到一些彼此间的共同点。要想彻底弄清达斡尔族的族源问题,应该寄希望于新的文献和考古材料的发现对达斡尔人 17 世纪以前的历史空白的填补。

(二)云南契丹后裔问题

云南契丹后裔虽已不是什么新的发现,但直到近年才有人对此进行系统的调查和研究,并由此引起学术界的广泛关注。

1950 年,云南潞西县勐板土司蒋家杰曾向云南民委反映滇西契丹后裔的情况,但未受到重视。1956 年,陈述先生根据中央民院研究部蒋家骅(蒋家杰胞弟)提供的线索,在《大辽瓦解以后的契丹人》一文中指出:"现在云南龙陵有一部分蒋姓,根据他们的家谱记载,先世耶律氏。龙陵耶律显然是从军著籍云南的。"可惜这个信息也未能引起史学界的注意。三十多年后,由内蒙古社科院民族研究所的达斡尔族学者孟志东(莫日根迪)和云南民族学

---

① 孟志东等:《达斡尔族简史》,内蒙古人民出版社 1986 年版。
② 近年讨论达斡尔族族源问题的论著,不主一说者以巴达荣嘎《对达斡尔族称及族源问题的看法》(《内蒙古社会科学》1993 年第 2 期)、郭庆《浅议达斡尔族族源问题》(《中央民族大学学报》1995 年第 1 期)为代表,力主契丹后裔说者以欧南·乌珠尔《关于达斡尔族族称及族源问题》一文(《内蒙古社会科学》1995 年第 3 期)为代表。

研究者杨毓骧等人组成的一个联合调查组,于1990至1992年先后两次深入滇西地区,对云南契丹后裔进行了全面系统的调查和研究,取得数十万字包括族谱、碑刻在内的各种资料,孟志东的《云南契丹后裔研究》一书,①就是上述调查工作的一个总结性报告。另外,在此期间,内蒙古大学蒙古语文研究所陈乃雄教授曾专程赴云南施甸对契丹后裔的语言及有关契丹小字的石刻材料进行考察,中国科学院遗传研究所和云南省计划生育科学技术研究所的几位学者检验了施甸县契丹后裔的遗传基因,黑龙江省文物考古工作者干志耿、叶启晓也曾前往滇西进行契丹后裔的民族历史调查。我们今天能够对云南契丹后裔的情况有比较深入的了解,首先应该感谢他们所做出的巨大努力。

孟志东等人的调查结果表明,目前云南契丹后裔约有15万人,主要分布在保山、临沧地区和德宏、大理、西双版纳等州,其中保山地区施甸县是契丹后裔最集中的聚居地。他们今天自报的民族很不一致,计有汉、布朗、彝、佤、德昂、基诺、傣、景颇等八个民族,同时他们一般又自称为"本人"或"本族"(意即本地土著民族)。

关于云南契丹后裔的来源,是首先需要做出解释的一个问题。根据《元史》卷一四九《耶律秃花传》、卷一五〇《耶律阿海传》和《矩庵集》卷九《耶律濮国威愍公墓志铭》的记载,元世祖至元间,管军万户耶律忙古带率领一支契丹军队远征云南,后迁大理金齿等处宣慰使都元帅,长期驻守于云南。目前人们一致认为,今天滇西的契丹后裔便是这支契丹军队落籍云南的结果。

近年来对云南契丹后裔从各个角度进行的综合考察,基本上

---

①中国社会科学出版社1995年版。以下凡引自此书的材料不再一一出注。

证实了其族源的真实性。调查者们主要提供了以下三个方面的证据。

（1）族谱资料等

云南契丹后裔保存着丰富的族谱资料，其中如《勐板蒋氏家谱》即明确记载他们的先世是契丹耶律氏。明代所修《施甸长官司族谱》，卷首有一幅青牛白马图，[1]并附诗一首，诗曰："辽之先祖始炎帝，审吉契丹大辽皇；白马土河乘男到，青牛潢河驾女来。一世先祖木叶山，八部后代徙潢河；南征钦授位金马，北战皇封云朝臣。姓奉堂前名作姓，耶律始祖阿保机；金齿宣抚抚政史，石甸（即施甸）世袭长官司。……"这首诗明确叙述了施甸土司的族源以及他们与耶律忙古带的关系。

据族谱记载，大概在元明之际，云南契丹后裔改耶律为阿氏，据说是取自辽太祖阿保机名字的第一个字；后又先后改为莽氏、蒋氏。今天的滇西契丹后裔主要冠以阿、莽、蒋、杨、李、赵、郭、何、茶等姓氏。为了与其他民族相区别，他们以"阿莽蒋"、"阿莽杨"、"阿莽李"等等相称。坐落在施甸县由旺镇木瓜榔村的蒋家宗祠，建于光绪年间，祠堂正门刻有一副楹联，上联为"耶律庭前千株树"，下联为"莽蒋祠内一堂春"。在一些蒋姓契丹后裔家中供设的祖宗牌位，均贴有"耶律庭前千株茂、阿莽蒋氏一堂春"的对联。这表明他们对契丹具有较强的民族认同感。

清末以迄民国，滇西地区存在契丹遗裔至少在当地似乎已是公认的事实。抗战期间，第 11 集团军某师长为龙陵蒋氏祠堂题

---

[1]"青牛白马"是有关契丹族早期历史的一个古老传说，《辽史》卷三七《地理志》（一）云："相传有神人乘白马，自马盂山浮土河而东，有天女驾青牛车由平地松林泛潢河而下。至木叶山，二水合流，相遇为配偶，生八子。其后族属渐盛，分为八部。每行军及春秋时祭，必用白马青牛，示不忘本云。"

写过一副楹联,上联是"溯族源出自古代契丹",下联是"考姓氏却为耶律后裔"。又当时在云南省府供职的蒋宗旦,在视察龙陵时应邀题联,上联为"契丹古族汉化久",下联为"岂知遗裔此间多"。①

(2)语言

孟志东、陈乃雄两位学者试图将云南契丹后裔的语言(本语)与被认为源出契丹的达斡尔族的语言以及蒙古语进行比较研究,以证实其中的契丹语遗存。孟志东在这方面独具优势,因为他是达斡尔族人,同时又懂蒙语。他的研究结果表明,虽然生活在坝区的本人语言汉化程度较高,但生活在山区的本人,其基本词汇与达斡尔语和蒙古语有某些相近成分。陈乃雄教授也得出了类似的结论,根据他对 1326 个山区本语语词的分析结果,发现其中有一百多个词似乎与达斡尔语和蒙古语之间存在着某种关联。②不过这里有一个问题,孟志东自己也承认,本语中与达斡尔语和蒙古语相似的那些词,一般也与布朗语相似,而布朗族是与云南契丹后裔长期杂居的一个主要民族,所以对这个问题的结论不可造次。与陈乃雄教授同赴施甸进行契丹后裔语言文字调查的蒙古族学者那顺乌日图提出了一个值得重视的意见,他认为对本语的比较研究还需要更加广泛和深入,所谓广泛,是指不仅把它同蒙古语族语言进行比较,还应同阿尔泰语系的其它语言进行比较,同当地各民族语言如布朗语、佤语、德昂语甚至当地汉语土语进行比较;所谓深入,就是不仅要对词汇进行比较,还应对有关各

---

① 杨毓骧:《云南契丹后裔考说》,《思想战线》1994 年第 2 期。
② 陈乃雄:《本话中的阿尔泰语言成分遗存》,《中国语言学报》第 6 期,商务印书馆,1995 年。

语言的语音、语法系统进行比较。①

（3）文字

1990 至 1992 年，云南契丹后裔调查组从施甸等地明清时代的碑刻中发现了 21 个契丹小字，其中时间最晚的一方墓石立于清道光二十三年（1843 年）。孟志东和杨毓骧分别对这些契丹小字做了考释。② 闻讯前往考察的契丹小字研究专家陈乃雄教授认定这一发现是完全可靠的，并将施甸县长官司发现的阿苏鲁墓石上的两个契丹小字"穴公"释读为"太守"或"有司"，正与阿苏鲁曾任长官司正长官的经历相吻合。③ 其后另一位契丹小字研究专家刘凤翥教授在为《云南契丹后裔研究》一书所作的序中也对这些契丹小字予以充分的肯定。过去人们普遍认为契丹小字的使用下限是在西辽，而出土的契丹小字碑刻时间最晚者为金代中期，出土地点则仅限于内蒙古、辽宁、河北等北方省区，所以此次在云南发现晚至 19 世纪中叶的契丹小字，确实令研究者们兴奋不已，被认为是一个重大的发现。

此外还值得一提的是，为了用人类遗传学的手段探索本人的族源，1994 年 1 月，中国科学院遗传研究所郝露萍等三位学者会同云南省计划生育科学技术研究所的研究人员，调查了施甸县木老元乡哈寨村 104 名本人的四个红细胞血型系统分布，并将其基

---

① 那顺乌日图：《施甸"本人"语言否定副词"i"》，《内蒙古社会科学》1992 年第 3 期。
② 孟志东：《云南契丹后裔调查报告》，云南保山铅印本，1992 年 8 月；又见《云南契丹后裔研究》第 6 章。杨毓骧：《云南契丹小字的遗存与释义》，《内蒙古大学学报》1993 年第 4 期。
③ 陈乃雄：《本话中的阿尔泰语言成分遗存》，《中国语言学报》第 6 期，商务印书馆，1995 年。

因频率与九个南方少数民族及包括达斡尔族在内的八个北方人群进行遗传距离和聚类分析。结果表明，"本人"与几个南方少数民族遗传距离较近，并最先聚合，而与几个北方少数民族及黑龙江汉族的遗传距离较远。但郝露萍等人认为，这个结果并不能否定本人源出于契丹，因为本人之间历来互不通婚，而只与当地其他民族婚媾，所以他们的契丹血统势必已经变得十分微弱。① 这个解释是合乎情理的。由此我们可以断言，今天的云南契丹后裔从血统上来说早已不是一个单一的民族，早已被南方民族所同化，有人说他们的体形还保留着北方民族的特征，与当地民族有显著区别等等，②大概是一种想当然的说法吧。

综观上述调查研究结果，我觉得有两个问题需要指出。

第一，施甸等地发现的契丹小字，被认为是确定云南契丹后裔族属的最有力证据，但实际上它却是最成问题的。据我初步研究的结果，这所谓的 21 个契丹小字，恐怕没有一个能够成立。

这些"契丹小字"最初是这样被发现的：调查者们将他们取得的碑铭拓片上凡是不认识或不理解的字都拿去与《契丹小字研究》③所列出的原字相对照，只要能够找到相似的字形，即被认定为契丹小字，然后对其字义加以附会解说。在已认定的 21 个"契丹小字"之外，还有 3 个不认识的字，因为在《契丹小字研究》一书中找不到相似的字形，才未作结论，但怀疑它们也是契丹小字。④

---

① 郝露萍等：《云南"本人"的红细胞血型分布及其与契丹人血缘关系的探讨》，《人类学学报》第 14 卷第 3 期，1995 年。
② 叶启晓、干志耿：《滇西契丹遗人与耶律倍之裔》，《北方文物》1995 年第 4 期。
③ 清格尔泰等：《契丹小字研究》，中国社会科学出版社 1985 年版。
④ 参见孟志东《云南契丹后裔研究》第 145 页及前揭杨毓骧《云南契丹小字的遗存与释义》一文。

这 21 个"契丹小字"之所以被误认，大致有两种情况。一种是属于堪舆家言，因今人不理解而误认为契丹小字。如孟志东编号为①、②的"穴仝"，见于阿苏鲁墓石，石上共刻有以下三行文字：①

甲山庚向穴仝

皇清待赠	孝友和平 一世祖讳	阿苏鲁千秋之	墓基

道光癸卯年十二月初四　日蒋姓子孙重修

左侧第一行小字"甲山庚向穴仝"是用于标记此墓的形势格局的，龙（即山）、向、穴、砂、水是堪舆家所谓的地理五要素，穴指土中气脉凝聚处，"仝"是一个符号，用以表示此穴的形态。如果说"穴仝"是代表阿苏鲁官衔的契丹小字，怎么会附在"甲山庚向"之后呢？又如编号为③、④的"丙一"，见于施甸县长官司的一段残碑，左侧第一行为"卯龙入首甲山庚向丙一"（以下残缺），这也是一句典型的堪舆家言，全句当为"卯龙入首甲山庚向丙□分金"（"丙"字后面应该是十二地支中的某一个字，而"一"则显然是一个残字），山、向只能表明大的方位，墓穴的具体朝向要用堪舆家的罗盘来确定，罗盘上的准确定位称为"分金"。《云南契丹后裔研究》附录的《蒋德昌墓志》中就有"用丁山癸向丙午分金名焉"这样的话。据我看来，在 21 个"契丹小字"中，大部分都与堪舆有关。

另外一种情况是因为不认识碑刻中的异体字而误认为契丹小字。如编号为⑧的"几"，见于《保阿墓志》："今合族公议，几在

---

① 此据《云南契丹后裔研究》所附拓本。

族党嫡孙,悉皆后裔。"文中的"几"即"凡"字的异体,梅膺祚《字汇》几部:"凡,俗作几。"又如编号为⑥的"扗",见于《蒋德昌墓志》:"苍龙入海,金羊扗癸甲之灵。""扗"即"收"字,此乃碑版中常见的异体字。这句话也是堪舆家言,清尹有本注《催官篇》卷四云:"右旋龙必自艮丑癸子壬亥逆行,俱属癸水,生卯旺亥库未,此金羊收癸甲之灵也。"①

　　总之,云南发现的所谓契丹小字均属误解。试想,在契丹文字已经消亡六七百年之后的 19 世纪,在通篇用汉字写成的碑文中,怎么会夹杂一两个契丹字呢? 这实在可以说是异想天开了。我准备在另外一篇文章中专门讨论这个问题,在此只举例说明如上。

　　第二,孟志东在《云南契丹后裔研究》一书中对云南契丹后裔的世系做了详细考证,将阿莽蒋一支的世系追溯至东丹王耶律倍和辽太祖耶律阿保机,这里面存在着不少纰漏。

　　根据现存的族谱和碑刻资料来看,阿莽蒋的谱系只能上溯到元末明初的阿苏鲁,而《元史》记载的忙古带后裔又只到其子火你赤为止,作者将阿苏鲁推定为火你赤之孙,即缺乏可信的依据。又据《元史》记载,忙古带曾祖耶律秃花金末降于蒙古,秃花父脱迭儿仕金为尚书奏事官,祖撒八儿为金桓州尹,而《辽史》、《金史》中有一位辽末曾使金议和的契丹人突迭,于是作者便毫无根据地认为秃花父脱迭儿就是突迭。试想,辽末金初的突迭怎么可能会是金末元初的秃花之父? 更使人不解的是,辽金文献中对突迭的身世本无任何记载,而作者却无端地认定他是阿撒之子。让我们看看作者的推理过程:《金史·太宗纪》有这样一条记载:"天

────────────

①《四秘全书十二种》本。

会九年,……和州回鹘执耶律大石之党撒八、迪里、突迭来献。"作者据此推论说,这里提到的撒八就是脱迭儿之父撒八儿,因为撒八、突迭既然同随耶律大石北走,必是父子;其次,撒八亦即耶律淳之子阿撒(奇怪的是,撒八和阿撒这两个人名怎么能划等号?),理由是耶律淳擅立遭到天祚帝斥责,故其子、孙随大石北走顺理成章。这段考证煞费周章,其目的无非是为了和阿撒之父、辽宗室耶律淳拉上关系。这样的考证不禁令人感到惊讶。

尽管从本人的血统中找不到与北方民族之间的亲缘关系,尽管可以肯定在云南发现的契丹小字纯属误解,尽管对阿莽蒋的世系考证不可信据,但我并不否认这样一个基本事实:在今天的云南确实生活着一部分契丹人的后裔,他们的祖先是元朝南征的一支契丹军队。

二

公元 1227 年,蒙古灭西夏,党项人遂成为蒙、元属民,系色目人之一种。蒙古语译党项为唐兀(《元朝秘史》译作唐兀惕或唐忽惕),故元代以唐兀氏指称党项人及其所建立的西夏。因西夏领土主要在黄河以西,汉文文献称之为河西,自蒙古语转译,又作合申,故拉施特《史集》谓"蒙古人称做合申的唐兀惕地区"。但元人所说的河西人是泛指所有的西夏遗民,不专指党项族,故河西又有"蕃河西"和"汉河西"之别,《新元史》卷二九《氏族表》(下)曰:"其俗以旧羌为'蕃河西',陷没人为'汉河西'。"有的学者认为,在西夏统治的近二百年间,已经形成了一个新的民族共同体,元代用"唐兀人"、"河西人"、"西夏人"来指称这个民族共同体,而"党项"之名却再也不见于载籍。① 我不能同意这种说法。党项一名之所以绝迹，不过是因为蒙古人已将党项改称为唐兀罢了，唐兀和河西虽然都可以用来指称西夏，但在指西夏遗民时，唐兀人与河西人、西夏人还是有所区别的。由于党项族的族称在各个历史时期颇有歧异，为了行文的统一，本文仍采用其初始名称党项，以党项遗民来指元代的唐兀人，以党项遗裔来指元以后的党项人后裔。

西夏亡国后，党项人失去了其共同生活的地域，不得不与其他民族间错杂居，从而渐渐为汉、藏、蒙古等族所同化。本世纪以来，学者们对西夏亡国后的党项遗裔进行了多方面的探索，从中可以看到这个民族是怎样经历民族融合而最终走向消亡的。

（一）西夏故地的党项遗民

蒙、元时期，在西夏故地仍生活着大批党项遗民，元代曾多次从河西陇右签征为数可观的党项兵士，元朝的宿卫军和镇戍军中都有专由党项人组成的"唐兀军"。1976年，社科院民族研究所的白滨、史金波在甘肃酒泉发现一通汉文、回鹘文合璧的《大元肃州路也可达鲁花赤世袭之碑》，他们的研究结论是：此碑完整记录了一个唐兀家族自西夏亡国至元朝末年的130多年间，历六世十三人的世系及其职官世袭情况，从中可以了解元代西夏故地党项遗民的活动。这个家族从西夏亡国后第二代起就不再用党项人的姓名，而改用蒙古人习用的名字，这反映了在特定的政治和社会背景下，西夏故地党项遗民的一种蒙古化趋势。元代以后，河西陇右的党项人就再也没有消息了。白滨、史金波认为，现今分

① 马明达：《也谈安徽的西夏后裔》，《宁夏社会科学》1984年第4期。

布在甘肃河西走廊中部、祁连山北麓一带的裕固族,可能是包含着党项、回鹘、蒙古血统的一个新的人们共同体。①

1983 年,汤开建发表《〈大元肃州路也可达鲁花赤世袭之碑〉补释》一文,对此碑内容提出了新的解释,认为此碑的碑主应是由夏入元的沙陀贵族之后。② 从汤文提供的史料根据来看,应该承认他的这一结论是很有说服力的。

另外有学者指出,在甘肃南部的迭部地区,至今居住着一个语言和风俗习惯与周边各族都不相同的民族,故怀疑他们是党项遗裔或鲜卑吐谷浑的原始居民。③ 但这一推测似乎并没有什么太多的依据。

(二)四川的木雅人

本世纪 20 年代,英国人伍尔芬敦(S. N. Walfenden)曾赴西康地区进行实地调查,根据当地部分居民的语言特征,认为他们有可能是西夏亡国后南徙川康的党项人的后裔。④ 1944 年,四川大学邓少琴先生应西康省通志馆之邀,对西康地区进行历史考察。他从木雅一带居民口中听到了关于"西吴甲尔布"(即西吴王,"甲尔布"乃藏语"王"之意)的传说,说是西吴王曾为北方汉地之王,所居之地曰"木雅",后来南迁此地建立新邦,遂亦称此地为木雅。邓少琴先生根据这一线索,以当地遗迹和历史文献相印证,

---

① 《〈大元肃州路也可达鲁花赤世袭之碑〉考释——论元代党项人在河西的活动》,《民族研究》1979 年第 1 期。
② 《中国史研究》1983 年第 4 期。
③ 李范文:《试论西夏党项族的来源与变迁》,载《西夏研究论集》,宁夏人民出版社 1983 年版。
④ 参见王静如《西夏研究》第 2 辑,中央研究院历史语言研究所特刊,1932 年。

写成《西康木雅乡西吴王考》一书。① 他认为西吴就是西夏的对音,②西吴王(即西夏王)是西夏皇族亡国之后南来此地建立的一个边裔小政权,并将它与辽亡后耶律大石所缔造的西辽相提并论。他还指出,藏语的"木雅"一词源自宋元时代汉文文献中的"木纳"、"母纳"、"密纳克"等,原是指西夏国都兴庆府地,党项遗民南来后把这个名称带到了川康地区。自此以后,人们始知木雅人是党项人后裔。

　　1980年,宁夏学者李范文深入四川木雅地区,对生活在那里的党项遗裔进行了较为系统的调查。通过调查并参照汉藏文献记载,他认为木雅人是西夏亡国后南迁的党项遗民和当地的党项原始居民弭药人相互融合而形成的。木雅人自称"博巴",意为藏人,但藏人不承认他们为藏族,称他们为"木雅巴",意即木雅人。今天木雅人的总数约有一万多。木雅人有自己的语言,他们一般在外讲藏语,在家讲木雅语。另外在这次调查中还发现,甘孜藏族自治州道孚县土著居民的语言与藏语差异较大,与木雅语也有所不同,而与西夏语十分接近,因此李范文认为道孚人不是藏族,很可能是未曾北徙的党项原始居民弭药人的后裔。③

　　需要说明的是,木雅并非一个非常明确的区域概念,在国内出版的任何地图上都找不到木雅这个地名,它的范围大小在各个历史时期是很不一样的,被人们普遍认为是西吴王时代遗物的八角碉,遍布于康南及大小金川流域,可见西吴王时代的领域远比今天要大得多。今日四川木雅人的分布范围,大致是甘孜藏族自

①中国学典馆铅印本,1945年。
②谓因"夏"、"下"同音,"下"字古音读"虎",故西夏就被读作西吴。
③《西夏遗民调查记》、《嘉戎与道孚族源考》,均载前揭《西夏研究论集》。

治州道孚县尼措寺以南,木里藏族自治县的麦地龙以北,康定县折多山以西,雅砻江以东的地带,有木雅上乡和木雅下乡之分。①

迄今为止,我们对木雅人,尤其是对木雅人历史的了解还很有限,可以说木雅人的谜底至今尚未揭开,比如关于西吴王的推测就主要是建立在传说之上的。木雅人被藏族同化的过程也是党项族走向消亡的重要环节之一,这个问题还有很大的研究余地。

(三)安徽的党项遗裔

对安徽党项遗裔的探索主要是围绕着余阙及其后裔展开的调查。余阙为元朝唐兀人,先世居武威,其父沙剌臧卜因在庐州(今安徽省合肥市)做官,遂定居于庐州。余阙以科举出身,元末为安庆守帅,城破死节,由此名声显于后世。

1981年,史金波和吴峰云根据从地方志里获得的线索,同赴安徽调查余氏后裔。根据他们的调查结果,并参证访得的两部《余氏宗谱》,弄清了自元末余阙至今已延续二十七世的传承关系。调查结果表明,在安徽合肥和安庆等地共有余氏后裔约5000余人,他们今天都已彻底汉化,只有少数有文化的老者才知道自己是党项人的后裔。② 这一调查结果为研究入居内地的党项人与汉民族融合演变的历史提供了典型的例证。

1984年,马明达发表《也谈安徽的西夏后裔》一文,③指出元

①上官剑壁:《四川的木雅人与西夏》,《宁夏社会科学》1994年第3期。
②史金波、吴峰云:《西夏后裔在安徽》,《安徽大学学报》1983年第1期;《元代党项人余氏及其后裔》,《宁夏大学学报》1985年第2期;《党项人余阙及其后裔的调查考证》,《未定稿》1985年第13期。
③《宁夏社会科学》1984年第4期。

代移居安徽的党项人远不止余阙一族,党项名将昂吉儿自元初即统领一支唐兀军驻守庐州,后子孙世袭其职,整个元代,庐州的镇戍军皆由党项人组成,余阙家族定居庐州当与此背景有关。

(四)河南的党项遗裔

从元代文献来看,当时移居河南的党项遗民数量相当可观。1985年,任崇岳、穆朝庆根据河南省濮阳市城东柳屯乡杨十八郎村发现的《大元赠敦武校尉军民万户府百夫长唐兀公碑铭》所提供的线索,前往濮阳考察党项后裔,以他们查访到的杨氏族谱及记载杨氏事迹的《述善集》等资料与碑铭相印证,得知现今居住在濮阳市柳屯乡十余个自然村里的3500多位杨姓居民均为党项遗裔。杨氏的先祖唐兀台世居西凉州(今甘肃省武威市),西夏末年归附蒙古,从军征战多年,后其子闾马定居濮阳,易姓杨氏,至今已传二十八世。① 杨氏子孙虽然聚族而居,但因长期生活在中原地区,其语言文字、生活习俗已与汉族毫无二致,他们今天申报的民族均是汉族,但私下却自称为蒙古族,我想或许他们的先人在元朝时曾经冒称过蒙古人吧。

此外,近年任崇岳又根据元吴澄《吴文正公集》卷三三《故浚州达鲁花赤追封魏郡伯墓铭》和1974年在河南浚县出土的《中义大夫汉阳府墓志》的记载,推断在今天的浚县应该有一支党项人后裔,但从浚县的乡土资料中却找不到任何痕迹,估计他们也已经彻底汉化了。②

---

① 任崇岳、穆朝庆:《〈大元赠敦武校尉军民万户府百夫长唐兀公碑铭〉笺注》,《宁夏社会科学》1987年第1期;《略谈河南省的西夏遗民》,《宁夏社会科学》1986年第2期。
② 《元〈浚州达鲁花赤追封魏郡伯墓碑〉考释》,《宁夏社会科学》1995年第2期。

（五）河北的党项遗裔

1962 年，在河北保定韩庄出土两座明代西夏文石刻经幢。70 年代，西夏史研究者对经幢上的西夏文进行了解读，得知它是一批党项人的后裔于明弘治十五年（1502 年）为兴善寺亡僧而立的胜相幢，两幢上共刻有八十多个党项人姓名。[①] 过去人们一般认为西夏文的使用下限是元末，完成于至正五年（1345 年）的居庸关过街塔洞壁的西夏文石刻被认为是现存最晚的西夏文资料。30 年代初，陈寅恪先生在柏林国家图书馆见到该馆所藏据称为明万历写本的藏文《甘珠尔》，上面偶有西夏文字，因而推测当时"或尚有能通解其文字的人"。[②] 保定韩庄出土的西夏文经幢，证明迟至明代中叶，还有党项人的后裔在河北境内聚族而居，并且仍在继续使用他们本民族的语言文字。

（六）青海的党项遗裔

西夏亡国时，末帝李睍为蒙古军所杀，此后便再也没有关于西夏皇族的任何消息。1995 年，原青海河湟地区李土司的后人李培业，根据他所保存的从乾隆到民国间的十部族谱资料，提出李土司是西夏皇室的直系后裔，并称居住在今河湟地区的李氏后裔人口达十余万之众。[③] 这一说法已经得到某些西夏史专家的首肯，认为它揭开了西夏皇族失踪之谜。

在对这个问题略作考究之后，我觉得上述结论是很值得怀疑

---

① 郑绍宗、王静如：《保定出土明代西夏文石幢》；史金波、白滨：《明代西夏文经卷和石幢初探》，均载《考古学报》1977 年第 1 期。
② 《西夏研究》第 1 辑陈寅恪序，中央研究院历史语言研究所特刊，1932 年。
③ 李培业：《西夏皇族后裔考》，《西北大学学报》1995 年第 3 期。

的。首先,所谓河湟地区的十余万李氏后裔,当是指原属李土司统辖的土族人(1982年的统计数字为15万余人),土族的族源,现在人们一般认为是出自鲜卑支系吐谷浑,与党项毫无关系。① 不过,土司的族属和土族的族源是两码事,关于李土司的来源,自明代以来就有沙陀李氏和党项李氏两种不同说法,现存最早的《李氏家谱》②即称为沙陀李氏之裔,后来有的族谱则干脆将这两种说法揉合到一起:在沙陀李氏建立的后唐亡国之后,续以党项李氏,在西夏末帝李睍之后,续以李土司之始祖李赏哥。我认为李土司出自沙陀李氏的记载应该是比较可信的,唐末曾有一部分沙陀人迁居河西,在西夏统治时期,他们享有很高的政治地位,当时人们称他们为"小李","以别于西夏国姓"。③ 后人可能因为他们是西夏遗民,就误认为是党项皇族李氏,而将李赏哥附会为西夏末帝李睍之子,其实并没有什么可靠的证据。这个问题颇为复杂,容另文讨论。

以上所述党项遗裔问题,有的尚未得到证实,即使是可以确认为党项遗裔者,也大都已被其它民族彻底同化了,以至于我们今天只能通过族谱资料去识别他们。只有木雅人算是一个例外,由于他们所处的环境较为封闭,其民族特征至今尚未完全泯灭(比如语言)。对于研究民族演变和民族融合的过程来说,木雅人具有它特殊的价值,应该成为西夏史研究者今后的主要致力方向之一。

---

①参见《土族简史》,青海人民出版社1982年版,第13—29页。
②顺治十四年(1657年)李天俞修撰,今藏青海省民和县档案馆。
③《新元史》卷一三一《昔里钤部传》。

三

　　金朝亡国之后的女真人大致分为两个部分,一部分是金朝时留居金源故地的女真人,到了元朝,他们被分别称作女直、水达达、吾者、乞列迷、骨嵬等,居住在松花江流域、黑龙江下游和乌苏里江流域地区,后来发展成为满族;[1]另一部分是金朝时南迁中原的女真人,自金代中叶以后,他们汉化程度逐渐加深,至元朝时已不再被视为女真人,而概以"汉人"称之。本文所谈的女真遗裔主要就出自后者。

(一)金朝皇族后裔

　　景爱近年的调查结果证实,至今在北京还居住着一支金朝皇族后裔。他们的始祖完颜守祥,与金哀宗完颜守绪为兄弟行,据说出自金世宗庶子。[2] 根据传世的《长白佛满洲完颜氏东归本支统系表》来判断,其始祖完颜守祥大概是在金朝亡国后从南京开封东归金源故地的,至其十四世孙鲁克素时迁居长白山下,后金建国之初即归附努尔哈赤,后随清军入关,遂定居于北京。

　　完颜氏因系金朝皇族后裔,故在清朝受到特殊优遇,被列入上三旗。乾隆时编纂《八旗满洲氏族通谱》,"完颜氏本列二十八卷,奉高宗特旨,用虞宾义,列为第一"。[3] 这表明了清王朝对其皇

---

①参见杨保隆《浅谈元代的女真人》,《民族研究》1984 年第 3 期。
②《天咫偶闻》卷三云:"其先出金世宗。"《听雨丛谈》卷一一云:"完颜氏,金世宗之裔。"完颜氏族人则自称是金世宗旁支。
③完颜麟庆:《鸿雪因缘图记》第三集,《房山拜陵》。

族后裔身份的确认。完颜氏在清代宗枝繁盛,在北京安定门内交道口北之北兵马司胡同有其宗祠旧址。今天的北京完颜氏都已改姓王氏或汪氏,第二十五世孙王佐贤现为北京市宣武区政协委员。①

(二)山西的女真遗裔

在山西省安邑县房子村和三家庄村,至今聚居着一批仝姓的女真遗裔,他们保存的《仝氏家谱》修于清乾隆年间,后于民国十六年(1927年)重修,重修谱序云:"仝氏之先,出自大金夹谷氏,嗣遭元灭,遂易今姓。元初有讳庆成者,为本邑令,因家焉。"②夹谷氏是女真望姓之一,《金史》附《国语解》云:"夹谷曰仝。"说明早在金朝夹谷氏就以"仝"作为其汉姓了,又元杂剧《虎头牌》谓"夹谷氏姓佟"、《金安寿》称夹谷为童,字虽有异而音皆相同。由此皆可证明《仝氏家谱》的记述是言之有据的。

(三)安徽的女真遗裔

在安徽肥东县的十二个乡中,居住着一支完颜氏的女真遗裔,目前约有2000来人。据《完颜氏家谱》记载,金朝亡国后,有一支完颜氏的女真人流落到云内州(今山西省大同市),为避免蒙古人的民族歧视,他们改完颜氏为完氏。元末,这支女真人的首领完(颜)佩投身朱元璋麾下,位至将军,洪武初年,奉命屯田庐州,从此便定居于肥东。1983年,肥东县人民政府根据这些女真

①景爱:《北京完颜氏遗族考》,载《辽金史论集》第5辑,文津出版社1991年版;《当代中国的完颜氏遗民》,《满族研究》1994年第3期。
②任崇岳:《谈晋皖豫三省的女真遗民》,《北方文物》1995年第2期。

遗裔提出的要求,同意他们恢复完颜氏,并将其民族成份改为满族。① 不过肥东的女真遗裔虽然是完颜氏,却未必就出自金朝皇族,因为金代的完颜氏有宗室完颜、同姓完颜、异姓完颜之分,而肥东完颜氏的渊源并不清楚。

(四)河南的女真遗裔

河南的女真遗裔主要有两支,一支在鹿邑县,一支在唐河县。

鹿邑的女真遗裔居住在马铺、老庄、太清、贾滩、杨湖口等五乡九村,共 750 余户,近 3000 人。另外,汝州市完颜庄、许昌县完门村尚有 200 余人,是从鹿邑迁入的。鹿邑女真遗裔本为完颜氏,后改姓完氏,据《完氏宗谱》记载,他们是明朝万历年间从安徽肥东迁徙而来的。如今他们也已恢复完颜氏,但还未被正式批准改为满族成份。

据山西安邑县《仝氏家谱》说,安邑仝氏有移居河南者。如今居住在河南南阳地区唐河县城郊乡两个村子中的数百名仝姓女真后裔,估计就来自安邑,但不清楚他们是何时由晋入豫的。②

(五)甘肃的女真遗裔

在甘肃省平凉、泾川一带也有一支女真完颜氏,目前大约有 2000 人左右,当地还有一些以完颜命名的村庄,如完颜村、完颜洼等。在泾川县完颜高正家中,保存着一幅长 2.4 米、宽 2 米的完颜氏宗谱图,系由五幅粗黄布缝合而成,上面有金太祖至末帝完颜

---

①见前揭任崇岳《谈晋皖豫三省的女真遗民》、景爱《当代中国的完颜氏遗民》。
②见前揭任崇岳《谈晋皖豫三省的女真遗民》。

承麟十代君主的世系和图像,有人猜测它是金代末年的遗物,并据此推论说这支完颜氏很可能是宗室完颜之后。① 但我觉得要下这种结论恐怕还需要提供更多的证据才行。

金代的女真人比起辽代的契丹人和西夏的党项人来,其汉化程度要深入得多,因此今天的女真遗裔自然不可能遗留任何本民族的特征,只有在满族的语言和风俗习惯中还可以看到对女真族的某些继承。

附志:本文之得以写成,有赖于高寿仙先生提供的有益意见,李鸿宾先生对有关资料的搜集给予了大力帮助,谨致谢忱。

原载《大陆杂志》96 卷第 6 期,1998 年 6 月

---

① 见前揭景爱《当代中国的完颜氏遗民》。

金代户口研究

    金代户口问题长期以来一直是金史研究中的一个薄弱环节，近年始有人注意及此，陆续出现了几篇有关的研究论文，[①]但在研究的深度和广度上都还有待拓展。本文拟对金朝各个时期的户口消长作一系统的考察，并对一些悬而未决的问题提出自己的初步见解，以期对金代的人口问题有一个较为全面的认识。

一

    纵观金朝一百二十年间的户口消长趋势，大致可以把它分成三个时期：第一个时期是从金初到海陵王正隆末年，这是金朝人口数量急剧下降和停滞不前的阶段；第二个时期是从世宗大定初到章宗泰和末，这是金朝人口迅速回升和稳定增长的阶段；第三

---

① 近年有关金代户口问题研究的论著，有高树林《金朝户口问题初探》（《中国史研究》1986 年第 2 期），韩光辉《〈金史·地理志〉户数系年正误》（《中国史研究》1988 年第 2 期），王育民《〈金史·地理志〉户口系年辨析》（《学术月刊》1989 年第 12 期）及《金朝户口问题析疑》（《中国史研究》1990 年第 4 期）。

个时期是从卫绍王大安间到哀宗天兴末,这是金朝人口再度锐减的阶段。显然,金朝户口的变化大势是与中国古代社会户口升降的一般规律不相符的(这一规律可以简单地表述为:王朝前期——户口的回升期,王朝中期——户口的增长期,王朝后期——户口的衰耗期),而现有的研究论著均恪守历代王朝户口变化的通例,由此对金朝户口的消长起伏产生了较大的认识偏差。

金朝前期的户口数没有留下史料记载,今天所能见到的金代第一个全国人口总数是建国近五十年后的世宗大定初年的数字。为了便于与金朝中后期的户口数进行比较,在估算金初户口基数时,必须将其地理范围扩大至淮河以北地区,即以绍兴和议后正式确定下来的金朝疆域为准。我们选择1125年作为确定金初户口基数的时间坐标,因为金就是在这一年最后灭掉辽朝而完成了两个王朝之间的嬗递,同时这又正是金人主中原的前一年,是金朝前期户口骤降的起点。估算金初户口基数的方法,就是以辽朝境内的户口数,加上后来并入金国版图的原北宋部分州县的户口数。

辽的户口总数史籍无载,因此对辽代户口也就有不同的估计。40年代末,美国学者魏特夫在与冯家昇合著的《中国社会史:辽(907—1125)》一书中,曾将辽朝的全国总户数估算为76万。[①]这个估计仅就辽的在籍户数来说显然也是偏低的。近年王育民《辽朝人口考》一文[②]则估算为150万户,这一数字比较接近于实

①Karl A. Wittfogel& 冯家昇:*History of Chinese Society:Liao(907—1125)*,纽约麦克米伦出版公司1949年版,第58页。
②《辽金史论集》第5辑,文津出版社1991年版。

际状况,基本上是可取的。但在估算金的户口基数时,除了计入辽的在籍户口外,还应再加上不系辽籍的生女真诸部的户口。据笔者的匡算,辽末生女真诸部共约 15 万户。因此,辽代包括生女真在内的人户,合计约在 165 万户左右。

按照绍兴和议正式划定的宋金两国疆界,金的版图包括原属北宋的下列州府:京畿路,京东东、西路,河北东、西路,京西北路(其中信阳军仍属南宋,除去不计),京西南路的唐、邓二州,淮南东路的宿、亳、海、泗四州及泗水军,河东路(其中府、丰二州地入西夏,除去不计),永兴军路,秦凤路(其中岷、成、凤、阶四州仍属南宋,除去不计;洮、会、西安三州及积石、怀德二军无版籍,姑定为 10000 户)。据《宋史·地理志》所载户口数统计,以上州府崇宁元年(1102 年)的户数总计为 5 947 034 户,[①]加上辽的户数,总数约为 760 万户。当然,从崇宁元年(1102 年)至金朝入主中原前的宣和七年(1125 年),北宋这一地区内的户口还会有所增加。北宋末年的户口增长率保持在一个较低的水平上,就全国范围来看,从崇宁二年(1103 年)的 20 524 065 户到大观四年(1110 年)的 20 882 258 户,其年均增长率仅为 2.49‰。按照这个增长率计算,上述地区宣和七年(1125 年)的实际户数应为 6 294 225 户,较之崇宁元年(1102 年)增长 34 万余户。但同时在辽天庆四年至保大五年(1114—1125 年)间,辽金两国间的战争又使辽朝境内的人口呈现负增长,这两个因素相互抵销的结果,可使上面的估算数字与金朝入主中原前淮河以北地区的户口总数大体相当。

据《金史·食货志》记载,世宗大定初,全国总户数仅 300 余

①今存宋代户口数字,其户均人数均不足三人,对此有种种不同的解释,但一般认为其户数是较为可靠的,因此这里只取户数而不取口数。

万。从宣和七年(1125年)的760万户到大定初(大定元年为公元1161年)的300余万户,三十余年间,金朝统治区内的户口减少了一半以上,这样的下跌幅度是极不寻常的。

金建国之初,在经过了十年的对辽战争之后,并未进入社会经济的恢复及人口的回升期,随即又开始了对宋的长期战争。从天会四年(1126年)至大定元年(1161年)的36年间,金宋之间有18年处于战争状态,另外18年间虽然没有战争,但却几乎一直在进行新的战争准备,根本无暇休养生息,使残破的户口得以恢复。这期间的人口数量变化,可以分为两个阶段来观察:(1)自天会四年(1126年)金军南侵起,至皇统二年(1142年)订立绍兴和议止。其间金宋两国始终处于直接或间接的(通过刘豫齐国)战争状态,共发生了七场较大规模的战争,小的冲突则几乎从未间断,因此这无疑是金朝人口锐减的时期。(2)自皇统二年(1142年)和议的签订到大定元年(1161年)海陵王南侵的失败。由于人为的因素使人口回升的趋势受到了抑制,而最后海陵王发动的大规模的侵宋战争又造成了一次新的人口数量下滑,因此总的来看,这一阶段的户口基本处于停滞不前的状态,人口数量近乎零增长。

金宋战争是导致金朝前期户口骤降的首要因素。金王朝建立之初,女真族刚刚由原始社会进入奴隶社会,当他们南下中原后,在战争中普遍采取烧杀抢掠的野蛮手段,铁骑所至,生灵为之一空。靖康之役,淮河以北的中原地区为金人蹂践残破者,达180余州、875县。① 建炎元年(1127年)四月金军北还时,"纵兵四掠,东及沂、密,西至曹、濮、兖、郓,南达陈、蔡、汝、颍,北至河朔,

———————

① 谢采伯:《密斋笔记》卷一。

皆被其害。杀人如刈麻,臭闻数百里,淮、泗之间,亦荡然矣"。① 是年秋,在邓州南道都总管府任幕职的庄季裕,于赴南京朝见高宗的途中亲眼目睹了这场浩劫之后的惨状:"余自穰(今河南省邓县)下由许昌以趋宋城(今河南省商丘)。几千里无复鸡犬,井皆积尸,莫可饮。……菽粟梨枣,亦无人采刈。"②金忻州秀容县丞王础曾随军南攻唐、邓,"城陷,军中尽俘壮健而杀老弱"。③ 这是一种非常普遍的情形,以至金太宗不得不于天会五年(1127 年)六月下诏对此稍加申禁:"自河之北,今既分画,……若诸军敢利于俘掠辄肆荡毁者,底于罚。"④但这道诏令并未对金军起到多少约束作用。在建炎三年(1129 年)宋室南渡前,宋朝官军及忠义民兵与金军对淮河以北州县进行了反复的争夺,郡县城邑的每一易手,都会造成大量无辜百姓的死亡。如建炎二年(1128 年)十一月金军攻陷开德府时,"怒其拒战,杀戮无孑遗。绍兴九年复得河南地,唯开德府城中无一户旧居土人"。⑤ 绍兴以后,宋金战争的主战场虽然已经移到淮南,但金及伪齐的每次南侵也都使淮河以北的中原人民生灵涂炭,人口继续急剧下降。直至绍兴和议订立,两国暂罢干戈,中原地区人口下降的趋势才被遏止。

由于金宋间的战争所具有的民族冲突的特殊背景,因此战争直接和间接造成的死亡并不是此一时期人口减少的唯一要素,这场战争还引发了北方人口的大规模南迁。建炎间,因天下大局未定,沦落在北方的宋朝臣民尚且存着光复故土的一线希望,等待

---

①《建炎以来系年要录》卷四,建炎元年四月庚申条。
②庄季裕:《鸡肋编》卷上。
③王寂:《先君行状》,《拙轩集》卷六。
④《金史》卷三《太宗纪》。
⑤《三朝北盟会编》卷一一九,建炎二年十一月十五日。

王师北来,因此南逃的人相对而言还不是很多。绍兴以后,南宋的偏安局面业已形成,中原百姓基于"华夏正朔"的民族意识,慑于女真统治者的烧杀掳掠,纷纷渡淮南奔。数年之间,"江、浙、湖、湘、闽、广,西北流寓之人遍满"。① 被流放至广西的蔡絛记述他的见闻时也说:"吾以靖康岁丙午(1126 年)迁博白。……十年之后,北方流寓者日益众。"②博白在广南西路的郁林州,是至为僻远的"蛮夷"之区,而就连这种地方都遍是来自北方的流寓者,可见北人南迁的数量是不可低估的。据初步估计,自靖康之变至海陵王南侵失败,淮河以北汉人南迁者当以数百万计。③ 这在很大程度上决定了金朝境内户口数量的下降幅度,同时对北方人口的地理分布状况也产生了久远的影响。

在长期的金宋战争中遭受兵祸最烈,因而户口下降幅度最巨的要首推黄河以南地区,其次则为陕西、山东。正是由于这个原因,河南等地的人口密度在相当长一段时期内都远比中原其它地区要低得多,世宗大定四年(1164 年)初行通检推排时,这个现象就引起了人们的注意:"是时河南、陕西、徐(属山东西路)、海(属山东东路)以南屡经兵革,人稀地广,蒿莱满野。"而中都、河北、河东等路则因"久被抚宁,人稠地窄,寸土悉垦"。④ 大定八、九年间,曹望之上疏亦称"陈、蔡、汝、颖之间土广人稀",因言"宜徙百

①庄季裕:《鸡肋编》卷上。南宋人多以"西北士民"、"西北百姓"称中原南来的百姓,这里的"西北"并非专指陕西或河东,因时人惯以"东南"代指南宋,与之对称,则以"西北"代指整个北方沦陷地区。

②《铁围山丛谈》卷六。

③参见吴松弟:《北方移民与南宋社会变迁》,文津出版社(台北),1993 年;刘浦江:《十二世纪中叶中国北方人口的南迁》,《原学》第 6 辑,中国广播电视出版社 1998 年版。

④赵秉文:《保大军节度使梁公墓铭》,《闲闲老人滏水文集》卷一一。

姓以实其处"。① 直到大定末,尚书省上奏还说"河东地狭",而"河南地广人稀",遂请招徕河东流民以实河南旷地。② 章宗泰和七年(1207年),金朝户数达到了841万的最高点,已经远远超过了北宋末年淮河以北地区与辽的户数的总和,但唯有河南地区的户口仍未恢复到北宋末年的水平。兹将泰和七年(1207年)南京路各州府的户数与北宋崇宁元年(1102年)的户数并列于下,以资比较。

表1　河南各州府金泰和七年与北宋崇宁元年户数对照表

州府名	泰和七年户数	崇宁元年户数	州府名	泰和七年户数	崇宁元年户数
归德府	76 389	79 741	汝州	35 254	41 587
单州	65 545	61 409	亳州	60 535	130 119
陕州	41 010	47 806	陈州	26 145	32 094
邓州	24 989	114 127	蔡州	36 093	98 502
唐州	11 031	202 172	息州	9 685	
河南府	55 635	127 767	郑州	45 657	55 976
嵩州	26 649		颍州	16 714	78 174
许州	45 587	66 041	宿州	55 058	91 483
钧州	18 510		泗州	8 092	63 632

说明:

①金泰和七年户数据《金史·地理志》,宋崇宁元年户数据《宋史·地理志》。

②金南京路开封府户数有误,不列;睢、寿、裕三州北宋分隶两个以上州府,户数无法比较,故亦未列。

③河南府、嵩州以宋河南府分置,许州、钧州以宋颍昌府分置,蔡州、息州以宋蔡州分置,故只能合并对照。

④郑州辖境包括宋郑州及孟州河阴、汜水二县,故崇宁元年户数系以郑州30976户加上河阴、汜水估计数约25000户得来。

①《金史》卷九二《曹望之传》。
②《金史》卷四七《食货志》(二)"田制"。

上表所列河南 18 个州府,除单州户数略高于宋外,其它 17 个州府都比崇宁元年的户数要低,尤其是与宋毗邻的唐、邓、蔡、颍诸州,户数与宋相去悬殊,唐州泰和七年的户数竟只及北宋末年的 5.5% 左右。河南地区这种人口密度偏低的状况,直到金宣宗贞祐间迁都开封,沦陷于蒙古的黄河以北州县的人口大量涌进河南后,才得到根本的改变。

从皇统二年(1142 年)和议的签订到海陵王南侵失败,其间的户口消长情况虽因缺乏皇统间的数字而无法进行比较,但和议订立以后,金朝的户口并未因为战争的停止而呈现明显的回升,则是一个无可怀疑的事实。金熙宗晚年庸庸碌碌,屡经残破的社会经济丝毫没有复苏的迹象。海陵王即位以后,为了实现一统天下的个人野心,积极进行一场规模空前的战争准备,十数年间,大起天下徭役,营中都,建南京,缮治甲兵,调发军旅,使本已衰弊不堪的社会生产又遭受了一次新的浩劫,严重窒息了人口的正常增长。海陵王时期的种种庞大工役,造成了人口的大量死亡,天德间营治中都,"制度不经,工巧无遗力,所谓穷奢极侈者",当时"役民夫八十万,兵夫四十万,作治数年,死者不可胜计"。[①] 这是出自宋人的记载。我们还注意到《金史·张浩传》里提到的一桩史实,营建中都时突发大疫,海陵王曾下诏征发燕京五百里内的所有医者,"全活多者与官,其次给赏,下者转运司举察以闻"。由此可见这次瘟疫的规模之大。正隆间营治汴京,也在全国范围内大起夫役,应役者每四月一替,近者数百里,远者不下数千里,得替归家,途中跋涉动辄一年半载,"到家不月余,又

---

① 范成大:《揽辔录》,涵芬楼本《说郛》卷四一。周辉《北辕录》也有类似记载。

复起发"，当时应役的河北人夫"死损大半"。① 《金史·海陵王纪》称汴京工程之浩大，至谓"运一木之费至二千万，牵一车之力至五百人"。正隆南侵，大籍天下兵丁，猛安谋克凡年二十以上、五十以下皆签之，又签诸路汉人、渤海人为兵，"及征发诸道工匠至京师，疫死者不可胜数"。② 是时天下骚然，民不堪命，乃纷纷起而反抗，海陵王四处派兵镇压，杀戮无遗。正隆六年（1161 年）遣都统斜也领兵镇压大名王友直起义，即"杀居民三十万口，灭族者一千七百余家"。③ 大定十三年（1173 年），世宗曾对宗室诸王说："海陵谲诈，睢盱杀人，空虚天下三分之二。"④世宗的话固然过甚其辞了，但总归还是能够说明一点问题的。总之，绍兴和议之后北方的社会经济并未得到应有的恢复，而海陵王时人口的大量非正常死亡，又将可能存在的一点低微的人口增长率几乎全部抵销了。

二

世宗和章宗两朝是金朝户口迅速回升和稳定增长的阶段，兹据《金史·食货志》所载各年户口数列表如下。

---

① 《三朝北盟会编》卷二三〇，绍兴三十一年七月载归正人梁淮夫、梁叟《上两府札子》。
② 《金史》卷一二九《李通传》。
③ 《三朝北盟会编》卷二四二，绍兴三十一年十一月二十八日引张棣《正隆事迹记》。
④ 《金史》卷六九《祚王元传》。

表 2　金世宗大定初至章宗泰和末户口数量变化表

年份	户数	口数	口户比
约大定四年(1164 年)	约 3 500 000		
大定二十七年(1187 年)	6 789 449	44 705 086	6.58
明昌元年(1190 年)	6 939 000	45 447 900	6.55
明昌六年(1195 年)	7 223 400	48 490 400	6.71
泰和七年(1207 年)	8 413 164	53 532 151	6.36

　　首先需要对上表所列泰和七年户口数字做一点说明。《金史·食货志》正文记载章宗泰和七年(1207 年)为 7 684 438 户,45 816 079 口,而文中小注却称:"户增于大定二十七年一百六十二万三千七百一十五,口增八百八十二万七千六十五。此金版籍之极盛也。"若以注文给出的数字加上大定二十七年的户、口数,则泰和七年的户数应为 8 413 164,口数应为 53 532 151,与正文所记是年户口数不合。中华书局点校本《金史》在校记中指出正文所记是年口数有误,提出的理由是:"按上文'明昌六年十二月,奏天下女直、契丹、汉户七百二十二万三千四百,口四千八百四十九万四百',泰和七年户增于前四十六万有奇,不应口反减二百六十余万。且下文小注比大定二十七年户口增加数,与该年数字核算亦不合,知此数当有误字。"这个说法似乎不无道理,但正文所载泰和七年户数也与小注不一致,这又当作何解释? 作为金朝极盛的版籍数,究竟应该取哪一组数字,对于《食货志》正文与小注的矛盾究应作出何种解释,这是金史研究中一个长期悬而未决的疑问,研究者对此均加以回避。

　　我认为,《食货志》正文和小注的数字都没有讹误,两者不合,是因为正文记的是不包括猛安谋克的州县户口,而小注所称比大定二十七年增加若干的数字,则指的是包括猛安谋克户口的全国户口总数。后一对户口数与前一对户口数之差,就是泰和七年的猛安谋克户口数,计为 728 726 户,7 716 072 口。对照一下《食货志》所载大定二十三年(1183 年)猛安谋克的户口数(户 615 624,口 6 158 636),可以发现,从大定二十三年至泰和七年,猛安谋克户、口的年均增长率分别为 7.1‰和 9.4‰,与同期全国户口的增长率约略相当;①而且大定二十三年与泰和七年两对猛安谋克户口数的口户比也相当接近,前者为 10.05,后者为 10.58。这两个口户比都远远高出金朝全国户口的口户比(参见表 2),这主要是因为猛安谋克户拥有大量奴婢,使得其户均人口大为膨胀的缘故。这就可以解释泰和七年户增于前四十六万有奇,而何以口数反减二百六十余万的疑问了,由于《食货志》正文记载的泰和七年的户口数未包括猛安谋克的户口,因此它的口户比只有 5.96,明显低于大定二十七年、明昌元年和六年的全国户口总数的口户比。如果拿不包括猛安谋克户口的泰和七年户口数去和包括猛安谋克户口在内的明昌六年的全国户口总数相比,自然就会发现户增而口减的现象。户增,是因为即使不计猛安谋克户,泰和七年的户数也比明昌六年的全国总户数有所增加;口减,是因为《食货志》正文所载泰和七年州县户口数比明昌六年全国总户口数的口户比要低 0.75。而当把猛安谋克户口计入泰和七年的户口数后,其口户比也上升到了 6.36,与前面三个年份的口户比相当接近。

除了《食货志》所载各年户口数之外,《金史·地理志》还列

①大定二十七年(1187 年)至泰和七年(1207 年),全国户、口年均增长率分别为 10.8‰和 9.1‰。

出了全国各州府的户数。关于《地理志》户数的系年问题,存在着几种不同的说法。梁方仲《中国历代户口、田地、田赋统计》一书将它们定为金末的户数,并做了这样的解释:"《金史·地理志》未系年,然所记各地之废置沿革,有迟至金宣宗元光二年(1223年)者,故可推想为金代末年的户数。"这一结论为某些论著所沿袭。但梁氏的推想显与史实不符。金自卫绍王大安三年(1211年)蒙古入侵后,黄河以北州县残破几尽,百姓死徙之余所剩无几;宣宗末年,朝廷所能控制的地区不出河南、陕西,根本已不再可能进行全国性的户口登记了。近年有人提出两种新说,王育民《〈金史·地理志〉户口系年辨析》一文认为,《金史·地理志》的户数并无一个标准年代,各州府户数系由不同年代的数字拼凑而成。此说乃是出于作者对《地理志》体例的误解,已经有人指出了它的悖理。① 韩光辉《〈金史·地理志〉户数系年正误》一文则根据《金史·地理志》开封府下载有泰和末的户数(这个数字本身颇有疑问,详下文),因而推断各州府的户数均出自泰和七年(1207年)的版籍。韩文的结论是正确的,不过作者举出的证据似嫌缺乏说服力。

其实《金史·地理志》虽未明言其为何时建制,但仔细考究则不难发现,它的记载系以章宗泰和八年(1208年)的行政建制为准,如蓟州丰润县即置于泰和八年;裕州、息州均为泰和八年以县升置;东平府汶上县,旧名汶阳,泰和八年始更名汶上;山东西路曹州,原属南京路,泰和八年始划归山东。《志》文中虽也记载了许多宣宗贞祐、元光间的废置沿革情况,诚如梁氏所言,其最晚者已迟至宣宗末的元光二年(1223年),但这些废置沿革只是附记

---

① 葛剑雄:《中国人口发展史》,福建人民出版社1991年版,第198页。

于原有的州县建制之后,而《地理志》本身的建制并不以这些后来的废置为准。如颖州颖上县,注云元光二年十一月改隶寿州,但《志》仍系颖州下;徐州彭城下有厥固镇,谓元光二年升为永固县,但《志》仍作镇而不作县;邳州宿迁县,注云元光二年四月废,但《志》仍列为县;保德州下谓元光二年升防御,而《志》仍作刺史州;绛州翼城县,谓兴定四年升翼州,元光二年升节镇,而《志》仍作县。《地理志》序称:"虽贞祐、兴定危亡之所废置,……凡可考必尽著之,其所不载则阙之。"《志》中所记贞祐、兴定、元光间的废置沿革,正是遵循的这一原则。而它之所以只附载宣宗一朝的废置沿革情况,则是因为卫绍王和哀宗两朝没有实录,因此只能阙而不载罢了。既知《地理志》所记为泰和八年建制,而金代户口乃三年一籍,因而各州府的户数也就只能是取自此前的最新数字,即泰和七年的版籍了。

根据《食货志》的记载,泰和七年全国总户数为 8 413 164,而《地理志》各州府的户数则总计为 9 879 524,①比泰和七年的户数竟多出 146 万余户,而且这尚不包括上京路所辖蒲与路、曷懒路、速频路、胡里改路及东京路所辖婆速府路、曷苏馆路(此六路只领猛安谋克户,《地理志》户数缺载。若计入这六路户数,《地理志》户数总计当在千万以上)。《食货志》泰和七年的户数已明言为"金版籍之极盛",且若按《地理志》的户数计算,则明昌六年至泰和七年的年均增长率将高达 26.4‰,显然这是不可能的。因此可以肯定《地理志》某些州府的户数有误,如《志》载开封府的户数

①前人有关《金史·地理志》户数的统计结果多异,《续文献通考》卷一二"户口"门统计为 9 939 000 余户,施国祁《金史详校》卷四统计为 9 874 507 户,梁方仲《中国历代户口、田地、田赋统计》统计为 9 879 624 户。经笔者仔细核算,确认为 9 879 524 户。

为 1 746 210,占泰和七年全国总户数的五分之一以上,这个数字是耸人听闻的。我们知道,汴京户口的畸形膨胀是宣宗南迁以后的事,在泰和末年,河南各州府的户口几乎都还没有恢复到北宋崇宁元年(1102 年)的水平,在当时中土各路中,其人口密度大概是最低的。泰和末年开封府的户数究竟应为多少,现已无法查考。但有一点是明确的,即《地理志》的户口总计数字不可信据,泰和七年的户口总数自当以《食货志》为准。

世宗、章宗两朝是金朝的全盛时期,其间的户口变化情况值得认真分析。根据表 2 列出的数字,可以算出其间各个阶段的户数的年均增长率分别为:①

(1)大定元年(1161 年)至二十七年(1187 年):25.8‰;

(2)大定二十七年(1187 年)至明昌元年(1190 年):7.3‰:

(3)明昌元年(1190 年)至六年(1195 年):8.1‰;

(4)明昌六年(1195 年)至泰和七年(1207 年):12.8‰。

上述第四个阶段的年均增长率似乎比二、三两个阶段高出不少,但若以口数计,则第四阶段的年均增长率也仅为 8.3‰,与二、三两阶段十分接近。唯有第一阶段的增长率竟高达 25.8‰。常识告诉我们,在中国古代社会,正常年景下的户口增长率若超过 10‰,就将被视为不同寻常的高增长率,而大定元年至二十七年的增长率竟比后面三个阶段高出两倍以上,这样的高增长率在金朝历史上是独一无二的现象。

有关史料表明,世宗大定间是金朝户口的回升期,而非正常增长阶段。由于金朝前期户口下降幅度太大,因此即使经过了大

---

①因大定初只有户数而无口数,且金初与金末的户口也都只能估算户数,故本文只计户增长率。

定数十年间的激增,北方地区的户口数也还未恢复到辽宋末年的水平。大定间户口的迅速回升,其主要背景当然是世宗时期社会的安定和社会经济的恢复发展。世宗朝一向被人们视为金朝的鼎盛时期,史称"当此之时,群臣守职,上下相安,家给人足,仓廪有余"。① 伴随着经济恢复而来的,便是人口的迅速回升。

但是仅用上述原因还是难以解释世宗时期高达 25.8‰ 的户口增长率,在促使户口激增的诸多因素中,以下两点是值得注意的。

第一,流民的复籍。一定规模的流民复籍,正是户口回升期的一个显著特征。

海陵王正隆间,沉重的兵役徭役令大批农民流离失所,及至海陵南侵,中原汉人纷纷聚众起义,时耿京起于济南,开赵起于密州,魏胜起于海州,王友直起于大名,陈俊起于太行,"乘时而啸聚者,处处有之",少者数千人,多者数十万。② 世宗即位之初,中原汉人尚多聚保山寨,及至大定四年(1164 年)隆兴和议订立之后,各地的反金武装失去了南宋的依托,始大批散还乡土复籍。世宗即位时发布的大赦诏中,特别对因种种缘故游移在外的流民加以招辑,规定凡"避役夫匠"、"亡命山泽聚为盗寇者"及"犯罪在逃良贱人等",均限百日内"许令陈首,与免本罪……分付原籍收管"。③ 此后世宗曾采取多种措施安抚招辑流民。大定二年(1162 年)二月,遣前户部尚书梁鍼、户部郎中耶律道安抚山东百姓,"招谕盗贼或避贼及避徭役在他所者,并令归业,及时农种,无

---

① 《金史》卷八《世宗纪》(下)。
② 《三朝北盟会编》卷二四二,绍兴三十一年十一月二十八日引张棣《正隆事迹记》。
③ 《三朝北盟会编》卷二三三,绍兴三十一年十月八日引《神麓记》。

问罪名轻重,并与原免"。大定三年十二月,又因大批流民尚未复籍,下诏"增限招诱"。① 大定八年,曹望之上疏论便宜事云:"百姓亡命及避役军中者,阅实其人,使还本贯。或编近县以为客户,或留为佃户者,亦籍其姓名。"②可知直到此时仍有不少流民陆续复籍。大定间流民的重新注籍是导致户口迅速回升的一个重要因素,因此25.8‰的年均增长率并不能反映这一时期实际的人口增长速度。

第二,人口迁移因素的影响。

金朝前期,北方汉人的大量南奔曾是人口骤降的一个重要原因。但世宗时中原沦陷已久,从北宋过来的那一代人已经迟暮,而年轻的一代自幼生活在女真政权之下,久而久之,对异族的统治已经处之泰然,而对"正朔"所在的南宋政权渐生隔膜。洪皓在绍兴十三年(1143年)返宋时途经河北,当地父老就曾指着一群青年对他感叹道:"是皆生长兵间,已二十余矣,不知有宋。"③民族向心力不再成为吸引北方汉人南归的一个重要因素。加上隆兴和议后,两国间有禁纳归正人的规定,因此北人南迁的现象在世宗朝已基本消失。不仅如此,此前南迁的中原汉人,由于在南宋受到了种种歧视和限制,一旦北方的战乱停止,便又纷纷携家北归。辛弃疾在乾道元年(1165年)奏上的《美芹十论》中曾说道:"今归正军民散在江淮,而此方之人例以异壤视之。……且和亲之后,沿江归正军民,官吏失所以抚摩之惠,相扳北归者莫计,当时边吏亦皆听之而莫为制。"④人口流向的逆转,也在某种程度

①《金史》卷六《世宗纪》(上)。
②《金史》卷九二《曹望之传》。
③洪适:《先君述》,《盘洲文集》卷七四。
④《历代名臣奏议》卷九四。

上助长了中原人口的回升。

三

　　金章宗泰和七年(1207年)的户口数很可能是金朝的最后一次在籍户口,按照三年一籍的制度,即便此后还有过一次户口登记,但也因卫绍王实录未遑纂修而未能保存下来。自卫绍王大安三年(1211年)蒙古入侵后,金朝即不再可能有全国范围内的户口统计数字,这对我们了解金朝后期的户口变化情况造成了一定的困难。近年学术界普遍对《金史·地理志》户数即金末版籍数的说法持否定态度,但却无人对金末的实际户口进行考察。

　　蒙古的入侵给中原地区带来的破坏是空前的,人口的大量死亡,使金朝户口形成了第二个低谷。自大安三年(1211年)起,蒙古频岁入侵。贞祐元年(1213年)冬,成吉思汗兵分三路大掠中原,"凡破九十余郡,所过无不残灭。两河、山东数千里,人民杀戮几尽,金帛、子女、牛羊马畜皆席卷而去,屋庐焚毁,城郭丘墟矣"。[①] 当时黄河以北的金朝州县,仅有真定、清、沃、大名、东平、徐、邳、海等八城未被攻破。宣宗迁都汴京后,蒙古再次拥兵南下,贞祐三年(1215年)秋,又攻陷金朝城邑达862个。[②] 时人记述战争的残酷程度说:"自北兵入境,野战则全军俱殁,城守则阖郡被屠。"[③]蒙古军的惯例是:"凡攻城邑,敌以矢石相加者,即为

---

①《建炎以来朝野杂记》乙集卷一九"鞑靼款塞"条。
②《元史》卷一《太祖纪》。
③《金史》卷一〇九《陈规传》。

拒命,既克,必杀之。"①《元史》中不乏蒙古军屠城的记录。蒙古大将速不台攻取汴京时,曾计划城破后尽屠百姓,后经耶律楚材力争,汴京城中的147万生灵才总算幸免于难。

　　蒙古攻金在中原地区造成的减口现象是十分惊人的。兴定二年(1218年),原有三万余户的海州所剩不满百户,原有二万七千余户的邳州也仅余八百户。② 哀宗正大初,朝议修复河中府,监察御史陈规、杨云翼等称"河中今为无人之境,……修之亦不能守",③而河中府在章宗泰和间曾是拥有十余万户的大郡,号称人物蕃盛之地。金朝遗民李俊民记述其乡梓泽州残破的情况尤为真实可信。泽州在章宗泰和末有民户近六万,贞祐二年(1214年)郡城失守,"室庐扫地,市井成墟,千里萧条,阒其无人"。金亡之次年,蒙古"遣使诣诸路料民,本州司县共得九百七十三户",其中司候司68户,晋城255户,高平290户,陵州65户,阳城148户,端氏117户,沁水30户。蒙古太宗十四年(1242年)续括漏籍,复得840户,"通前实在一千八百一十三户",这就是泽州经金末战乱后幸存下来的全部人户。因此李氏不禁慨叹道:"以乡观乡,以国观国,以天下观天下,其可知也。"④河南残破的程度也不在河东之下。宣宗南迁以后,河北军户及流民大批涌入河南,一时间河南有人稠地狭之虞,但当正大末年战争进入河南后,不过数年之间,麇集在这片土地上的人口就荡然一空。端平入洛之役,一位随军文人幕客用日记记录下了宋军进入河南后的沿途所

---

①《元史》卷一四六《耶律楚材传》。
②《金史》卷一○八《侯挚传》。
③《金史》卷一○九《陈规传》。
④李俊民:《泽州图记》,《庄靖集》卷八。

见:端平元年(1234年)六月二十一日,全子才领淮西兵抵蒙城县,"城中空无所有,仅存伤残之民数十而已。沿途茂草长林,白骨相望,虻蝇扑面,杳无人踪";二十二日至城父县,"县中有未烧者十余家,官舍两三处";"过魏真县、城邑县、太康县,皆残毁无居人";七月初五,入汴京,"见兵六七百人。荆棘遗骸,交午道路,止存民居千余家"。① 此时距金之亡国仅仅半年,这是河南甫经战乱后的真实景象。

经过金末的长期战乱,到金朝亡国时所余户口无几。蒙古政权在金亡前后曾进行过几次户口清理。太宗五年(1233年)八月,第一次在中原地区检括户口,共得73万余户,②此时仅蔡、息、海、沂、莱、潍诸州还在金朝控制之下。太宗六年(1234年)正月,蔡州城破,金朝终告亡国。次年,太宗下诏籍民,"自燕京、顺天等三十六路",共得873 781户,4 754 975口。③ 括户的范围包括原金朝除上京、东京、北京、西京、咸平五路之外的全部地区,即燕京以南、淮河以北的整个中原。太宗八年(1236年)六月,"复括中州户口,得续户一百一十余万"。④ 与前一年所括户数相加,共为197万余户。由于民间隐漏户口尚多,因此后来曾于太宗十二年(1240年)、十四年(1242年)及定宗二年(1247年)、宪宗二年(1252年)、世祖至元七年(1270年)五次续括漏籍,其中前三次规模较小,籍得的户口数亦无记载,后两次括籍范围包括整个中原地区,宪宗二年括得20余万户,至元七年又括得30余万户。由于这两次续括漏籍距金朝亡国相去已数十年,其间户口蕃息的因素

① 周密:《齐东野语》卷五,"端平入洛"条。
② 《元史》卷二《太宗纪》。
③ 《元史》卷五八《地理志》(一)。
④ 《元史》卷二《太宗纪》。

不能不考虑,因此不能将这两次括得的户数与前已入籍的197万余户累加。

关于金亡前后的户口情况,还有一个疑问需要略加解释。据《元史·世祖纪》载,中统二年(1261年)"天下户"仅1 418 499,以后十四年间逐年缓增,直到至元十一年(1274年)也才196万余户,至元十二年攻取江南后,户数始大幅度上升,达到四百余万。这里有一个明显的矛盾,即中统二年至至元十一年间的户数为什么比蒙古刚刚灭金时括得的户数还要低?这是因为蒙古灭金后,将本土的裂土分民制推行于中原,封赐功臣户口为食邑的缘故。太宗八年(1236年)六月复括中州户口后,次月即大行封赐,将籍定的民户封赐给诸王、后妃、公主、勋臣,被封赐的民户均从户部除籍,并且均是世袭的。仅据《元史·食货志》"岁赐"作一项不完全的统计,从太宗八年(1236年)至宪宗八年(1258年),共封赐民户约98万余户,受赐最多者达八万户。《元史·世祖纪》所载的"天下户"只是在户部注籍的户口,并不包括被封赐的民户,这就是至元十二年以前户数始终不足二百万的原因。明白了这个道理,对太宗七年(1235年)和八年(1236年)括得的户口数就不必产生怀疑。

蒙古灭金后两次括户括得的197万余户,实际上并未包括中原地区的所有户口,隐漏的程度是严重的。而造成户口大量隐漏的原因主要有两个:其一是存在大批未入籍流民。后来的历次续括漏籍就说明了这个问题。《元史·耶律楚材传》对当时流民的情况有这样一段记载:"时河南初破,俘获甚众,军还,逃者十七八。有旨居停逃民及资给者,灭其家,乡社亦连坐。由是逃者莫敢舍,多殍死道路。"后经楚材劝谏,太宗"命除其禁"。蒙古灭金时,仅在汴京城中就俘获百姓达 147 万之众,①而太宗七年(1235 年)第一次括户时在整个中原地区才括得 475 万余口,可见当时的漏口现象是多么普遍。经过次年复括漏籍后,虽然流民已经大大减少,但肯定还有相当数量的人尚未入籍。其二是蒙古将领大量俘掠人口为奴。在太宗七年(1235 年)第一次括户之前,这种情况尤为普遍,"时诸王大臣及诸将校所得驱口,往往寄留诸郡,几居天下之半",耶律楚材请因括户,"皆籍为编民"。② 但经过两次括户后,仍有不少民户被诸王大臣占为部曲。太宗十二年(1240 年),又曾下诏"籍诸王大臣所俘男女为民"。③ 直到世祖至元间,阿里海牙仍占降民 3800 户为奴,④可见这种现象虽屡禁而不止。

根据蒙古灭金后两次检括户口所获户数,同时考虑到户口隐漏的因素,便可以对金朝亡国时的户口数作出一个大致的估算了。是时经过两次大规模的检括,多数户口应已入籍,估计尚未入籍的流民约 30—40 万户,被诸王大臣私占为奴的平民约 20 万户,加上已经入籍的 197 万户,当时中原地区总计约存 250 万户。经过长期战乱,每户人口也有所减少,太宗七年(1235 年)籍得的户口数,其户均人数为 5.44,比金朝中期的平均口户比下降了 1.11,即现存民户中每户也减少了 1.11 人。按照这个口户比计

①《元文类》卷五七《中书令耶律公神道碑》谓蒙古取汴京时,"时避兵在汴者户一百四十七万"。《元史·耶律楚材传》改"户"为"人"。按天兴元年(1232 年)蒙古第一次攻汴时,城中死者上百万;同年五月汴京大疫,死者又 90 余万。时河南百姓虽多避兵在汴,但城破时恐怕不会多达 147 万户,疑《元史》作"人"是。
②宋子贞:《中书令耶律公神道碑》,《元文类》卷五七。
③《元史》卷二《太宗纪》。
④《元史》卷一六三《张雄飞传》。

算,金末 250 万户,应为 1360 万口。但应注意这个户口数并不包括原金朝的上京、东京、北京、西京、咸平五路,金泰和七年的户口数如除去这五路不计,仅中原的户数约为 727 万,口数约为 4607 万。如此算来,自泰和七年(1207 年)至金朝亡国,中原地区的户数共减少了 477 万,口数减少了 3247 万,比泰和七年同一地区的户口数分别下降 65.61% 和 70.48%。

除了对中原地区户口减少的数量和幅度做出上述的整体推断外,还可以对部分州府户口锐减的情形进行一番具体的比较。《元史·食货志》"岁赐"中记载了蒙古灭金后历年间封赐诸王勋臣户口的情况,其中大多是将整个州府的户口加以封赐的,现从中择取太宗八年(1236 年)第二次检括户口后封赐的若干州府的户数,与泰和七年(1207 年)的户数做一比较。

表 3 中原地区部分州府金泰和七年与蒙古太宗八年户数比较表

州府名	金泰和七年户数	蒙古太宗八年户数	下降幅度
淄州	128 622	24 493	80.96%
济南府	308 469	55 200	82.11%
东平府	118 046	47 741	59.56%
平阳府	136 936	41 302	69.84%
太原府	165 862	47 330	71.46%
大名府	308 511	68 593	77.77%
延安府	88 994	9 796	88.99%
邢州	80 292	14 087	82.46%
磁州	63 417	9 457	85.09%

上表所列九个州府,分布于金山东东、西路,河东南、北路,大名府路,鄜延路和河北西路,代表性是较为广泛的。从表中可见,

户数下降最少的为 59.56%,下降最多的为 88.99%,而绝大部分州府户数的下降幅度都高于中原地区整体的下降幅度,这是因为在上述州府的在籍户口之外,还存在着相当数量的流民和部曲户,因此它们户口的下降幅度被夸大了。

　　纵观金朝户口的消长起伏,有以下两个特点值得注意。

　　其一,金朝户口的变化呈大起大落的趋势。在金代一百二十年的历史上,曾有两次户口骤降的过程,前期是受金宋战争的影响,后期是受金蒙战争的影响,两次户口下降的幅度都在 50% 以上。金朝户口的这种大起大落的趋势,与同一时期南宋户口平稳缓升的状况形成了鲜明的对比。

　　其二,金朝人口负增长和零增长的年份多于人口正常增长的年份。金代中原地区社会长期动荡不安,直接影响到人口的正常增长,因此金源一代人口数量上升的年份总计不足 50 年。按照中国古代社会户口变化的一般规律,王朝初期通常都是户口的回升期,而金朝户口的回升却迟至王朝中期才出现,并且在人口数量达到高峰之后很快又急剧滑落。

原载《中国史研究》1994 年第 2 期

金代猛安谋克人口状况研究

猛安谋克人口状况是金代人口研究中的一个重要课题。本世纪以来,国内外学者对金代猛安谋克制度进行了比较深入的探讨,但却很少涉及其人口问题。本文拟对金代猛安谋克人口做一次较为系统的考察,在此将要讨论的问题,包括猛安谋克的户口数量和变化情况,猛安谋克的人口结构,以及猛安谋克人口的地理分布状况等。

一

构成金代猛安谋克人口的主体成份是女真人,为了对猛安谋克户口发展变化的轨迹有一个较为清晰的认识,似有必要对辽末金初女真人的户口数量略加考察。

辽代女真主要分为两大部分,"其在南者籍契丹,号熟女直;其在北者不在契丹籍,号生女直"。① 辽朝没有严密的户口计帐制度,且保存至今的州县户口数也多不完整,因此熟女真的户口缺

---

① 《金史》卷一《世纪》。

乏确切的统计数字。至于不入辽籍的生女真，从《辽史》中更是找不到有关其户口数量的任何记录。倒是在宋人的著述中还留下了一些相关的记载，使我们有可能对辽末金初女真人的户口数量做出一个粗略的估算。

《三朝北盟会编》卷三记载说："阿保机虑女真为患，乃诱其强宗大姓数千户，移置辽阳之南，所谓熟女真者是也。"又云："居粟沫之北、宁江之东北者，地方千余里，户口（《文献通考》卷三二七《四裔考》无"口"字）十余万，……自推雄豪为酋长，小者千户，大者数千户，则谓之生女真。"熟女真在辽初南迁时仅数千户，而经过辽代二百年的繁衍增殖，大概也才万余户，《契丹国志》所称"五节度熟女真部族，共一万余户，皆杂处山林"云云，[1]就是指辽末熟女真户而言的。女真人中的大部分是未入辽籍的生女真，据宋人说，生女真约十余万户。总之，辽末生女真和熟女真加在一起，其总数不会超过二十万户。

从金初女真军的兵力来分析，也可以证实上述估算结果是基本可信的。太宗天会间攻宋，以左副元帅宗翰和右副元帅宗望分统金军。汴京第一次被围时，李纲上疏称："金人之兵张大其势，然得其实数不过六万人，又大半皆奚、契丹、渤海杂种，其精兵不过三万人。"[2]这是指围攻汴京的右副元帅宗望所统领的东路军，其中的女真兵只有三万人。再看宗翰军。靖康元年（1126 年）十一月宗翰军陷宋怀州，河内丞范仲熊为金军所俘，后得归，作《北记》一书述其在金军中见闻，其中说："以仲熊所亲见，粘罕寨有兵五万人，娄宿孛堇寨有兵万人，皆枪为前行，号曰硬军，人马皆全

---

① 《契丹国志》卷二二"四至邻国地里远近"。
② 《靖康要录》卷一，靖康元年正月二十七日。

副甲。……自大金兵外,其他国兵皆不带甲。"①据此可知宗翰统领的西路军共有女真甲兵六万人。东西两路军合计为九万人。此外金朝用于占领辽地、留守内地的兵力也还应有数万人,因此金初女真兵员总计约十余万;若每户出一丁,则亦可得出女真人户十余万的同样结论。

女真建国后,将氏族部落时期已经存在的猛安谋克统军制发展为一种行政组织制度,初步确立了三百户为一谋克、十谋克为一猛安的编制办法。金朝前期数十年间,猛安谋克的行政制度处于不断的调整变化之中,其户口数量没有留下文献记载。大定间,世宗对猛安谋克进行了一番较大规模的整顿,整顿的一项主要内容就是在猛安谋克内部推行全面的通检推排,以彻底检括其户口、田亩和牛具。据《金史·兵志》记载,大定二十二年,"以猛安谋克旧籍不明,遇签军与诸差役及赈济,增减不以实,命括其口,以实籍之"。次年八月,尚书省奏上猛安谋克户口、田亩、牛具之数,共计 202 猛安,1 878 谋克,615 624 户,6 158 636 口(其中正口 4 812 669 人,奴婢口 1 345 967 人)。另在都宗室将军司共计170 户,28 790 口(其中正口 982 人,奴婢口 27 808 人)。

上述户口并不代表金代女真人的户口数量,因为在猛安谋克人口中存在多种民族成份。金初创建猛安谋克行政制度时,不但用它来编制生女真诸部及系辽籍女真,同时也用以编制被征服的契丹、渤海、奚、汉等各族人户。太祖攻辽,凡"诸部来降,率用猛安谋克之名以授其首领而部伍其人"。② 如收国二年五月,"东京

---

① 《三朝北盟会编》卷九九,引范仲熊《北记》。
② 《金史》卷四四《兵志》。

州县及南路系辽女直皆降,⋯⋯置猛安谋克一如本朝之制"。① 天辅间,挞懒抚定奚部,奏请设官镇守,诏命"依东京渤海列(例)置千户、谋克"。② 由于这种带有明显的部落制烙印的社会组织制度与早已进入封建时代的汉人和渤海人的生产力水平不相适应,因此注定难以持久。太宗天会二年(1124年),因平州之叛带来的冲击,遂使金朝决定废除燕蓟地区的汉人猛安谋克。熙宗天眷三年(1140年),又进一步废除在辽东汉人和渤海人中推行已达二十余年之久的猛安谋克社会组织制度,改以州县制统辖民户。自此以后,汉人和渤海人原则上不再隶属于猛安谋克的社会组织,但事实上仍不免有一些例外。《金史·食货志》在记载"凡汉人、渤海人不得充猛安谋克户"后,接下去又称:"猛安谋克之奴婢免为良者,止隶本部为正户。"因此在金朝的猛安谋克户中,始终还会包括一些由奴婢转为正户的汉人和渤海人,尽管数量不会很大。

如上所述,自天眷三年(1140年)后,金朝猛安谋克的主要成份是女真、契丹、奚三族人口。此后在世宗时期还曾废罢过一些契丹猛安谋克。大定初,在平定了以移剌窝斡为首的契丹人的起义后,世宗下诏废罢参予起义的若干契丹猛安谋克。但有关史料表明,凡被废罢的契丹猛安谋克,其户口均被改隶于女真猛安谋克之下,③这是金朝加强对契丹民众控制的一个措施。因此这些契丹猛安谋克废罢的结果,并不影响猛安谋克的户口数量及人口结构。自天眷三年直至金末猛安谋克制度彻底崩溃止,猛安谋

①《金史》卷二《太祖纪》。
②《金史》卷七七《挞懒传》。
③《金史》卷九〇《完颜兀不喝传》。

克人口的民族结构未再发生大的变动。

　　女真、契丹和奚人虽然同被置于猛安谋克的社会组织中,但须知并非这三个民族的所有人口都被囊括在内,除了女真人基本上全以猛安、谋克编制外,契丹人和奚人纳入猛安谋克的都只是其中的一部分,而另外一部分甚至可能是一大部分则分属于边地的诸部族节度使和诸乣,仍处于游牧生活状态。如东北路招讨司所辖迭剌部、唐古部、助鲁部、乌鲁古部、石垒部、萌骨部、计鲁部、字特本部,西北、西南两路招讨司所辖十乣等,都主要是由契丹人和奚人构成的。诸部族和诸乣的户口数量大多失载,唯一留下记载的只有迭剌、唐古二部五乣的户口数,大定二十三年通检猛安谋克户口时,也将迭剌、唐古二部五乣列入了检括的范围,共得 5 585 户,及 137 544 口。①《金史·兵志》称其它诸部族"数皆称是",估计其总数当较为可观。如果对金朝中期猛安谋克户口的民族构成的比例作一个粗略估计的话,考虑到在当时享有特殊地位的女真族人口增殖较快的因素,而同时契丹人和奚人又有相当一部分未被纳入猛安谋克的社会组织系统,因此估计女真人约占猛安谋克户口的 80% 左右,而契丹人、奚人以及少量由奴婢免为良人的汉人、渤海人等,则只占 20% 左右。

　　以上对猛安谋克户口民族结构的估算,只是就其正口而言的。至于猛安谋克户口中的奴婢口,可以肯定其民族成份与正口是大相径庭的。在奴婢中所占比例最高的应当是汉人,其次则为契丹、渤海、奚等族人口,当然也不排除少数贫困的女真人沦为奴婢的可能性。若据大定二十三年通检推排的结果,奴婢共计

①《金史》卷四六《食货志》(一)。

1 345 967 人,占全部猛安谋克人口的 21.9%,户均占有奴婢约 2.19 人。但由于猛安谋克内部贫富差距甚大,因此每户实际占有奴婢的数目是非常悬殊的。大定二十年(1180 年),世宗在与大臣商议通检推排事宜时,曾谓"一谋克内,有奴婢二三百口者,有奴婢一二人者"。① 海陵王时,宗室突合速占有奴婢二千人,②世宗自称在即位之前曾拥有奴婢上万人。③ 大定二十三年通检户口的结果表明,在都宗室将军户平均每户占有奴婢达 164 人,远远超出猛安谋克户占有奴婢的平均数。

关于大定二十三年猛安谋克正口与奴婢口的统计数字,还存在着一些疑问。三上次男氏认为,《金史·食货志》所载猛安谋克正口数与奴婢口数的比例并未反映出当时的实际情况,因为奴婢是衡量物力的主要标准,故拥有大量奴婢的富室可能会将奴婢列为正口申报,因此他估计当时猛安谋克正口只有三百余万,至多不会超出三百五十万。④ 这个看法是颇有道理的。笔者之所以对此抱有同感,主要是因为对大定二十三年猛安谋克户口的口户比之高产生了怀疑。口户比是研究人口结构及家庭规模的一个重要参数。据《金史·食货志》提供的数据,大定二十三年猛安谋克户口的口户比高达 10.05,即使除去奴婢口不计,平均每户拥有的正口仍有 7.82 人。这个数字意味着什么呢? 为了能够说明问题,现择取历代户口数据中有代表性的口户比列为下表,以与猛安谋克的口户比作一比较。

---

① 《金史》卷四六《食货志》(一)。
② 《金史》卷八〇《突合速传》。
③ 《金史》卷四六《食货志》(一)。
④ 三上次男:《金代女真研究》,黑龙江人民出版社 1984 年版,第 450 页。

表 1. 历代户口口户比对照表

年代	口户比	资料来源
西汉元始二年(公元 2 年)	4.87	《汉书·地理志》
东汉永寿三年(157 年)	5.29	《晋书·地理志》
隋大业五年(609 年)	5.16	《隋书·地理志》
唐天宝元年(742 年)	5.43	《通典·食货》
金泰和七年(1207 年)	5.96*	《金史·食货志》
元至元二十七年(1290 年)	4.46	《元史·地理志》
明永乐二年(1404 年)	5.26	《成祖实录》
清康熙三十一年(1692 年)	4.93	《圣祖实录》

* 此为泰和七年不包括猛安谋克户口在内的全国州县户口的口户比。

从上表可以看出,历代王朝的户均人口数值在 4.46 至 5.96 的范围之间浮动,而金代猛安谋克户口的口户比却高达 7.82。如与金朝州县户口作一比较,其结果更能说明问题。金代州县户口以汉人为主,猛安谋克户口以女真人为主,而金律对汉人和女真人在析户的问题上有着不同的规定,《元典章》引金律"旧例"云:"女真人其祖父母、父母在日,支析及令子孙别籍者听。……汉人不得令子孙别籍,其支析财产者听。"[①]由于汉人析户受到法律限制,而女真人却无此约束,因此汉人的家庭规模一般来说应比女真人的家庭规模更大,这就是说,金代猛安谋克户口的口户比理应低于州县户口 5.96 的口户比值。

那么猛安谋克户口的真实的口户比值应该是多少呢?从大

---

① 《元典章》卷一七《户部》三《分析》,"父母在许令支析"条。按元初沿用金《泰和律》,直至《至元新格》颁行后始废止金律,故《元典章》中所称"旧例"即指金朝律令。

定二十三年在都宗室将军的户口统计数字中,我们可以获得一些启发。《金史》记载此类人共170户,计有正口982人,平均每户正口仅5.78人,这可能是由于对都城的宗室户口检括较为严格,使得以奴婢充正口的现象较少发生的缘故。宗室将军户口与猛安谋克户口有着很高的可比性:它们同是在大定二十三年(1183年)的通检推排中入籍的数字,它们又同是属于女真族的人口。因此可以将在都宗室将军的户均人口数视为猛安谋克户口口户比的近似值。这个数据处于表1所列历朝户口口户比的正常范围之内,并且也符合上文关于猛安谋克的口户比应低于金代州县户口口户比的推论。如按5.78的口户比计算,大定二十三年猛安谋克户的正口当为3 558 307人,只占猛安谋克总人口的57.8%,而奴婢在总人口中的比例则高达42.2%。这一结论对于衡量金代中期奴隶制在女真社会中的残余程度颇有参考价值。

根据上述估算结果,兹将大定二十三年猛安谋克人口构成状况列表归纳如下。

表2. 金代中期猛安谋克人口结构

族别	户数	正口数	奴婢口数
女真	492 499	2 846 646	2 600 329 *
契丹、奚、汉、渤海等	123 125	711 661	
总数	615 624	3 558 307	2 600 329

*以汉人为主,杂以契丹、渤海、奚等族人口

金代猛安谋克户口明确见于《金史》记载的只有大定二十三年的数字。但对金朝户口史料进行细致的比对后,我们有了新的发现。《金史·食货志》共记载了大定二十七年(1187年)、明昌元年(1190年)、明昌六年(1195年)、泰和七年(1207年)共四个

年份的全国户口数,其中泰和七年记为 7 684 438 户,45 816 079 口,而文中小注又称:"户增于大定二十七年一百六十二万三千七百一十五,口增八百八十二万七千六十五。"若以注文给出的数字加上大定二十七年的户、口数,则泰和七年的户数应为 8 413 164,口数应为 53 532 151,与正文所记是年户口数不同。中华书局点校本《金史》在校记中指出正文所记是年口数有误,提出的理由是:"按上文'明昌六年十二月,奏天下女直、契丹、汉户七百二十二万三千四百,口四千八百四十九万四百',泰和七年户增于前四十六万有奇,不应口反减二百六十余万。且下文小注比大定二十七年户口增加数,与该年数字核算亦不合,知此数当有误字。"这个说法看似颇有道理,但仍旧无法解释《食货志》正文与小注的矛盾,因为正文所载泰和七年户数也是与小注不一致的。这是金史研究中一个长期悬而未决的疑案,它关系到金朝户口峰值的确定。

笔者对此的解释是:《金史·食货志》正文和小注的数字都没有讹误,两者不合,是因为正文记的是不包括猛安谋克的州县户口,而小注所称比大定二十七年增加若干的数字,则指的是包括猛安谋克户口的全国户口总数。后一对户口数与前一对户口数之差,就是泰和七年的猛安谋克户口数,计为 728 726 户,7 716 072 口。这组数字的可信度,可以从下面的比较中得到验证。

(一)猛安谋克户口的增长率与同期全国户口增长率的比较:大定二十七年(1187 年)至泰和七年(1207 年),全国户、口的年均增长率分别为 10.8‰和 9.1‰;大定二十三年(1183 年)至泰和七年(1207 年),猛安谋克户、口的年均增长率分别为 7.1‰和 9.4‰。两者约略相当。具体说来,猛安谋克户数的增长率虽显得低一些,但人口增长率却比全国人口增长率略高。由于猛安谋克户在赋税徭役上所享受的特殊待遇,使得其人口的增殖较为有利,因此在一般情况下,金代猛安谋克的实际人口增长率略高于全国的平均水平,乃是一种合理的现象。

(二)猛安谋克户口口户比的比较:大定二十三年(1183 年)猛安谋克的口户比为 10.05,泰和七年(1207 年)猛安谋克的口户比为 10.58。两者相当接近。这两个口户比都远远高出金朝州县户口的口户比,如前所述,其主要原因是猛安谋克户拥有许多奴婢。但在女真奴隶制业已崩溃的章宗末年,奴婢数量理应日渐减少,而猛安谋克户口的口户比却呈上升的趋势,这似乎是不可理解的。对这一现象我们也可以找到合理的解释。据《金史·食货志》记载,章宗时,散居中原的猛安谋克大量括取民田,"其间屯田军户多冒名增口,以请官地"。因此这一时期猛安谋克户口口户比的上升,也就不足为怪了。

(三)猛安谋克人口占全国总人口比例的比较:大定二十三年(1183 年)猛安谋克人口约占同年全国总人口数的 14.28%,[①]泰和七年(1207 年)的猛安谋克人口占同年全国总人口数的 14.41%。这两个比例也十分接近。

上述分析证明本文对泰和七年猛安谋克户口的认定是可信的,它为研究金代猛安谋克户口的发展变化提供了新的契机。

泰和七年(1207 年)的户口数是金朝的最后一次在籍户口。自卫绍王大安三年(1211 年)蒙古入侵后,金朝户口急遽下降。贞祐二年(1214 年),金宣宗迫于蒙古的军事压力南迁汴京,次年辽东宣抚使蒲鲜万奴叛金自立,自此猛安谋克遂分属于两个政权

---

① 大定二十三年的全国总人口数,系以《金史·食货志》所载大定二十七年的口数为基础,按 9‰的年均增长率逆推算出。

之下,其户口数更无从统计。同时自章宗后,猛安谋克制度渐趋瓦解,南迁中原的女真人渐渐融合于汉民族之中,猛安谋克民户与州县汉民通婚的现象已司空见惯。泰和六年十一月,章宗"诏屯田军户与所居民为婚姻者听",①撤除了女真人与汉人之间的最后一道藩篱。在这种情形下,作为女真人的社会组织的猛安谋克已很难保持它的独立性,因此对猛安谋克人口数量的考察,也就只能到此为止。

二

在考察金代猛安谋克的人口分布时,有一个现象很值得注意,那就是人口的地理分布状况在各个不同的时期里变化极大,这种变化主要是由各种人为的,出于种种政治、军事上的原因而进行的人口的大规模迁徙造成的。

金初,女真人的分布地域仅限于上京、东京、咸平三路,被置于猛安谋克统辖之下的契丹、奚人等也大致不出这一区域。太祖收国、天辅间,随着对辽战争的步步胜利,便开始将女真猛安谋克从上京旧地向南向西迁徙,这样做的目的主要是为了加强对新占领地区的统治,同时也有将本族人口迁置于较为肥美的土地上的考虑。如收国元年(1115年)将猛安谋克南迁至宁江州、黄龙府,就是为了攻取辽东京道的需要。天辅五年(1121年)迁猛安谋克万余户至泰州,则是为了以此作为攻取辽上京道的基地。太宗时在占领了原北宋统治下的中原地区之后,又将女真、契丹、奚等族

①《金史》卷一二《章宗纪》(四)。

猛安谋克大批迁入关内居处。从太宗至海陵王,猛安谋克共经历了三次大规模的南迁:第一次是在太宗天会十一年(1133年),"是秋,金帅宗维(即宗翰)悉起女真土人散居汉地,惟金主及将相亲属卫兵之家得留"。[1] 这是出自南宋史家的记载,虽然得不到金朝方面的史料印证,并且这里对女真人南迁的比例显然也过于夸张了,但金代猛安谋克在是年有过一次大规模的南迁,这件事本身是不应当受到怀疑的。此次南迁的迁入地仅限于黄河以北的中原地区,此时黄河以南地区已划归刘豫齐国。第二次猛安谋克的大规模南迁是在熙宗皇统初。天眷三年(1140年)金朝重新从南宋手中夺取河南后,为加强其对大河南北的统治,将大批猛安谋克迁入中原屯田,"凡屯田之所,自燕之南、淮陇之北俱有之"。[2] 第三次大规模的南迁是在海陵王正隆初。海陵王完颜亮以篡弑当国,对宗室贵族颇存戒心,及至迁都燕京后,为削弱上京女真旧贵族的力量并加强对他们的控制,"故不问疏近,并徙之南"。[3]

至海陵王正隆末,金朝猛安谋克人口的地理分布状况已基本趋于稳定。世宗时期虽然还有过多次猛安谋克的迁徙活动,但一般来说都只是在局部地区作的一些有限调整,对猛安谋克人口分布的大的格局未能造成显著的影响。从金初至正隆末的四十余年间,猛安谋克的人口分布区域从上京、东京、咸平三路扩展到了全国的大部分地区。

根据《金史》的有关记载,可以大致考察出金朝中期猛安谋克

---

[1]《建炎以来系年要录》卷六八,绍兴三年九月。《大金国志》卷八《太宗文烈皇帝》(六)也有相同的记载。

[2]《建炎以来系年要录》卷一三八,绍兴十年十二月。

[3]《金史》卷八《世宗纪》(下)。

人口的地理分布区域。正隆四年(1159年)二月,海陵王命"遣使籍诸路猛安部族及州县渤海丁壮充军",以图举兵南侵,"于是遣使分往上京、速频路、胡里改路、曷懒路、蒲与路、泰州、咸平府、东京、婆速路、曷苏馆、临潢府、西南招讨司、西北招讨司、北京、河间府、真定府、益都府、东平府、大名府、西京路,凡年二十以上、五十以下者皆籍之"。① 以上所举共计包括十个一级行政区:上京路(上京、速频路、胡里改路、曷懒路、蒲与路)、咸平府路、东京路(东京、婆速府路、曷苏馆路)、北京路(北京、泰州、临潢府)、西京路(西京、西南路招讨司、西北路招讨司)、河北东路(河间府)、河北西路(真定府)、山东东路(益都府)、山东西路(东平府)、大名府路(大名府)。此次籍猛安谋克充军,除中都路修造兵器、南京路营建汴京免签外,其它诸路猛安谋克悉数签之,因此可以认为,上述十路加上中都路和南京路,就是猛安谋克的全部分布地区。大定五年(1165年)与宋订立隆兴和议后,世宗命留少量马步军屯戍,余并放还,"其存留马步军于河北东西、大名府、速频、胡里改、会宁、咸平府、济州、东京、曷苏馆等路军内,约量拣取。其西南、西北招讨司,临潢府、泰州、北京、婆速、曷懒、山东东西路,并行放还"。② 当时汉军已于大定二年(1162年)全部复员,因此这里所说的只能是猛安谋克军。此处所称留屯及放还的猛安谋克军的地区与正隆四年签军的范围完全一致。(仅济州为正隆签军时所未提及,而济州属山东西路,亦不出上述十路范围之外。)

大定二十三年(1183年),金朝对全国范围内的猛安谋克进行了一次大规模的通检推排。《金史·食货志》"牛头税"中记其

①《金史》卷一二九《李通传》。
②《金史》卷八七《仆散忠义传》。

事云:"上虑版籍岁久贫富不同,……乃令验实推排,阅其户口、畜产之数,其以上京[等]二十二路来上。八月,尚书省奏,推排定猛安谋克户口、田亩、牛具之数。"此处称通检猛安谋克户口的范围为上京等二十二路,比上文指出的猛安谋克人口的分布区域多出了十路,甚至比金朝全国的十九路建制还要多三路。对《食货志》的这段文字应当作何解释呢?我认为,除了上京、咸平、东京、北京、西京、中都、河北东西、山东东西、大名府、南京等十二路外,另外多出的十路应当是指:(1)曷懒路(隶上京路,置总管府)。(2)速频路(隶上京路,置节度使)。(3)胡里改路(隶上京路,置节度使)。(4)蒲与路(隶上京路,置节度使)。(5)婆速府路(隶东京路,置总管府)。(6)曷苏馆路(隶东京路,置节度使。明昌间废罢,改置盖州)。以上六路并非路级建制,而是相当于府州级的二级行政区划,只因不领州县民户但领猛安谋克户,故不称府州而称路。(7)临潢府路。《金史·地理志》所载十九路系泰和末年建制,故无临潢府路(时临潢府隶北京路)。而大定间建制为二十路,即多临潢府一路,《金房图经》《大金国志》所载皆二十路,就是以大定建制为据的。据谭其骧先生考定,临潢府路罢于章宗泰和五年(1205 年)。① (8)西北路招讨司(置司桓州,隶西京路)。(9)西南路招讨司(置司丰州,隶西京路)。(10)东北路招讨司(置司泰州,隶北京路)。以上三路招讨司也是相当于府州级的二级行政区划,因不领州县民户而领猛安谋克户,故亦称路;又因其除领猛安谋克户外还兼领诸部族节度使、群牧所及诸乣详稳,故不置总管府、节度使而置招讨司。——这所谓的十路全都在前述十二路范围之内,因此不管是二十二路还是十二路,实际上指的

---

① 谭其骧:《金代路制考》,载《辽金史论文集》,辽宁人民出版社 1985 年版。

是同一范围,只是算法不同而已。

《金史·选举志》载明昌元年(1190 年)定制以会宁、咸平、大兴、大同、大定、东平、益都七府为女真策论进士的府试地点,并谓:"凡上京、合懒、速频、胡里改、蒲与、东北招讨司等路者,则赴会宁府试;咸平、隆州、婆速、东京、盖州、懿州者,则赴咸平府试;中都、河北东西路者,则赴大兴府试;西京并西南、西北二招讨司者,则赴大同府试;北京、临潢、宗州、兴州、全州者,则赴大定府试;山东西、大名、南京者,则赴东平府试;山东东路则试于益都。"这里提到的盖州系以曷苏馆路改置,隆州属上京路,懿、宗、兴、全四州均属北京路。这条史料所反映的女真人的居住区域,与前述十二路或二十二路的范围完全一致,可以进一步印证上文关于猛安谋克人口地理分布的结论。

三上次男在《金代女真研究》一书中,搜集了所有见于金代文献及考古材料中的猛安谋克部的冠称,其中有明确属地的共九十余个,这九十余个猛安、谋克分别隶属于长城以北的上京、咸平府、东京、北京、西京等五路及长城以南的中都、河北东西、大名府、山东东西、南京等七路。① 这与本文对猛安谋克人口分布区域的判断是完全吻合的。在金朝全国十九路中,只有河东南、北路及陕西的京兆府、凤翔、鄜延、庆原、临洮五路没有猛安谋克民户。② 对南迁的猛安谋克安置地的这种选择,究竟反映了金朝统治者的一种什么样的意图,还值得进一步研究。

由于史料的欠缺,对猛安谋克人口在各地的分布数量只能做

①见前揭《金代女真研究》第 453 页。
②本文论述的猛安谋克人口的地理分布系专指在籍的猛安谋克民户,至于猛安谋克军的屯戍地则另当别论。

出一个粗略的估计。兹将泰和七年猛安谋克户口(72万余户,771万余口)的具体分布情况估算如下。

(一)上京路。上京路是女真故地,虽然自太宗以后已有大批猛安谋克南迁,但这里仍是长城以北各路中猛安谋克人口最集中的地方。明昌四年(1193年)十月,尚书省奏称:"今上京、蒲与、速频、曷懒、胡里改等路,猛安谋克民户计一十七万六千有余。"① 若按9‰的年均增长率计算,泰和七年(1207年)上京路猛安谋克约为20万户,约合210万口。

(二)东京、咸平、北京、西京四路。这几路属下的猛安谋克民户的数量均远低于上京路。大定十七年(1177年)春,东京路饥,尚书省奏请赈济"东京三路十二猛安"。② "三路"者,系指东京路属下的东京(辽阳府)、婆速府路和曷苏馆路。东京路共12猛安,约合36 000余户,按9‰的年均增长率计算,泰和七年(1207年)当增至47 000余户。如咸平、北京、西京三路的猛安谋克户均与东京路相当的话,则四路共计19万余户,合为200万口。

(三)长城以南、黄河以北的中都、河北东西、山东东西、大名府等六路。宣宗迁都汴京后,黄河以北的猛安谋克纷纷随之南迁。至贞祐四年(1216年)七月,河北六路猛安谋克已迁徙殆尽,迁入河南的猛安谋克人口为数多达百余万。③ 但泰和末年这六路的猛安谋克人口却远比这个数字要多得多。自大安、崇庆以后,黄河以北猛安谋克人口遽减,一则死于蒙古军入侵,一则死于红袄军起义。蒙古铁骑数年之间横扫中原,凡州县城池及猛安谋克

①《金史》卷五〇《食货志》(五)"常平仓"。
②《金史》卷五〇《食货志》(五)"和籴"。
③《金史》卷一〇九《陈规传》。

村寨几乎无不残破。贞祐间起义于山东、河北等地的红袄军,其主要成份是在女真人的括地浪潮中失去土地的流民,他们"雠拨地之酷,睢眦种人,期必杀而后已。若营垒,若散居,若侨寓托宿,群不逞哄起而攻之,寻踪捕影,不遗余力,不三二日,屠戮净尽,无复噍类"。[1] 红袄军的主要杀戮对象是女真人,主要攻击目标是女真人的猛安谋克村寨。因此贞祐四年(1216 年)河北六路的猛安谋克人口当已减少过半,泰和七年的人口估计在 300 万左右。

(四)南京路。泰和末猛安谋克人口估计约 50 至 60 万。

金朝中期猛安谋克人口的这种地理分布状况一直保持到贞祐初年。宣宗南迁后,将黄河以北的猛安谋克有计划地迁往河南,"侨置诸总管府以统之"。[2]《金史·宣宗纪》记载了山东东西路、河北东路和大名府路四个行总管府的设置情况,从中可以看出这四路猛安谋克人口迁入河南后的分布地域。贞祐三年(1215年)八月,"置山东西路总管府于归德府及徐、亳二州";同年九月,"置河北东路行总管府于原武、阳武、封丘、陈留、延津、通许、杞诸县,以治所徙军户";同月,"置大名府行总管府于柘城县,以治所徙军户";兴定四年(1220 年)十一月,"山东东路军户徙许州,命行东平总管府治之,判官一人分司临颖"。对这四路猛安谋克的安置贯穿着一个明显的意图,即以拱卫汴京为主要目的。山东西路猛安谋克就近迁置于归德府和徐州、亳州,可以扼守蒙古军从山东西进的道路。大名府路猛安谋克侨置于睢州柘城县,也是为的防备蒙古军从山东渡河西进。河北东路猛安谋克安置在京畿诸县,环绕于汴京周遭西、北、东三个方向,起着直接卫戍京师的

①元好问:《临淄县令完颜公神道碑》,《遗山集》卷二八。
②《金史》卷四四《兵志》。

作用。山东东路猛安谋克徙置于许州,则正当蒙古军绕道唐、邓北上汴京的要道,而后来蒙古军就正是沿着这条路线攻至汴京的。总的来看,贞祐间迁入河南的猛安谋克安置较为集中,呈扇形地分布于以汴京为中心的若干州府,体现了金朝收缩战线、固守京师的战略意图。

兴定五年(1221年)十二月,金朝废除了统领南迁猛安谋克的诸路行总管府,①而把这些猛安谋克户口全部划归州县,实际上猛安谋克制度此时早已崩溃,作为女真人社会组织的猛安谋克也就失去了其存在的意义。

以上分阶段地考察了金代猛安谋克人口的地理分布状况。金代120年间,猛安谋克人口的分布经历了三种基本格局,从金初仅限于关外的上京、东京、咸平三路,到金代中期遍布于长城内外十二路,再到金代后期中原地区猛安谋克全部迁置于河南,其间变化之大,显示出作为金朝统治基础的猛安谋克在这个王朝的兴衰过程中所扮演的特殊角色。正是因为这个原因,对猛安谋克人口的研究便具有了一层特殊的意义。

原载《民族研究》1994年第2期

---

① 《金史》卷一六《宣宗纪》(下)。

金代户籍制度刍论

金朝是由女真人建立的一个多民族国家,由于其人口的民族结构的多元化,加上女真与汉、渤海等族又处在不同的社会发展阶段,各民族内的阶级结构也不尽相同,这种错综复杂的情况使得金朝的户籍制度与其它朝代比较起来具有某些特殊性。以往学界对金代户口问题的研究有过一些不正确的结论,就是由于缺乏对金朝户籍制度的了解而造成的。本文拟对金代的户口类别、户等制、户口统计与户籍管理措施等问题作一初步的探讨,以使金代人口问题的研究进一步深化,同时也可增进我们对于金代社会的认识。

一、金朝的户口类别

从金朝的户口类别中最能见出其户籍制度的特殊性,同时它也反映了金代社会的基本结构,对于我们理解金代的民族关系和阶级关系都是很有启发的。

《金史·食货志序》以这样一段简要的文字概括了金代的户口类别:"其为户有数等,有课役户、不课役户、本户、杂户、正户、监户、官户、奴婢户、二税户。"这一说法得到今日研究者们的普遍认同,似已成为一种定论。① 但我以为,这个问题还大有商榷的余地,金代户口是否真的有这样九个类别,上述九个类别是否反映了户籍制度下的人户法定身份,还不能遽然下一断论,对《食货志序》指出的这些户类必须逐一加以分析。

(一)课役户、不课役户

《金史·食货志》对这两种户类的解释十分明确:"有物力者为课役户,无者为不课役户。"课役户、不课役户的区别类似于宋代的主、客户,只不过主、客户的划分主要依据土地等生产资料的有无,而课役户、不课役户的划分则要全面衡量其物力状况。金代赋役制度的一个最大特点,就是赋役标准的统一,即以物力为征派赋役的唯一尺度。金代的物力之制与前代有所不同,"租税之外,算其田园、屋舍、车马、牛羊、树艺之数及其藏镪多寡征钱,曰物力(钱)。物力之征,上自公卿大夫,下逮民庶,无苟免者"。②大致说来,物力可分为"地土物力"和"浮财物力"两大类,除了以上提到的这些内容外,浮财物力还包括奴婢。自世宗时起,民户物力均由定期进行的通检推排来加以确定。由于物力是征派赋役的唯一依据,因此确定课役户和不课役户的标准就是有无物力。但物力之有无是相对的,因为金代的物力范围很广,民户的一切动产和不动产,除"所居之宅不预"外,其它均在推排之列,章宗以前,甚至连农民的积粟都要计入物力;所以并不是说不课役

①张博泉、武玉环:《金代的人口与户籍》,《学习与探索》1989 年第 2 期;王曾瑜:《金朝户口分类制度和阶级结构》,《历史研究》1993 年第 6 期。
②《金史》卷四六《食货志》(一)。

户就绝对没有物力,只是物力多少的问题,当物力少到了一定的程度时,就可免除赋役而成为不课役户。

关于课役户和不课役户的具体物力界限,金代文献中缺乏记载,但我们可以根据一些相关的材料对此作一个大致的估计。世宗大定十年(1170年)实行募兵法,"凡物力五十贯者招一军,不及五十贯者率数户共之,下至一二千者亦不免。每一军费八十缗,纳钱于官,以供此费"。① 金代文献中"物力"和"物力钱"两词常常混用,究竟是指物力还是物力钱,则要视其上下文的意思才能确定。这段史料中的物力实际上指的是物力钱,因为凡五十贯"物力"则须纳免役钱八十贯,显然只有达到了五十贯物力钱的物力水平,才有可能负担得起这八十贯免役钱。免役钱的征收范围当然只限于课役户,据称"下至一二千者亦不免",也就是说仅一两贯物力钱的民户也在交纳免役钱之列。金代的物力钱是一种严格意义上的资产税,它是按照每户的物力总额征取的,物力钱的税率约为 0.6%,②那么凡纳 1 贯物力钱者就应当拥有 167 贯物力,这可能代表了课役户的物力下限。

课役户与不课役户是相对稳定的,金代的通检推排大致每十年进行一次,每次通检推排的主要目的就是"增新强、销旧弱",即根据民户资产变化情况重新核定其物力总额,在此基础上对课役户与不课役户进行调整。章宗泰和二年(1202年),为了对民户的物力状况及时做出变更,制定了"人户物力随时推收法",遂使课役户与不课役户的调整趋于经常化。泰和七年(1207年),因课役户多逃离其本贯以避役,章宗下诏曰:"如实销乏者,内从御

---

① 楼钥:《北行日录》(上),《攻媿集》卷一一一。
② 详见本书《论金代的物力与物力钱》一文。

史台,外从按察司,体究免之。"①即通过这个措施将确已陷入困顿的课役户改为不课役户。

课役户、不课役户在金代文献中也常作物力户、无物力户,而金代碑刻中又时见"税户"的称呼,②税户也就是课役户。不管哪一种名称是正式的名称,这是金朝的两个法定的户类是没有疑义的。

（二）监户、官户

监户是宫籍监户的简称,官户是太府监户的简称。《金史·食货志》解释说:"凡没入官良人,隶宫籍监为监户;没入官奴婢,隶太府监为官户。"又据《百官志》,殿前都点检司下辖的宫籍监"掌内外监户及地土、钱帛、小大差发",太府监下的典给署"掌宫中所用薪炭冰烛,并管官户"。

曾有学者著文指出,金朝的宫籍监户最初是由辽代诸宫卫内的"宫户"、"宫分人"转化而来的,③这种看法颇有见地。在金代,宫籍监户的主要来源是以罪而被没入官的人口,如海陵王时大杀宗室子孙,而往往将他们的家属没为监户。④ 官户虽然与监户一样同属官府奴婢,但由于他们在被没入官前的身份就是奴婢,因此其法律地位似乎比监户还要低一等,章宗时监户可以与百姓通婚,还可以通过入粟、建立战功等多种途径赎身,而官户却不能。

---

① 《金史》卷四六《食货志》（一）。
② 见《山右石刻丛编》卷二〇《晋阳里汤王庙记》、《普照禅院碑》,《金石萃编》卷一五八《真清观牒》,《八琼室金石补正》卷一二三《南怀州修汤王庙记》。
③ 李锡厚:《金朝的宫籍监户》,《北京师范学院学报》1990 年第 1 期。
④ 《金史》卷七《世宗纪》（中）。

监户和官户除了身份、地位的差异之外,其所服劳役的性质也不同。隶属于太府监下的官户均服役于宫中,其数量可能相对要少一些,而宫籍监户则有"内外监户"之分,外监户即指在地方州县服役的监户。《金史·曹望之传》载,大定间疏浚运河,"尚书省奏当用夫役数万人",世宗命"以宫籍监户及摘东宫、诸王人从充役,若不足即以五百里内军夫补之",参与这项工程的宫籍监户就是所谓的"外监户",其数量可能相当多。他们虽然散居各地,但其户籍并不隶属于当地州县,而是直接归宫籍监掌管。总之,监户和官户的身份和归属都很明确,因此它们作为金朝的两个法定户类也是没有疑问的。

(三)二税户

《金史·食货志》云:"初,辽人佞佛尤甚,多以良民赐诸寺,分其税一半输官,一半输寺,故谓之二税户。"辽代的"二税户"有两种含义,一种是指头下军州的二税户,一种是指寺院二税户。头下军州制度至金朝已不复存在,故金人所称二税户乃专指寺院所属民户。

二税户本是辽朝的一个法定户类,其名称虽然一直沿袭了下来,但这种僧道奴婢在金代已不再具有合法的地位。世宗即位之初,即诏免二税户为良,不过大定间对二税户的放免还很不彻底。章宗即位以后,"上封事者言,乞放二税户为良,省臣欲取公牒可凭者为准,参知政事移剌履谓'凭验真伪难明,凡契丹奴婢今后所生者悉为良,见有者则不得典卖,如此则三十年后奴皆为良,而民且不病焉'。上以履言未当,令再议。省奏谓不拘括则讼终不绝,遂遣大兴府治中乌古孙仲和、侍御史范楫分括北京路及中都路二税户,凡无凭验,其主自言之者及因通检而知之者,其税半输官、半输主,而有凭验者悉放为良"。① 这就是说,凡有凭据的二税户均可被放免,当时仅北京等路就放免了二税户 1 700 余户,13 900余口。

二税户在金代的处境是很微妙的。一方面,二税户在通检推排时也和其他私奴婢一样被纳入寺观的物力,②这表明他们的存在已得到了默许;另一方面,金朝统治者对放免二税户的态度始终是明确的,限制直至取消这种僧道奴婢是金朝政府的一贯政策,因此二税户从未获得过官方的正式承认。总而言之,在金代,二税户的存在虽是事实,但须知它并非金朝户籍制度中的一种法定户类。

(四)奴婢户

《金史·食货志序》将奴婢户与监户、官户、二税户并列,因此有人认为奴婢户也是一种正式的户名。但是根据我对金代文献的了解,除了官奴婢中的监户、官户和私奴婢中的二税户可以单独立户外,找不到其他奴婢也可单独立户的任何证据。在金代的全部奴婢人口中,监户、官户、二税户只占很小一部分比例,此外还存在着数以百万计的私奴婢,据《金史·食货志》记载大定二十三年(1183 年)对猛安谋克进行通检推排的结果称:"猛安二百二,谋克千八百七十八,户六十一万五千六百二十四,口六百一十五万八千六百三十六,内正口四百八十一万二千六百六十九,奴婢口一百三十四万五千九百六十七。""正口"、"奴婢口"的称呼,说明猛安谋克内的大量奴婢均未单独立户。金代汉人社会中蓄

①《金史》卷四六《食货志》(一)。
②《金史》卷九四《完颜襄传》。

奴现象亦很普遍,但同样也没有发现奴婢单独立户的迹象。

如上所述,奴婢户在金代并不是作为一个独立的户类而存在的,它只能是对监户、官户、二税户的一种泛称,而根据这一名称不能确认他们在户籍制度中的法定身份。"奴婢户"一词在《金史》中仅此一见,其它金代文献中也极少使用这一含混的称呼,把它当作一个正式户名显然是不恰当的。

(五)正户

《金史》卷四六《食货志》(一)在记载猛安谋克的民族构成时,介绍了这样两条原则:"凡汉人、渤海人不得充猛安谋克户;猛安谋克之奴婢免为良者,止隶本部为正户。"这就是《食货志序》中"正户"一词的由来。这里的"正户"也被人们视为一个法定户名,认为它是特指猛安谋克奴婢"从良后的半自由民"。[①] 这种看法也是值得商榷的。《金史·纥石烈执中传》云:"涞水人魏廷实祖任儿,旧为靳文昭家放良,天德三年,编籍正户。"按熙宗天眷三年(1140 年)已将汉人及渤海人中的猛安谋克全部废除,任儿于海陵王天德三年(1151 年)被靳文昭家放良,这个靳文昭显然不是猛安谋克部民,而任儿也非猛安谋克奴婢,但《金史》却称他放良后"编籍正户"。这又该作何解释呢? 其实正户只是一个泛称,意若编户齐民。对《食货志》"猛安谋克之奴婢免为良者,止隶本部为正户"一句话亦当作如是解,所谓"正户"是相对于他们以前的奴婢身份而说的,并非是一种特定的户名,从金代文献中也找不到称猛安谋克奴婢放良者为"正户"的例子。

---

①见前揭王曾瑜文。

（六）本户、杂户

《金史·食货志》云："明昌六年二月，上谓宰臣曰：'凡言女直进士，不须称女直字。卿等误作回避女直、契丹语，非也。今如分别户民，则女直言本户，汉户及契丹，余谓之杂户。'"这段文字中关于"本户"、"杂户"的解释辞不达意，故人们有不同的理解。由于《食货志序》举出的九种户名中只有本户、杂户而无汉户、契丹户，因此有人把这句话理解为女直称本户，汉、契丹及其它诸族均称杂户。但紧接着《食货志》的这段文字后面，又有这样一条记载："明昌六年十二月，奏天下女直、契丹、汉户七百二十二万三千四百。"查明昌六年之前的历次户口记载，都称作"天下户"若干，而唯独这次分别称女直、契丹、汉户，据此不难判断，章宗说的那番话的本意，当是谓女直称本户，汉人称汉户，契丹称契丹户，其它诸族称杂户。

不管是本户、杂户，还是汉户、契丹户，在金朝都只是一种概念性称呼，而不是法定的户名。明昌六年（1195年）前没有本户、杂户的提法，女真人习称"女直户"，章宗为了突出女真的主体民族意识，故提出以本户代称女直户，可见本户只是女直户的一个代名词而已，并不因其名称的改换就成为一种法定的户类。而且即便是作为一种习称，本户、杂户的提法在金代似乎也并未得到流行，查遍《金史》，再也见不到这两个名称，倒是"女直户"一词在明昌六年之后仍常常可以见到。

综上所述，《金史·食货志序》所列出的九种户名中，只有课役户、不课役户、监户、官户属金朝户籍制度中的法定户类，二税户则是以非法形式而实际存在的一种户类，至于奴婢户、正户、本户、杂户四种户名，在当时只是泛称或习称，既非金朝实际存在的户类,亦非户籍制度中的正式户名。

金代的社会结构十分复杂,其户口类别的划分标准不是单一的,因而我们的思维不必局限于前人的结论。如果从国家户籍管理体系的角度着眼,金代户口实际上是分成三大类,即州县民户、猛安谋克户、乣户。这种类别主要是按照民族标准划分的,它显示了户口分类制的基本框架,也最能反映金代社会结构的整体面貌。

州县民户主要由汉人和渤海人构成,其分布区域遍及全国十九路。渤海人早在唐朝后期就已完成封建化和汉化的进程,以京、府、州、县的行政体制统领民户,最盛时置有五京、十五府、六十二州及一百余县。金建国之初,曾将猛安谋克推行到渤海人中,但由于这种带有明显的部落制痕迹的行政制度与渤海人的社会发展阶段不相适应,所以熙宗时诏命废除诸渤海猛安谋克,以州县制取而代之。金代的州县人口约占全国总人口的 80% 以上,是三类户口中最主要的一类。

猛安谋克户以女真人为主,而杂以契丹、奚等族人户。猛安谋克内的非女真族户口,主要是在太宗天会以前归降的部族。金代的猛安谋克户大致分布在上京、东京、咸平府、北京、西京、中都、河北东西、山东东西、大名府、南京等十二路,其中中原地区的猛安谋克村寨往往杂处于汉人州县间。一般认为,女真族大约在辽代中期就已开始进入农业社会,金代的女真人,其农耕经济已经比较发达,因此猛安谋克户与州县民户在生产、生活方式上并没有什么太大的差异,只是在赋税制度上实行了两套不同的体制,对州县民户实行的是两税法,对猛安谋克户实行的是牛头税,相形之下,牛头税比夏秋两税要轻得多。金代的猛安谋克人口约占全国总人口的 14% 左右，①也是户籍体系中一个主要的组成部分。

乣户是指生活在金朝北境和西北边境地区的诸游牧部落，通称"乣人"。"乣"是辽金史上一个长期以来聚讼不决的问题，关于金代的乣，我比较倾向于这种解释：它主要是指归附金朝的北方各游牧部落，意为"杂户"、"杂类"，与汉语的蕃、夷、杂胡类似。② 据《金史·完颜襄传》载，章宗承安间，"移诸乣居之近京地，抚慰之。或曰：'乣人与北俗无异，今置内地，或生变，奈何？'襄笑曰：'乣虽杂类，亦我之边民。'"乣的性质从这段对话中看得比较清楚。金代乣户的民族成份很复杂，可能包括契丹、奚、兀惹以及蒙古等族。乣户的组成形式主要有三种，一是部族（某些部族也下属有乣），一是诸乣，一是群牧，它们都分属于东北、西北、西南三路招讨司。见于记载者，东北路招讨司所辖有迭剌部、唐古部、助鲁部、乌鲁古部、石垒部、萌骨部、计鲁部、字特本部，③西南、西北两路招讨司所辖有苏谟典乣、耶剌都乣、骨典乣、唐古乣、霞马乣、木典乣、萌骨乣、咩乣、胡都乣，④此外还有斡独椀等群牧十二处，但不知隶属于何路。与州县民户和猛安谋克户不同的是，乣户主要以游牧生活方式为主，但其中也有一些部族已进入农业社会。大定十二年（1172 年），"尚书省奏：'唐古部民旧同猛

①请参看本书《金代猛安谋克人口状况研究》一文。
②蔡美彪：《乣与乣军之演变》，《元史论丛》第 2 辑，中华书局 1983 年版。
③《金史》卷四四《兵志》。又卷二四《地理志》（上）所记诸部族名称与此略异。
④此据《金史》卷四四《兵志》，所载共九乣。又卷二四《地理志》（上）无萌骨乣而有移典乣，卷五七《百官志》（三）亦无萌骨乣而有失鲁乣、移典乣，但未著所在路分。

安谋克定税,其后改同州县,履亩立税,颇以为重.'遂命从旧制",①即从两税恢复为牛头税。这说明唐古部早就有了农耕经济。迭剌部与唐古部的情形类似,大定二十三年(1183年)公布的猛安谋克通检推排结果,就包括迭剌、唐古二部五乣的垦田数和牛具数,可见他们与猛安谋克的社会经济形态大致相同。又大定十七年正月,"诏西北路招讨司契丹民户,……其不与叛乱及放良奴隶可徙乌古里、石垒部,令及春耕作"。② 这表明乌古里(即《金史·兵志》之"乌鲁古")、石垒二部也存在农业经济,但从它们没有像迭剌、唐古二部那样实行通检推排来看,似乎农业经济在这两个部族中还不占主导地位。

世宗以后,诸乣中的某些部分相继被改为猛安谋克,因而这部分乣户也就此变成了猛安谋克户。大定十七年(1177年)五月,"咸平府路一千六百余户,自陈皆长白山星显、禅春河女直人,辽时签为猎户,移居于此,号移典部,遂附契丹籍。本朝义兵之兴,首诣军降,仍居本部,今乞厘正。诏从之"。③ "移典部"即见于《地理志》和《百官志》的移典乣,这些乣户因自诉其本为女真人,故得以改属猛安谋克。宣宗贞祐四年(1216年),又改咩乣为葛也阿邻猛安,改木典乣为抗葛阿邻谋克,改骨典乣为撒合辇必剌谋克。④

乣户多为迁徙不常的游牧人口,故没有留下完整的户口统计数字,唯有其中的迭剌、唐古二部五乣,因亦实行牛头税制,故曾

①《金史》卷四七《食货志》(二)"牛头税"。
②《金史》卷七《世宗纪》(中)。
③《金史》卷四六《食货志》(一)。
④《金史》卷二四《地理志》(上)。

于大定二十三年（1183 年）与猛安谋克同时进行通检推排，推排结果为"户五千五百八十五，口十三万七千五百四十四"，①估计乣户的总人口当不少于一百万，约占全国人口的 2% 左右。

二、金朝的户等

户等是户籍制度的一项重要内容，划分户等的主要目的是为了征发赋役，所以金代的户等只是针对课役户的。《金史》没有明确记载课役户的户等划分情况，因此我们只能根据一些间接的材料来对这个问题加以考察。宣宗兴定四年（1220 年），镇南军节度使温迪罕思敬上疏称："今民输税，其法大抵有三，上户输远仓，中户次之，下户最近。"②这表明州县民户实行的是三等户制。又《大金国志》卷三五"杂色仪制"记载官民婚聘财礼仪云："上户庶人不得过二百贯，中下户不得过一百贯。"即按照百姓户等对婚聘财礼加以限制，也是称为上中下三等户。猛安谋克原来不分户等，大定二十年（1180 年）朝议通检推排时，右丞相徒单克宁、平章政事唐括安礼、枢密副使完颜宗尹都主张止验产业，不推奴婢、牲畜、土地之数，左丞相完颜守道也基本赞成这种意见，并建议说："止验财产多寡，分为四等，置籍以科差，庶得均也。"但这种意见后来未被世宗采纳。大定二十二年（1182 年）八月，"诏令集耆老，推贫富，验土地、牛具、奴婢之数，分为上中下三等"。③ 即与州

①《金史》卷四六《食货志》（一）。
②《金史》卷四七《食货志》（二）。
③《金史》卷四六《食货志》（一）。

县民户一样,也是采用了三等户制。乣户虽以游牧经济为主,但也有户等的划分,《金史》卷四二《仪卫志》(下)记载外官公使、从己人力的差派办法时说:"其诸乣及群牧官员若猛安谋克,应差本管户民充人力者,并上中户轮当。"可见乣户也是分为上中下三等。①

户等制滥觞于魏晋,从魏晋至隋唐,占主导地位的是九等户制,宋代乡村与城镇划分户等的规定不同,乡村户分为五等,坊郭户分为十等。金代的三等户制显然与唐、宋制度都没有直接的渊源关系,它是与辽代的户等制一脉相承的。辽天祚帝时的一条史料称:"凡差发,立排门历,量现在随户物力,遂定三等,配率均平。"②这是指以物力为标准将民户划分为三等。又兴宗时萧韩家奴上疏云:"诸部皆有补役之法,……苟无上户,则中户当之。"③显然也是分为上中下户。但辽代的三等户制似乎还有士庶之别,天会十年(1132年)正月,太宗有诏曰:"昔辽人分士庶之族,赋役皆有等差,其悉均之。"④金代户等制明显是沿袭辽朝的制度,只是不再分别士族、庶族罢了。

从唐代的九等户制到宋代的五等户制,⑤从表面上来看,户等的划分似有趋于简化之势,而实际上却恰恰相反。首先应该指出的是,唐代划分九等户的对象是全体乡村居民,而宋代的五等户

---

①金代的三等户制与元代户等的"三等九甲"不同,元代上中下户各分三等,实为九等户制,而金代的上中下户不再另外分等。
②《全辽文》卷一○《三河县重修文宣王庙记》。
③《辽史》卷一○三《萧韩家奴传》。
④《金史》卷三《太宗纪》。
⑤宋代坊郭户比例太小,在经济生活中的意义不大,故乡村五等户制是宋代户等制的主流。

只包括乡村主户。而且五等户制只是一个原则性规定,实际执行过程中往往将户等划分得更细。北宋实行免役法后,为了使役钱的负担较为合理,各地普遍在原有的五等户基础上逐等之中再析为若干等,如开封府共分为十五等,[1]而两浙路竟不惮繁复地分为七十五等![2] 在这种户等划分愈来愈细的趋势下,金代的户等却简化到了三等,之所以会发生这种变化,主要是因为户等在金代的重要性下降了,金代的许多赋役都直接与物力挂钩,户等的某些作用已经被物力所代替。如军须钱、河夫钱、免役钱等都是按照物力钱的数额征取的,杂役、差役的支配在很多情况下也以物力为标准,因此户等就没有必要再划分得很细,这是金代户等制沿袭辽制而不取法唐宋的真正原因所在。

上文曾经谈到,金代区分课役户与不课役户的依据是物力,户等的划分同样以物力为唯一的标准。《金史·食货志》有"中物力户有役则多逃避"的说法,称中户为"中物力户",就是以物力划分户等的一个明证。而猛安谋克户等的划分,更明确记载为"验土地、牛具、奴婢之数,分为上中下三等"。关于户等评定和调整的时间问题,前代一般规定三年一定,金代户口虽然也是三年一籍,但这种常规性的户口调查只包括人口的生死存亡及性别、年龄等内容,调整户等显然不是它的任务。金代的物力是由十年一次的通检推排核定的,因此户等的调整也大致应该是十年一次。

户等在金代所起的作用虽然已不像唐宋时期那么广泛,但它并不是可有可无的,金代赋役中的某些内容与户等有着密切的关系,现就其主要方面列举如下。

---

①陈傅良:《转对论役法札子》,《止斋先生文集》卷二一。
②晁补之:《陈辅墓志铭》,《鸡肋集》卷六七。

户等与差役的关系。金代差役中的某些服役项目是直接按物力支配的,而某些服役项目则按户等差遣。大定十九年(1179年),礼部定制:诸岳镇海渎神祠看守人,"召土居有物力不作过上户充,于本庙收到香火钱内,每月支钱三贯,二年一替"。① 这是针对州县民户的规定。又长白山庙看守人的差遣情况是这样的:"(大定)十三年十月,于赐遣千户下差人丁多者两户看管,免杂役浮泛差使。十五年闰九月,看庙二户于上户内轮差,周年一替。"② 这是针对猛安谋克户的规定。其差役虽曾一度按丁口多寡差遣,但这显然不是差役支配方式的主流,只能作为例外情况来看待。猛安谋克官员的从己人力也是按户等差遣的,《金史》卷四二《仪卫志》(下)云:"合懒、恤品、胡里改、蒲与路并于各管猛安谋克所管上中户内轮差驱丁,依射粮军例支给钱粮,周年一易。"

户等与杂役的关系。杂役又称浮泛差使,它所包括的内容十分广泛,如修筑城池,维修公廨、驿道、河堤等等。《金史·食货志》对杂役的摊派原则是这样记载的:"遇差科,必按版籍,先及富者,势均则以丁多寡定甲乙。有横科,则视物力,循大至小均科。其或不可分摘者,率以次户济之。"大体上说,杂役的摊派分两种情况,一种是常规情况下的"差科",按户等(版籍)高低征发,户等相同者以丁口多寡为序;另一种是特殊情况下(如战争)的"横科",直接按物力高低征派。

户等与租税的关系。金代地租制度不详,元人修《金史》时已称"租之制不传"。地税实行两税法,夏税亩征三合,秋税亩征五升,又纳秸一束,每束十五斤;但这只是一个平均税额,实际的租

① 《大金集礼》卷三四"岳镇海渎"。
② 《大金集礼》卷三五"祠庙杂录"。

税额皆有差等，"大率分田之等为九而差次之"，与户等无涉。不过租税的输纳有远仓、近仓之别，虽有"三百里外石减五升，以上每三百里递减五升"的规定，但往往是"道路之费倍于所输"，所以越远负担自然就越重，金代规定"上户输远仓，中户次之，下户最近"，①户等在这里也起一定的作用。

关于户等的作用还有一个误解需要澄清。有的研究者认为金代的物力钱类似于唐代的户税，即也是按户等征收的，②这种看法显然是不对的。唐代户税的征收办法，是先规定出各等户的户税税额，如从第一等户的四千文到第九等户的五百文，各等人户均依此定额纳税。金代户口只分三等，如果物力钱是按户等征收的话，就应该只有三等税额，而实际上物力钱的税额少则一、二贯，多则数百上千贯，根本没有定额可言，因为它是按每户的物力数额征取的一种资产税，与户等了不相涉。

三、户口统计与户籍管理措施

狭义的户籍制度就是指户籍登记制度，户口统计的可靠与否，直接影响到对一个历史时期的人口规模的结论。金朝的户口统计有一套完善的措施，保证了统计结果的准确性。首先，关于在籍人口的范围，《金史·食货志》有这样的记载："金制，男女二岁以下为黄，十五以下为小，十六为中，十七为丁，六十为

---

① 《金史》卷四七《食货志》（二）。
② 张博泉：《金代经济史略》，辽宁人民出版社 1981 年版，第 140 页；漆侠、乔幼梅：《辽夏金经济史》，河北大学出版社 1994 年版，第 411—412 页。

老。……户主推其长充。"这表明金代人口统计对象是包括女口、非丁口在内的全部人口,明确这一点是十分重要的,它是讨论金代户口数字的前提。

金代对于户籍登记、统计及申报的程序和期限均有严格的规定:"凡户口计帐,三年一籍。自正月初,州县以里正、主首,猛安谋克则以寨使,诣编户家责手实,具男女老幼年与姓名,生者增之,死者除之。正月二十日以实数报县,二月二十日申州,以十日内达上司,无远近皆以四月二十日到部呈省。"①户口统计数字是按县、州、路、户部、尚书省的系统逐级申报的,而金代的路分为总管府路、转运司路、按察司路三套系统,这段史料中没有明确指出是哪一种路,只笼统地称为"上司"。据我判断,这个上司不是指我们所熟知的金代地方行政机构总管府路,而是指转运司路;其根据是:《金史》卷五七《百官志》(三)记载转运司路设有户籍判官二员,而总管府路则不设此职。

户口统计的实际执行情况未必与这套规定完全相符合,比如关于户口申报的时间和期限,据《金史·食货志》,明昌六年(1195年)和泰和七年(1207年)两次的户口数字都是当年十二月报到尚书省的,这就与"四月二十日到部呈省"的规定不一致了。但总的说来,这套制度基本是得到严格执行的,现在保存下来的几组金代户口数字,已被学术界公认为属于中国历史上为数不多的几个比较准确的户口数之列。

关于三年一籍的户口计帐制度与通检推排的关系问题,目前存在着一种误解,亟需予以澄清。《金史·食货志序》在谈到金代户籍制度时说:"有司始以三年一籍,后变为通检,又为推排。"有

---

①《金史》卷四六《食货志》(一)。

人根据这段记载,认为自世宗大定四年(1164年)创立通检推排制度后,户口统计就由三年一次变为十年一次了(通检推排每十年左右进行一次)。这种看法显然是不符合事实的。实际上,户口计帐与通检推排是两种不同目的、不同内容、不同性质的制度,户口计帐所调查的只是户口状况,并不涉及物力;通检推排的内容虽然包括户口,但其主要目的是调查核实民户的物力状况,因为金代的赋役不是依附在丁口上,而是依附在物力上。户口计帐是户籍制度的组成部分,而通检推排是赋役制度的组成部分。大定四年(1164年)创立通检推排之制后,三年一籍的户口计帐制度并没有因此而被废弃,只是在进行通检推排的年份才不另进行户口计帐罢了。《金史·食货志》共记载了大定初、大定二十七年(1187年)、明昌元年(1190年)、明昌六年(1195年)、泰和七年(1207年)五个年份的户口数字,而金代对州县民户的通检推排也一共进行了五次,分别是在大定四年至五年(1164—1165年)、大定十五年(1175年)、大定二十六年至二十七年(1186—1187年)、承安二年至三年(1197—1198年)、泰和八年(1208年)。对照一下这两组年代便可发现,除了大定二十七年的户口数可以肯定是当年通检推排的结果,大定初的户口数有可能是大定四年通检推排的结果外,其它三个年份的户口数都与通检推排无关。而且从这些户口数所属的年份来看,也基本符合户口计帐制度三年一籍的时间规定。从大定二十七年(1187年)到明昌元年(1190年)正好是三年。从明昌元年(1190年)到六年(1195年),中间相隔五年,可能在明昌三年或四年还进行过一次户口统计,那么其中有一次就只相隔了两年,这可算是一个例外。从明昌六年(1195年)到泰和七年(1207年),其间可能在承安三年(1198年)、泰和元年(1201年)、泰和四年(1204年)有过三次户口统计,看来都是三年一籍。总而言之,三年一籍的户口计帐制度一直坚持实行到章宗末,可能从卫绍王大安三年(1211年)蒙古入侵后,这一制度才不得不废止。

金代对于户籍管理也有严格的法律规定,泰和元年(1201年)十二月修成的《泰和律义》,其中的第四篇就是《户婚律》,同时修成的《律令》二十卷中,也包括《户令》六十六条。① 这些律法均早已亡佚,仅在元人所撰《刑统赋解》卷下里,还保存了一条《户婚律》的佚文:"诸漏户者,家长徒二年;漏口者,杖九十。无(原作"有",据文意改)课役者减三等,女户又减三等。"

在金代有关户籍编制及统辖的一整套制度中,最基础的一项措施就是保伍制。《金史·食货志》云:"令民以五家为保。泰和六年,上以旧定保伍法,有司灭裂不行,其令结保,有匿奸细、盗贼者连坐。宰臣谓旧以五家为保,恐人易为计构而难觉察,遂令从唐制,五家为邻、五邻为保,以相检察。"保伍制要求民户必须聚居,而不能散居独处。大定九年(1169年)冬,宋人楼钥以书状官的身份跟随贺正旦使汪大猷出使金朝,途经灵璧时,见"人家独处者皆烧拆去。闻北人新法,路旁居民尽令移就邻保,恐藏奸盗。违者焚其居"。② 由此可见金代的保伍制是多么的严格。邻、保之内,似乎都有一位首领,《金史》卷八五《完颜永功传》谓一老妪男妇"与所私相从亡去,……妪告伍长踪迹之",这里所称的"伍长"可能就是一邻或一保之首。猛安谋克也有类似的邻保组织,佚名《北风扬沙录》称:"自五户勃极列推而上之至万户,皆自统兵。"③

---

① 《金史》卷四五《刑志》。
② 《北行日录》(上),《攻媿集》卷一一一。
③ 见涵芬楼本《说郛》卷二五。

所谓"五户勃极列"大概就相当于州县邻保中的伍长,这里记载的是女真建国前后的情况,说明猛安谋克中早就存在保伍制。

对于基层民政单位的组织结构,《金史·食货志》是这样记载的:"京府州县郭下则置坊正,村社则随户众寡为乡置里正,以按比户口,催督赋役,劝课农桑。村社三百户以上则设主首四人,二百户以上三人,五十户以上二人,以下一人,以佐里正禁察非违。置壮丁,以佐主首巡警盗贼。猛安谋克部村寨,五十户以上设寨使一人,掌同主首。寺观则设纲首。"从这段记载来看,似乎乡社组织机构只有乡和村社两级,因此有人认为金代的村社与元代类似,即社的编制以自然村为基础,一村一社,社也就是村,故泛称"村社"。① 这种结论是我所不能同意的。根据我所搜集到的史料来看,金代完整的乡社组织机构应包括乡、里、村、社四级。如滕州邹县有邹兴乡邹儒里,②可见乡、里之间的隶属关系;亳州鹿邑县有宁平乡崇贤里□安村,③可见里、村之间的隶属关系;泽州晋城县有金村河东社、上庄社,④又太原府阳曲县有北郑村中社,⑤既有中社,必有上社、下社,据此可见村、社之间的隶属关系。但这四级组织机构不一定逐级俱备,《八琼室金石补正》卷一二六《京兆府提学所帖碑》记录了分布于咸宁、云阳、鄠、兴平、泾阳五县二十乡六十九村的学田情况,在这些乡社之间都没有里一级机构。又《金文最》卷二七《公孙厚士祠记》谓忻州秀容县公孙里辖上中下三社,在里与社之间就没有村一级机构。

①杨讷:《元代农村社制研究》,《历史研究》1965 年第 4 期。
②《金文最》卷二九《孟子祠记》。
③《金文最》卷七六《续修太清宫碑》。
④《山右石刻丛编》卷二〇《福严院重修佛殿记》。
⑤元好问:《续夷坚志》卷二"狐锯树"条。

猛安谋克的基层民政组织与州县的乡里村社有所不同,寨是
女真人传统的乡村组织形式,它具有一种军事化的性质。女真人
的这种寨也曾实行于中原州县,《伪齐录》卷上云:"是年(阜昌元
年,1130 年),依仿金虏法,乡各为寨,推土豪为寨长。"改乡为寨
的具体做法是将原来的村社加以迁徙合并,如怀州"召人归业,勒
许良巷、上省庄、狄家林、齐家庄、西吴村并为一寨",①从这一个
"勒"字,可以看出这种合并是带有强制性的,这实际上是一种军
事化的堡寨,可能是伪齐用以对付中原人民抗金斗争的一个措
施。时济南府济阳县共四镇二十寨,"总万八千四百余户",②可
见这种寨的规模是相当大的。伪齐被废以后,在中原地区实行的
这种寨制可能就由乡里村社取而代之了。

原载《民族研究》1995 年第 3 期

---

① 《八琼室金石补正》卷一二三《南怀州修汤王庙记》。
② 《金文最》卷二二《济阳县创修县衙记》。

金代土地问题的一个侧面

——女真人与汉人的土地争端

在金代历史上,女真人与汉人之间的土地争端是一个牵动着诸多层面的关键性问题。就其大者而言之,一方面,土地争端是与女真人向中原地区的大规模移民,与女真人的汉化和封建化进程分不开的;另一方面,土地争端又形成为金代中后期民族矛盾的主要内容之一,并且直接导致了金朝历史上最大规模的一次农民起义——红袄军起义。有鉴于此,本文将围绕女真人与汉人的土地之争,对上述有关金代历史的重大问题进行一番新的审视。

一、土地争端的成因

金代土地争端的成因,首先应归结于女真人的移民运动,即猛安谋克人口的大规模南迁。金朝建国之初,女真人的分布区域仅限于上京、东京、咸平府三路,太祖收国、天辅间,随着对辽战争的节节胜利,便开始将女真猛安谋克从金源内地向南向西迁徙,以加强对新占领地区的统治。太宗在灭亡辽宋并占有原北宋统治下的中原地区之后,又将以女真人为主的猛安谋克大批迁往长城以南汉地。从太宗至海陵朝,猛安谋克的大规模的移民浪潮大致有三次。

第一次是在太宗天会十一年(1133 年),"是秋,金左副元帅宗维(即宗翰)悉起女真土人散居汉地,惟金主及将相亲属卫兵之家得留",①"令下之日,比屋连村,屯结而起"。② 这次南迁的迁入地仅限于黄河以北的中原地区,因为此时黄河以南地区已划归刘豫伪齐。

第二次猛安谋克的大规模南迁约在熙宗皇统初。天眷二年(1139 年),金朝曾一度将原属伪齐的河南、陕西之地归还南宋,但仅仅过了一年,金朝方面就撕毁和约,重新从南宋手中夺取河南及陕西,在这种情况下,为加强其对大河南北的统治,遂将大批猛安谋克迁入中原屯田。有关这次移民情况的最原始的记载出自南宋归正人张棣的《金虏图经》,③后来李心传据此载入《建炎以来系年要录》:"金人既复取河南地,犹虑中原士民怀二王之意,始创屯田军,及女真、奚、契丹之人皆自本部徙居中州,与百姓杂处。计其户口,授以官田,使自播种,春秋量给衣焉。若遇出军,始给其钱米。凡屯田之所,自燕之南、淮陇之北俱有之。"④此次移民的规模最大,分布地域也最广。

第三次移民浪潮是在海陵王正隆初。海陵王完颜亮以篡弑登上帝位,对宗室贵族颇多疑忌,及至迁都燕京后,"恐上京宗室

---

①《建炎以来系年要录》卷六八,绍兴三年九月。
②《大金国志》卷八《太宗文烈皇帝》(六)。
③见《三朝北盟会编》卷二四四。
④《系年要录》卷一三八将此事附载于绍兴十年(1140 年)末,注云:"此据张棣《金国志》(按即《金虏图经》)修入,不得其年,故附于取河南之岁。"《大金国志》卷一二《熙宗孝成皇帝》则记于皇统五年(1145 年)。

起而图之，故不问疏近，并徙之南"，①以便于加强对他们的控制。《金史·兵志》对这次移民的迁入地有较为具体的记载：

> 贞元迁都，遂徙上京路太祖、辽王宗幹、秦王宗翰之猛安，并为合扎猛安，及右谏议乌里补猛安，太师勗、宗正宗敏之族，处之中都。斡论、和尚、胡剌三国公，太保昂，詹事乌里野，辅国勃鲁骨，定远许烈，故果国公勃迭八猛安处之山东。阿鲁之族处之北京。按达族属处之河间。

除阿鲁一族外，其他诸猛安均迁入长城以南的中原地区。关于此次移民的时间，《兵志》的记载比较含糊，似乎移民是与贞元元年（1153年）迁都燕京同时进行的，而据三上次男考证，此次移民实际上应是海陵王正隆元年（1156年）的事情。② 1980年出土的《乌古论窝论墓志铭》证明三上氏的这一结论是正确的，该墓志云："正隆之初，起十三贵族猛安以控制山东，公家遂居莱州。"③ 通过《乌古论窝论墓志铭》，我们还发现了《金史·兵志》的另一个错误，即当时迁往山东的并非八个猛安，而是十三个猛安。

至海陵末年，猛安谋克的人口分布区域已从金初的上京、东京、咸平府三路扩展到以下十二路：上京、东京、咸平府、北京、西京、中都、河北东西、山东东西、大名府、南京。此后猛安谋克人口的这种地理分布状况基本趋于稳定，世宗大定间，虽然在一段时

---

①《金史》卷八《世宗纪》（下）。
②《金代女真研究》，黑龙江人民出版社1984年版，第178—179页。
③北京市文物工作队：《北京金墓发掘简报》，《北京文物与考古》第1辑，1983年。

期内也曾有过猛安谋克的频繁迁徙活动(这种迁徙与土地问题直接相关,下文将加以解释),但那只是在局部地区做的一些调整,对猛安谋克人口的分布格局并未造成显著的影响。我在《金代猛安谋克人口状况研究》一文中,曾对金章宗泰和七年(1207年)猛安谋克人口在全国各地的分布数量做过一个估计,其中长城以南各路的人口估计为360万左右,约占全部猛安谋克人口的47%。这个比例大致可以反映金代中后期猛安谋克的人口分布的总的格局。数量如此庞大的猛安谋克移民,是女真人与汉人发生土地争端的一个客观因素。

尽管猛安谋克向中原地区的大规模迁徙构成了土地争端的基本前提,但它远不足以说明女真人与汉人的土地之争的全部原因。一个明显的事实是,女真人的移民运动主要是在金代前期(太宗至海陵朝)进行的,而女真人与汉人的土地争端却主要发生在金代中后期。事实上,金代的土地问题,最终是由女真人的贫困化而引起的,这才是土地争端的最直接和最根本的原因。

关于女真人的贫困化问题,三上次男氏早就有所论述,[1]不过根据我们今天所掌握的材料,对这个问题的认识也许会更加清楚。金代女真人普遍陷于贫困,是从世宗大定间开始出现的一个现象,女真人的贫困化主要是由以下两个方面的原因造成的。

第一、随着女真人汉化和封建化程度的加深,猛安谋克内部的阶级分化日趋明显,尤其是土地兼并的盛行,进一步扩大了女真人的贫富差距。

---

①三上次男:《金代中期的猛安谋克户》,原载《史学杂志》48卷9—10号(1937年);索介然译文,载刘俊文主编《日本学者研究中国史论著选译》第5卷,中华书局1993年版。

猛安谋克南迁之后,土地兼并的现象从海陵王时期逐渐变得严重起来,"随处官豪之家多请占官地,转与它人种佃,规取课利"。① 大定二十年(1180年),世宗曾对宰执说:"山后之地,皆为亲王、公主、权势之家所占,转租于民。"②金代所谓的"山后",主要是指西京路(路治大同府,即今山西省大同市),包括西北路和西南路两招讨司在内的诸州县,史称此地"多金国戚,号难治"。③世宗自大定六年(1166年)后几乎每隔一年就要去山后的金莲川避暑,因此女真贵族在山后占地的情况可能是他亲眼所见。

　　山后土地兼并的一个突出的例子是纳合椿年。纳合椿年在海陵朝任参知政事,"冒占西南路官田八百余顷。大定中,检括田土,百姓陈言官豪占据官地,贫民不得耕种。温都思忠子长寿、椿年子猛安参谋合等三十余家凡冒占三千余顷"。④ 世宗也说:"前参政纳合椿年占地八百顷,又闻山西田亦多为权要所占,有一家一口至三十顷者,以致小民无田可耕,徙居阴山之恶地,何以自存?"⑤70年代在呼和浩特市东郊万部华严经塔发现的金代碑铭中,有"长寿谋尅庄"等村落的名字,此地金代属西南路招讨司丰州辖境,正是所谓的"山后",因为有人认为"长寿谋尅(克)"就是《金史·纳合椿年传》中提到的"温都思忠子长寿"(《金史·食货志》作"故太师耨盌温敦思忠孙长寿"),"长寿谋尅庄"即在其所占田土内招垦设佃而建立的村寨。⑥

---

①《金史》卷四七《食货志》(二)"田制"。
②《金史》卷七《世宗纪》(中)。
③《元史》卷一九九《隐逸传·张特立传》。
④《金史》卷八三《纳合椿年传》。
⑤《金史》卷四七《食货志》(二)"田制"。
⑥李逸友:《呼和浩特市万部华严经塔的金代碑铭》,《考古》1979年第4期。

海陵王时期移居中原的女真贵族,在此后转徙于各地的过程中,往往趁机多占土地。大定二十年(1180年),"诏故太保阿里先于山东路拨地百四十顷,大定初又于中都路赐田百顷,命拘山东之地入官";次年,世宗对臣僚说:"前徙宗室户于河间拨地处之,而不回纳旧地,岂有两地皆占之理,自今当以一处赐之。"①类似情况在当时相当普遍。而统治者对权贵们的土地兼并行为则每每予以姑息,章宗时官至宰相的完颜匡,"怙宠自用",承安间,"拨赐家口地土,匡乃自占济南、真定、代州上腴田,百姓旧业辄夺之,及限外自取。上闻其事,不以为罪,惟用安州边吴泊旧放围场地、奉圣州在官闲田易之,以向自占者悉还百姓"。② 完颜匡的土地兼并,就是在下文将要谈到的承安五年(1200年)的括地风潮中实现的。

除了土地外,对于猛安谋克户来说,奴婢数量往往更能反映他们的贫富差别。金朝建立之初,女真社会中贫富尊卑的差距尚不明显,但到了金代中期,情况就完全不同了,当时"一谋克内,有奴婢二三百口者,有奴婢一二人者",海陵王正隆年间任东京留守的完颜雍(即后来的世宗)拥有的奴婢竟多达万人,③可见贫富差距之一斑。大定二十二年至二十三年间(1182—1183年)对猛安谋克户的通检推排,就是为了改变"民之贫富变更,赋役不均"的状况而采取的一项勘定物力、调整赋役的措施。

第二、女真人的汉化和封建化改变了他们传统的生活方式,耽于逸乐的奢靡之风在女真社会中普遍滋生,尤其是迁居中原的

---

①《金史》卷四七《食货志》(二)"田制"。
②《金史》卷九八《完颜匡传》。
③《金史》卷四六《食货志》(一)"通检推排"。

那部分女真人更为明显。

女真人本以狩猎和农耕为生,生活质朴,不事奢华。但当他们迁入汉地之后,原有的生活方式很快就发生了变化。大定二十一年(1181年),世宗对朝廷臣僚所说的一段话清楚地表明了当时一般女真人的生活状况:"山东、大名等路猛安谋克户之民,往往骄纵,不亲稼穑,不令家人农作,尽令汉人佃莳,取租而已。富家尽服纨绮,酒食游宴,贫者争慕效之,欲望家给人足,难矣。近已禁卖奴婢,约其吉凶之礼,更当委官阅实户数,计口授地,必令自耕,力不赡者方许佃于人。仍禁其农时饮酒。"①《金史》里的类似记载屡见不鲜。当时中原各地的女真人,或者"以田租人,而预借三二年租课",或者"种而不耘,听其荒芜",②甚至靠出卖奴婢、出卖土地来维持其寄生生活。到了金代后期,女真人奢侈懒惰的生活积习更是臻于极致,陈规贞祐四年(1216年)写成的一篇奏议,称南迁的猛安谋克军户均为"游惰之人,不知耕稼,群饮赌博,习以成风"。③

生活在金源内地的女真人也同样染上了懒惰奢靡之风。大定二十四年(1184年)世宗巡游上京时,听说上京"宗室子往往不事生业",而女真官僚"随仕之子,父没不还本土,以此多好游荡"。④ 次年四月,世宗在离开上京时,十分伤感地对前来送行的宗室戚属们说:"太平岁久,国无征徭,汝等皆奢纵,往往贫乏,朕甚怜之。当务俭约,无忘祖先艰难。"⑤留居金源内地的女真人,相

①《金史》卷四七《食货志》(二)"田制"。
②《金史》卷四七《食货志》(二)"田制"。
③《金史》卷一〇九《陈规传》。
④《金史》卷七三《完颜宗尹传》。
⑤《金史》卷八《世宗纪》(下)。

对来说保存了较多的传统生活方式,而就连他们也已经开始走向贫困。

金代中后期女真人的普遍贫困化,就是上述趋势发展的必然结果。从《金史》中的有关记载来看,女真人贫困化的问题开始引起朝廷关注大约是世宗初年的事情。大定五年(1165年),有记载称"京畿两猛安民户不自耕垦,及伐桑枣为薪鬻之",①可见此时部分女真人的生活状况已经陷入困顿。又据同知西京留守事曹望之上疏朝廷称:"招讨司女直人户或撷野菜以济艰食,而军中旧籍马死则一村均钱补买,往往鬻妻子、卖耕牛以备之。"②这里说的是西京路境内西北、西南两招讨司所属的女真人户,他们的生活显然已到了无以为继的地步。

金代后期,女真人的生活状况愈益恶化,普通女真百姓自不必说,即便是某些女真贵族也处境维艰。如《归潜志》卷三云:"乌林答爽,字肃孺,女直世袭谋克也。……虽世族家,甚贫。……恶衣粝食恬如。"这并不是一个极端的例子,世宗之孙、被封为密国公的完颜璹,南渡后的生活也非常困窘,"客至,贫不能具酒肴,设蔬饭与之共食"。③ 连宗室近亲都如此境况,一般女真人便可想而知了。

在元杂剧《虎头牌》中,有一折戏非常生动地描绘了金代中后期女真人的绝对贫困化状况,而这一颇能说明问题的史料迄今为止还从未引起金史研究者的注意。《虎头牌》的作者李直夫,本名蒲察李五,是元代前期女真人。他在此剧中讲述了一个金代后期

①《金史》卷四七《食货志》(二)"田制"。
②《金史》卷九二《曹望之传》。
③《中州集》卷五《完颜璹小传》。

女真人社会的故事,由于故事发生的时代与作者相去不远,故剧中的历史背景是相当真实的。此剧主人公行枢密院事山寿马(女真人)有两位叔父,一称金住马,一称银住马,他们的祖上"是开国旧功臣",而到了他们这一代却变得一贫如洗。金住马怀念他早年的富贵生活时唱道:"往常我便打扮的别,梳妆的善:干皂靴鹿皮绵团也似软,那一领家夹袄子是蓝腰线。……我那珍珠豌豆也似圆,我尚兀自拣择穿,头巾上砌的粉花儿现,我系的那一条玉兔鹘是金厢面。"但他后来却一步步沦落到"无卖也那无典,无吃也那无穿,一年不如一年"的悲惨境地。当银住马被侄子山寿马授以金牌上千户(猛安),奉命前去镇守夹山口子时,金住马特地向他讨了一件旧棉袄以抵挡严寒。剧中的金住马是一个典型的女真破落子弟形象,他自称"我也曾有那往日的家缘、旧日的庄田,如今折罚的我无片瓦根椽、大针麻线","往常我幔幕纱幮在绣围里眠,到如今枕着一块半头砖土炕上,土炕上弯着片破席荐"。①这是今天我们所能看到的有关金代女真人贫困化状态的最详实的记录。

金代女真人和汉人的土地争端,金朝统治者对汉人土地的剥夺,就是在这样的历史背景之下发生的。

二、金朝的括地运动

金代前期,土地问题并没有成为一个十分引人注目的问题。尽管在从太宗至海陵王的数十年间,有数以百万计的猛安谋克人

①李直夫:《虎头牌》第二折,《元曲选》(二),中华书局1958年版。

口迁入中原定居,但当时中原各地尚有大量空旷土地可资利用,这些土地一部分是原辽宋两国的官地,而更主要的还是在长期的宋金战争中形成的无主荒地。宋金战争对中国北方的破坏是毁灭性的,据南宋人统计,靖康之役,淮河以北地区为金军蹂践残破者达180余州、875县。① 女真人对中原汉地的残酷征服使得北方地区人口锐减,同时在靖康之变后的移民大潮中,还有数百万北方汉民陆续迁往南方。笔者的相关研究结果表明,从靖康之变到海陵末年,中国北方人口减少了一半以上,即从760万户降至300余万户。② 因此,金代前期的中原地区存在大量的空旷土地,尤其是宋金战争的主战场河南、陕西、山东等地,"屡经兵革,人稀地广,蒿莱满野"。③ 这就使得女真移民的安置在当时比较容易。

但这并不意味着金代前期女真人和汉人在土地问题上就没有任何利益冲突。据南宋归正人张汇记载说:"金人之陷山东,多挞懒之力也。挞懒久居潍州,回易屯田,遍于诸郡,每认山东以为己有。"④山东在太宗天会八年(1130年)九月刘豫称帝之后就划归伪齐了,挞懒在山东回易屯田当然是在伪齐建立之前。所谓"回易屯田",大概是指用猛安谋克屯田军耕种的薄地来交换汉人租佃(或私有)的良田,——"交换"自然是强制性的。这正是后来世宗大定年间为解决女真人的贫困化问题而屡屡采取的一种手段。这条史料是关于女真人与汉人在土地问题上发生冲突的最早记载。

金代对汉人土地的掠夺主要是通过括地的形式进行的,正式

---

①谢采伯:《密斋笔记》卷一。
②详见本书《金代户口研究》一文。
③赵秉文:《保大军节度使梁公墓铭》,《闲闲老人滏水文集》卷一一。
④《三朝北盟会编》卷一九七,引张汇《金虏节要》。

的括地运动始于海陵朝。海陵正隆初,当来自金源内地的大批宗室、贵族涌入中原时,已感到土地不敷分配,遂于正隆元年(1156年)二月"遣刑部尚书纥石烈娄室等十一人,分行大兴府、山东、真定府,拘括系官或荒闲牧地,及官民占射逃绝户地,戍兵占佃宫籍监、外路官本业外增置土田,及大兴府、平州路僧尼道士女冠等地,盖以授所迁之猛安谋克户,且令民请射,而官得其租也"。①

　　此次括地范围包括中都大兴府、山东、河北西路真定府以及中都路平州,试将这些地方与正隆初南迁的宗室、贵族的迁入地做一对照,就可以看出此次括地的针对性是很明确的。据《金史·兵志》所载当时的迁入地为:太祖、辽王宗幹、秦王宗翰、右谏议乌里补之猛安,及太师勖、宗正宗敏家族,迁中都;斡论、和尚、胡剌等八猛安,迁山东;阿鲁家族,迁北京;按达族属,迁河北东路河间府。又《金史·按苔海传》云:"海陵时,自上京徙河间,土瘠,诏按苔海一族二十五家,从便迁居近地,乃徙平州。"这些迁入地与海陵遣使括地的地区是基本吻合的:按苔海一族本迁河间,不久又转徙于平州,故括地无河间府而有平州;阿鲁一族迁北京(今内蒙古宁城西),仍在塞外,其地土旷人稀,故不在括地之列;只有真定府算一个例外,虽在括地之列,却没有移民迁入的记录,可能是《兵志》疏略所致。总之,此次括地显然只是专为解决正隆初南迁的那批女真贵族的土地问题,而他们人数究竟有限,所以其规模与世宗、章宗时期的括地运动无法比拟,并且此次括地主要还是拘括闲置土地,似乎没有怎么触动汉族百姓所耕种的公私田地,故尚未造成严重的社会骚动。

　　世宗时,女真人的贫困化问题开始引起统治者的忧虑,大定

①《金史》卷四七《食货志》(二)"田制"。

间的括地运动、土地置换等措施，大都是以救济女真人为目的的。

大定初，尚书左丞完颜守道向世宗禀奏："近都两猛安，父子兄弟往往析居，其所得之地不能赡，日益困乏。"女真人传统的牛头地制度，是以"每耒牛三头为一具"，实行大家族聚居共耕。南迁中原后，由于所授土地分散，无法维持其传统的耕作方式，于是这也被认为是当时女真人日趋贫困的原因之一。世宗就此问题征询宰执们的意见，平章政事纥石烈良弼主张："必欲父兄聚居，宜以所分之地与土民相换易。虽暂扰，然经久甚便。"但尚书右丞石琚提出异议："百姓各安其业，不若依旧便。"最后世宗权衡的结果，"竟从良弼议"。① 从这件事可以看出，女真官僚和汉官在对土地问题的处置上完全是两种态度，显然他们都有各自的民族倾向性，而作为最高统治者的金世宗首先考虑的还是女真人的利益。

其实，大定初年对猛安谋克的土地调整恐怕还有另一层考虑。《金史·完颜思敬传》曰："初，猛安谋克屯田山东，各随所受地土，散处州县。世宗不欲猛安谋克与民户杂处，欲使相聚居之，遣户部郎中完颜让往元帅府议之。……其后遂以猛安谋克自为保聚，其田土与民田犬牙相入者，互易之。"《纥石烈良弼传》也有关于此事的记载："山东两路猛安谋克与百姓杂居，诏良弼度宜易置，使与百姓异聚，与民田互相犬牙者，皆以官田对易之。"世宗对山东猛安谋克的易置，除了使他们保持传统的耕作方式之外，似乎还是对女真人迅速汉化的一种防范措施，这种意图从"世宗不欲猛安谋克与民户杂处"、"使与百姓异聚"等词句中不难看出，并且这也符合世宗的一贯主张。

---

① 《金史》卷八八《纥石烈良弼传》。

综合文献记载可以断定,大定初期对猛安谋克的易置,对猛安谋克土地的调整,仍然只是在局部地区进行的,调整的手段似乎也还比较温和,与后来那种赤裸裸的土地掠夺是有所不同的。

当然这样的措施并不解决多少问题,随着女真人生活状况的日益恶化,金朝统治者终于开始在全国各地进行大规模的括地。大定十七年(1177年)六月,以"猛安谋克所给官地率皆薄瘠,豪民租佃官田岁久,往往冒为己业,……遣同知中都路转运使张九思往拘籍之"。世宗对遣官括地一事做了如下解释:"官地非民谁种,然女直人户自乡土三四千里移来,尽得薄地,若不拘刷良田给之,久必贫乏。"①此次括地的直接起因,据说是世宗在中都近郊围猎时,有猛安谋克民户向他诉苦,自称土地瘠薄,以致无法耕种。②世宗回朝后就对参知政事张汝弼等人说:"先尝遣问女直土地,皆云良田。及朕出猎,因问之,则谓自起移至此,不能种莳,斫芦为席,或斩刍以自给。卿等其议之。"宰执们商议的结果,请"拘官田在民久佃者与之",并"立限令人自陈,过限则人能告者有赏"。③于是世宗遂命张九思主持括地事务。

此次括地虽然声称只拘括民佃官田,但实际上却有大量汉族百姓的私田被括地官强取豪夺。《金史·张九思传》云:"诏检括官田,凡地名疑似者,如皇后店、太子庄、燕乐(子?)城之类,不问民田契验,一切籍之。"当时又有官员上书朝廷,"言民间冒占官地,如'太子务'、'大王庄',非私家所宜有",后经朝廷派人检核的结果,证明这些土地有许多"自异代已为民有"。④ 大定十九年

①《金史》卷四七《食货志》(二)"田制"。
②《金史》卷八三《张汝弼传》。
③《金史》卷四七《食货志》(二)"田制"。
④《金史》卷一二九《佞幸传·胥持国传》。

（1179 年），世宗曾对宰执谈到这个问题："朕闻括地事所行极不当，如皇后庄、太子务之类，止以名称便为官地，百姓所执凭验，一切不问。"大定二十二年（1182 年），世宗再次对此提出批评："工部尚书张九思执强不通，向遣刷官田，凡犯秦汉以来名称，如长城、燕子城之类者，皆以为官田。此田百姓为己业不知几百年矣。"①

为了对括地官妄取民田的做法稍加约束，世宗曾将张九思召回，向他明确交待括地范围："如辽时支拨地土，及国初元帅府拘刷民间指射租田，近岁冒为己业，此类当拘籍之。其余民田，一旦夺之则百姓失业，朕意岂如此也。"②世宗又反复向朝廷臣僚表白说："能使军户稍给，民不失业，乃朕之心也。"从以上记载来看，世宗似乎还在尽可能地维护汉族百姓的利益，但这却未必能够反映他的真实态度。大定二十一年（1181 年），御史台奏"大名、济州因刷梁山泊官地，或有以民地被刷者"，世宗听后就颇不以为然地说："虽曾经通检纳税，而无明验者，复当刷问；有公据者，虽付本人，仍须体问。"他在与参知政事梁肃谈及山东括地事时也公然说："虽称民地，然皆无明据，括为官地有何不可？"③实际上，即使是祖辈相传的私田也未必都有田契，尤其是经过金初的战乱之后，许多自耕农可能都已拿不出书面的凭据来了。故通检推排时，一般是由本家陈告，经坊村人户证实，就可以认可土地的私有权，但世宗对已经通检推排确认的私田竟也不肯承认，括地的苛酷于此可见一斑。

---

①《金史》卷四七《食货志》（二）"田制"。
②《金史》卷九〇《张九思传》。
③《金史》卷四七《食货志》（二）"田制"。

世宗的括地在某种程度上也有抑制土地兼并的作用,如纳合椿年等女真权贵在山后冒占官田的事情暴露之后,世宗就下诏曰:"除牛头地外,仍各给十顷,余皆拘入官。山后招讨司所括者,亦当同此也。"①但在括地风潮中受害的主要还是广大的汉族百姓,由于括地的重点是民佃官地,因此许多佃户在此次括地运动中沦为流民,而受害最深的莫甚于失去土地的自耕农,他们也不得不加入流民的队伍。

此次括地运动从大定十七年(1177 年)一直延续到大定二十一年(1181 年)。二十一年八月,"尚书省奏山东所刷地数",至此括地才算暂时告一段落。但仅仅过了一年,又有在河北、中都等路括地的记载,《金史·食货志》"田制"条大定二十二年九月下有云"先尝令俟丰年则括籍官地,至是岁,省臣复以为奏",于是再有括地之举。此后终世宗之朝,括地被作为救济贫困女真人的一个经常性措施,只是规模有限罢了。

与这次括地运动进行的同时,值得注意的是猛安谋克的动向。从大定十九年到二十三年(1179—1183 年),中原各路的猛安谋克进行了频繁的迁徙,②迁徙的目的主要就是为了更换土地,即用肥沃的耕地替代他们原有的相对比较贫瘠的土地。很明显,猛安谋克的迁徙与当时的括地运动是直接相关的。《金史·兵志》云:"当是时,多易置河北、山东所屯之旧,括民地而为之业,户颁牛而使之耕。"这段话清楚地说明了两者之间的关系。

世宗朝的括地运动给社会带来了巨大的震荡,在这种情况下,章宗不但不改弦更张,反而变本加厉。章宗朝的括地浪潮,不论是

①《金史》卷四七《食货志》(二)"田制"。
②迁徙的具体情况,请参看前揭三上次男《金代女真研究》,第 214—220 页。

其规模的大小,还是其苛酷的程度,较之以往都有过之而无不及。

 章宗时期最大的一次括地浪潮发生在承安五年(1200 年)。是年,“主兵者言:‘比岁征伐,多至败衄,凡以军事所给之地不足自赡,至有不免饥寒者,所以无斗志。愿括民田之冒税者分给之,则战自倍矣。’”①自明昌六年(1195 年)后,金朝不断遭到北方阻𩏂等部的侵扰,虽几次遣兵征讨,却多遭败绩,故将帅们认为问题的症结在于猛安谋克“屯田地寡,无以养赡”,所以缺乏斗志。括地之议得到了大多数朝臣的赞同,唯有汉官平章政事张万公极力反对,他上疏章宗,提出以下五条反对意见:

> 军旅之后,疮痍未复,百姓拊摩之不暇,何可重扰? 一也;通检未久,田有定籍,括之必不能尽,适足以增猾吏之弊,长告讦之风,二也;浮费俭用,不可胜计,推之以养军,可敛不及民而足,无待于夺民之田,三也;兵士失于选择,强弱不别,而使之同田而共食,振厉者无以尽其力,而疲劣者得以容其奸,四也;夺民而与军,得军心而失天下心,其祸有不胜言者,五也。

张万公还同时建议以过去所括的公田召民租佃,将其租入用于赡军,“则军有坐获之利,而民无被夺之怨矣”。② 然而他的意见没有得到章宗采纳,于是他以衰病为由请求退闲。

 此次括地在枢密使完颜宗浩的主持下进行,估计首先提出括地建议的“主兵者”就是指的宗浩。《金史·章宗纪》载:承安五年(1200 年)九月戊午,“命枢密使宗浩、礼部尚书贾铉佩金符行

①元好问:《平章政事寿国张文贞公神道碑》,《遗山集》卷一六。
②元好问:《平章政事寿国张文贞公神道碑》,《遗山集》卷一六。

省山东等路括地"。《金史·宗浩传》亦云:"会中都、山东、河北屯驻军人地土不赡,官田多为民所冒占,命宗浩行省事,诣诸道括籍。""行省"即行台尚书省的简称,它是一种临时性的中央派出机构,金代后期行省的设置相当普遍,但专为括地而设置行省,却是唯一的一次,由此可以看出朝廷对此次括地的重视程度。至于括地的范围,上引《章宗纪》只说是"山东等路",《宗浩传》也只笼统地提到中都、山东和河北。据《金史·食货志》称,泰和四年(1204年),"上闻六路括地时,其间屯田军户多冒名增口,以请官地"。这里说的"六路",除了中都路、山东东·西路和河北东·西路之外,我估计还有一路可能是指大名府路。大名府原为散府,正隆二年(1157年)才升为总管府路,金人所说的"河北",如果不是指的严格的行政区域,而是泛称的话,那么通常是包括河北东、西和大名府三路而言的。所以我想《宗浩传》说的"河北",也应该是包括大名府路在内的。

承安五年括地的结果,"凡得地三十余万顷",①这个数字是相当惊人的。根据漆侠先生的研究结果,北宋时全国各类官田总数仅32万余顷,②金代官田数量虽有所增加,但在经过世宗大定年间的大规模括地之后,居然又再次括出"官田"30余万顷,实在不能不令人感到惊讶。其实这个问题是不难理解的,当时人就一针见血地指出:"名曰官田,实取之民以与之。"③

此次括地的苛酷程度是空前的,直到许多年之后人们仍记忆犹新。贞祐三年(1215年)议括河南官地时,侍御史刘元规上疏

<hr>

① 《金史》卷九三《宗浩传》。
② 漆侠:《宋代经济史》(上),第340页,上海人民出版社1987年版。
③ 《金史》卷一○六《张行简传》。

反对,谓"向者河北、山东已为此举,民之茔墓井灶悉为军有,怨嗟争讼至今未绝",①说的就是承安五年括地的情况。不仅如此,在括地过程中还奸弊丛生,令广大百姓倍受其害。如当时"屯田军户多冒名增口,以请官地,及包取民田,而民有空输税赋、虚抱物力者"。②又如当时规定凡冒种官田者令其自首,"隐匿者没入官,告者给赏",莒州刺史因"教其奴告临沂人冒地,积赏钱三百万",后女奚烈守愚为临沂令,发现被括的"冒种官地"实际上都是百姓的私田,遂"列其冤状白州,州不为理,即闻于户部而征还之,流民归业"。③另外此次括地也并没有达到救济贫困女真人的目的,"如山东拨地时,腴田沃壤尽入势家,瘠恶者乃付贫户。无益于军,而民则有损"。④上文谈到完颜匡利用此次括地的机会在全国各地到处兼并土地,就是一个极好的例证。这种结果显然违背了金朝统治者的初衷。

承安五年(1200年)的括地运动何时结束,文献中缺乏明确交待,但有记载表明,在某些地方,直到五年之后括地余波仍未平息。泰和五年(1205年),张行简为顺天军(保州)节度使,"行简到保州,上书曰:'比者括官田给军,既一定矣,有告欲别给者,辄从其告,至今未已。……臣所管已拨深泽县地三百余顷,复告水占沙碱者三之二,若悉从之,何时可定?臣谓当限以月日,不许再告为便。'"此事后经尚书省议定,决定采取折衷方案,谓"如实有水占河塌不可耕种"者,则予以改拨。⑤另一个颇能说明问题的迹

---

① 《金史》卷四七《食货志》(二)"田制"。
② 《金史》卷四七《食货志》(二)"田制"。
③ 《金史》卷一二八《循吏传·女奚烈守愚传》。
④ 《金史》卷一〇七《高汝砺传》。
⑤ 《金史》卷一〇六《张行简传》。

象是，承安五年因括地而建置的行省，似乎也存在了很长时间。《金史·章宗纪》中有如下两条史料：泰和四年（1204年）四月，"行尚书省奏，宋贺正使还至庆都卒（按：庆都县隶属于河北西路中山府）"；又泰和五年（1205年）八月，时边将遣谍入宋刺探军情，"皆言宋之增戍，本虞它盗，及闻行台之建，益畏詟不敢去备"。有研究者认为，上述两条史料中所说的"行尚书省"和"行台"，都是指宗浩所建置的行省。① 那么，这就意味着为括地而设的行省到泰和四五年尚未撤销。

章宗朝的括地运动，见诸记载的主要就是这一次。但除此之外，可能在局部地区还有过若干次括地之举。《金史·章宗纪》和《食货志》都有明昌六年（1195年）正月"罢陕西括地"的记载，陕西括地何时开始、详情如何，均不得而知，仅从元好问撰写的《杨府君墓碑铭》中，可以对陕西括地的情况多少有一点了解：

> （杨振）弱冠仕州县为属掾。复兴郡王括陕西民田日，知公名，选之以从，甚信重之。公因为王言："军与民，皆吾人，夺彼与此，其利安在！"王叹曰："我正以此获罪，今日之役，再命也，掾吏尚何言哉。"事将竟，吏有具濒山民姓名，欲一切以盗耕当之者，公谓同列曰："夺人之田，又诬以罪，岂朝廷意耶。"吏乃止。②

就这段记载来看，陕西括地之刻薄，与承安五年的括地并无二致。

贞祐二年（1214年），宣宗迫于蒙古的军事压力而迁都南京

---

①景爱：《金代行省考》，《历史地理》第9辑，上海人民出版社1990年版。
②元好问：《杨府君墓碑铭》，见杨奂《还山遗稿》附录，《适园丛书》本。

（开封），同时将黄河以北的猛安谋克军户大批迁往河南。次年七月，"以既徙河北军户于河南，议所以处之者"，宰执们大都主张先以官田及牧地分给之，待秋收后派人括取民佃官田。由于太常丞石抹世勣和侍御史刘元规上疏反对，此事才暂且搁置下来。不久，因涌入河南的猛安谋克军户越来越多，总数几达百万，于是括地之议又起，当时主要有两种意见，一是提高官田租率，二是括取官田以给军户。参知政事高汝砺极力主张前者，他向宣宗陈述其理由说："河南民地、官田，计数相半。又多全佃官田之家，坟茔、庄井俱在其中，率皆贫民，一旦夺之，何以自活。……惟当倍益官租，以给军粮之半，复以系官荒田、牧马草地量数付之，令其自耕，则百姓免失业之艰，而官司不必为厉民之事矣。"①另外一方面，由于当时南迁的猛安谋克军户率皆"游惰之人，不知耕稼"，朝廷遣人询其意向，皆曰"得半粮犹足自养，得田不能耕，复罢其廪，将何所赖"。② 在这种情况下，宣宗才采纳了高汝砺的意见，括地终究没有实行。

三、土地争端与民族矛盾

金代前期，民族矛盾的焦点是女真人与南人（即北宋遗民）的矛盾。根据南宋人所总结的金初五个民族等级的状况，南人位居最下一等。③ 靖康耻、亡国恨，是南人与征服者之间矛盾的主要症

---

① 《金史》卷一〇七《高汝砺传》。
② 《金史》卷四七《食货志》（二）"田制"。
③ 金初的五个民族等级是女真、渤海、契丹（奚）、汉人、南人，见《三朝北盟会编》卷九八引赵子砥《燕云录》。

结所在。然而当宋金双方订立绍兴和议,两国由战争转入和平之后,女真人与南人的矛盾便不再像过去那么尖锐了,南人的地位也有了明显的提升。更何况从北宋过来的那一代遗民日渐殂谢,年轻的一代自幼生活在女真政权之下,民族情绪远远不像他们的前辈那么强烈。被金人羁留多年的宋使洪皓对此深有感触,他在绍兴十三年(1143年)南归时途经河北,当地父老就曾指着一群青年对他感叹道:"是皆生长兵间,已二十余矣,不知有宋。"①随着时间的推移,原有的民族矛盾淡化了,而女真人与汉人的土地争端则成为金代中后期民族矛盾的一个新的生长点。

如前所述,金代在全国范围内实施大规模的括地是大定十七年(1177年)以后的事情,但是女真人与汉人之间的土地争端却由来已久。《金史·李石传》曰:"山东、河南军民交恶,争田不绝。有司谓兵为国根本,姑宜假借。石持不可,曰:'兵、民一也,孰轻孰重?国家所恃以立者纪纲耳,纪纲不明,故下敢轻冒。惟当明其疆理,示以法禁,使之无争,是为长久之术。'趣有司按问,自是军民之争遂息。"李石大定间先后任参知政事、尚书令,上面记载的这件事不知发生在何时,但我们知道李石卒于大定十六年(1176年),所以此处所说的军民争田、相互交恶的情况肯定是在世宗括地之前。对于女真人和汉人的土地纠纷,显然朝廷上是有人偏袒女真人的,但身为渤海人的李石态度还算公正。

又据《金史·曹望之传》,曹在同知西京留守事任上时,曾上疏朝廷,"论山东、河北猛安谋克与百姓杂处,民多失业",同时他还建议说:"陈、蔡、汝、颍之间土广人稀,宜徙百姓以实其处,复数年之赋以安辑之。……州县与猛安事干涉者无相党匿,庶几军民

---

① 洪适:《先君述》,《盘洲文集》卷七四。

协和,盗贼弭息。"身为汉官的曹望之话虽说得比较委婉,但从中不难看出猛安谋克与民争地,致使百姓流离失所的事实;又"州县与猛安事干涉者无相党匿"云云,似乎也是在暗示有人祖护猛安谋克。曹望之任同知西京留守事是在他大定十二年(1172年)担任户部尚书之前,因此这篇奏议反映的猛安谋克与州县百姓争地的情况无疑也是大定前期的事情。

大定以后,女真人与汉人的土地争端发展成为一个带有普遍性的社会问题,土地争端已不仅仅限于中原各路,就是在东北地区,猛安谋克与州县汉民也常常为土地纠纷而发生争讼。明昌元年(1190年),提点辽东路刑狱王寂出巡辽东各地,是年三月庚申,至咸平府荣安县,"以军民田讼未判为留再宿"。[①] 另外王寂《拙轩集》卷二有一首题为《被檄平田讼,投宿兔山院留题》的五言律诗,也是他在辽东提刑任上的作品。又《拙轩集》卷一的一首七言,诗题为《漕副刘师韩自辽西按田讼回,仆率僚友迎劳于郊》,按章宗时辽东路转运司辖有东京、咸平、上京三总管府路,置司东京路辽阳府,而辽东路提刑司亦置司辽阳,所以我估计这首诗也应该作于王寂明昌间任辽东提刑之时。可见章宗时期女真人与汉人的土地之争已相当频繁。

在论及金代的土地争端时,还有一个问题值得我们注意,这就是女真人的围场和牧地。女真族虽然在建国之前已经有了农业,但传统的狩猎仍是他们经济生活中的一个重要支柱。当女真人进入中原之后,尽管生活方式有了很大改变,狩猎不再是一种必要的经济手段,但他们仍旧乐此不疲,时人谓"虏人无他技,所

---

① 王寂:《辽东行部志》,《辽海丛书》本。

喜者莫过于田猎"。① 从女真人的皇帝到普通女真百姓,秋冬时节的围猎活动都是必不可少的。于是围场就成为女真人和汉人发生土地争端的一个重要因素。

所谓"围场",是专用于女真人围猎的场所,《金史》中屡屡见到像"禁侵耕围场地"之类的诏令。山后是金朝皇帝捺钵的主要场所,世宗时,右谏议大夫移剌子敬谓"山后禁猎地太广,有妨百姓耕垦"。② 不仅捺钵围猎要占用大量田地,就连从都城至捺钵的沿途道路两侧也都被辟为猎地,世宗曾对臣僚说:"往岁清暑山西,近路禾稼甚广,殆无畜牧之地,因命五里外乃得耕垦。"③大定二十年(1180 年),世宗前往山后的金莲川驻夏,觉得沿途的耕地妨碍了游幸,遂下诏括地:"白石门至野狐岭,其间淀泊多为民耕植者,而官民杂畜往来无牧放之所,可差官括元荒地及冒佃之数。"④

对于一般女真百姓来说,围猎是他们习武的主要手段。大定二十六年(1186 年),世宗谓"西南、西北两路招讨司地隘,猛安人户无处围猎,不能闲习骑射"。⑤ 金朝统治者对女真人的围猎活动相当重视,以至于不惜圈占大量耕地用作围场。《金史·完颜齐传》曰:"先是,复州合厮罕关地方七百余里,因围猎,禁民樵捕。齐言其地肥衍,令赋民开种则公私有益。上然之,为弛禁。即牧民以居,田收其利。"复州合厮罕关位于辽东半岛(今辽宁金县附近),这里本是农耕区,而居然有七百多里地被占为围场,于此可

---

① 《三朝北盟会编》卷二四四,引张棣《金虏图经》。
② 《金史》卷八九《移剌子敬传》。
③ 《金史》卷六《世宗纪》(上)。
④ 《金史》卷四七《食货志》(二)"田制"。
⑤ 《金史》卷八《世宗纪》(下)。

见围场的规模之大,占地之多。

女真人的牧地对耕地的蚕食也不可忽视。章宗明昌三年(1192年)六月,尚书省奏:"南京、陕西路提刑司言,旧牧马地久不分拨,以致军民起讼,比差官往各路定之。凡民户有凭验已业,及宅井坟园,已改正给付。……两路牧地,南京路六万三千五百二十余顷,陕西路三万五千六百八十余顷。"①这段史料反映了牧地对汉族百姓的侵害,人们的私田乃至宅井坟园都被圈占为牧地,当然也就难免"军民起讼"了。其实,在河南、陕西这些传统的农业区内存在这样大量的牧地,本来就是不正常的现象。另外,女真人的畜牧活动也经常恣意侵害民田,据《金史·食货志》记载,大定间,"民桑多为牧畜啮毁,诏亲王公主及势要家,牧畜有犯民桑者,许所属县官立加惩断"。金代文献中常常可以见到女真人牧马糟践民田的记载,想必这是一种极为普通的现象。

女真人和汉人在有关土地问题上的种种矛盾和冲突,使得这两个民族之间的关系日趋紧张。到了金代后期,如何纾解猛安谋克与州县百姓的矛盾,便成了一个令金朝统治者非常头疼的问题。明昌三年(1192年),章宗曾"以军民不和、吏员奸弊,诏四品以下、六品以上集议于尚书省,各述所见以闻"。② 宣宗贞祐三年(1215年)殿试进士时,向新科进士刘炳提出四个最关紧要的现实问题,其中之一便是"兵民杂居,何道可和?"刘炳对以"兵不侵民则兵民和"。③ 哀宗时"以六事课县令",六事指"田野辟、赋税均、军民和、户口增、盗贼息、狱讼止",④"军民和"被列为考核县

①《金史》卷四七《食货志》(二)"田制"。
②《金史》卷九《章宗纪》(一)。
③《金史》卷一〇六《刘炳传》。
④《汝南遗事》卷四"总论"。

令政绩的一项重要内容。

自章宗时起，金朝统治者为缓和女真人和汉人之间的紧张关系，采取了一些不寻常的措施。本来金朝为了防止女真人的彻底汉化，一向是不允许猛安谋克和州县民户通婚的，但明昌二年（1191 年）解除了这一禁令，是年四月，"尚书省言：'齐民与屯田户往往不睦，若令递相婚姻，实国家长久安宁之计。'从之"。① 很显然，金朝政府试图以鼓励异族通婚的手段来调和日益尖锐的民族矛盾，但此次开禁可能还只是权宜之计。泰和六年（1206 年）十一月，"屯田军户与所居民为婚姻者听"，②正式宣布开放猛安谋克与州县汉民之间的婚姻。

然而，所有这些努力几乎都是徒劳的。世宗、章宗时期两次大规模的括地运动在女真人与汉人之间制造了无法弥合的裂痕，尤其是承安五年由宗浩主持的六路括地，令广大汉族百姓对女真人生出刻骨仇怨。直到宣宗南迁以后，人们在谈起这次括地所带来的严重后果时，仍说州县汉民与猛安谋克"互相憎疾，今犹未已"；③"怨嗟争讼，至今未绝"。④ 贞祐二年（1214 年），就在承安五年括地浪潮中深受其害的山东，爆发了声势浩大的红袄军起义，在探讨红袄军起义的原因时，下面这段史料经常为人们所引用：

> （山东）盗贼充斥，互为支党，众至数十万，攻下郡邑，官
> 军不能制。渠帅岸然以名号自居，仇拨地之酷，睚眦种人，期

① 《金史》卷九《章宗纪》（一）。
② 《金史》卷一二《章宗纪》（四）。
③ 《金史》卷一○七《高汝砺传》。
④ 《金史》卷四七《食货志》（二）"田制"。

必杀而后已。若营垒,若散居,若侨寓托宿,群不逞哄起而攻之,寻踪捕影,不遗余力,不三二日,屠戮净尽,无复噍类,至于发掘坟墓,荡弃骸骨,在所悉然。①

这段文字对于我们认识和理解红袄军起义的确很有帮助。文中所说的"种人"就是指在金朝居于统治地位的女真人,所谓"仇拨地之酷,睚眦种人"云云,清楚地说明了土地问题正是导致这次起义的根本原因,在括地运动中失去土地的汉族人民,把主要的斗争矛头指向女真人,指向猛安谋克村寨。②

红袄军起义虽然没有能够推翻金王朝的统治,但它大大加剧了金末的社会危机,激化了民族矛盾,对于金的国运兴衰实在是有着不可估量的影响。从这个角度来说,女真人与汉人的土地争端诚如元好问所言,是乃"系于废兴存亡者",元好问在谈到宗浩括地时,对它带来的严重后果给予了充分的估量:"武夫悍卒倚国威以为重,山东、河朔上腴之田,民有耕之数世者,亦以冒占夺之。兵日益骄,民日益困,养成痛疽,计日而溃。贞祐之乱,盗贼满野,向之倚国威以为重者,人视之以为血仇骨怨,必报而后已,一顾盼之顷,皆狼狈于锋镝之下,虽赤子不能免。……其祸果有不可胜言者。"③作为一位金朝士大夫,元好问的认识堪称鞭辟入里。

---

① 元好问:《临淄县令完颜公神道碑》,《遗山集》卷二八。
② 关于红袄军起义与土地问题的关系,请参看乔幼梅《猛安谋克在中原的土地占有制与红袄军起义》,载《中国农民战争史研究集刊》第4辑,上海人民出版社1985年版。
③《遗山集》卷一六《平章政事寿国张文贞公神道碑》。

四、余论

金朝的括地运动以及女真人和汉人的土地争端,与清初的圈地运动有着诸多的相似之处。两者相比较而言,可以认为金朝的括地运动有以下三个特点:

(一)时间长。清顺治元年(1644年)入都北京后,为了解决八旗官兵的生计问题,决定在北京附近圈占土地,遂于顺治元年十二月、二年九月和四年正月三次颁布圈地令。由于圈地激化民族矛盾,并造成一系列社会问题,顺治四年三月便首次颁布了停圈令,此后圈地虽未完全停止,但规模已很有限,康熙八年(1669年)后圈地基本结束。再看金朝的括地运动,从海陵王正隆初至章宗朝,时间长达半个世纪以上,而女真人和汉人发生土地争端的历史则还要长得多,几乎与金源一朝相始终。

(二)范围广。清初的圈地范围主要在近京三五百里内的顺(天)、永(平)、保(定)、河(间)直隶北四府四十二州县;而金世宗至章宗时期大规模的括地运动几乎遍及长城以南的整个中原地区,长城以北地区也不乏括地的记载,至于女真人与汉人的土地争端更是无处不有。

(三)数量多。清初圈地运动所圈占的土地总数,目前学术界有不同的估计,大致有十六万余顷、十九万余顷和二十四万余顷三种说法。① 金朝的括地运动,拘括的土地总数已不可查考,但仅

---

① 按二十四万余顷一说,是包括投充土地在内的。参阅李华《清初的圈地运动及旗地生产关系的转化》,《文史》第8辑,1980年。

章宗承安五年一次括地,就拘占土地三十余万顷,比清初圈地的总数还要多。

综上所述,我们可以得出这样一个结论,即括地运动之于金朝历史,远比圈地运动之于清朝历史的影响要广泛和深刻得多。而目前学术界对这一问题的研究与它的重要性是很不相称的。

原载《中国经济史研究》1996 年第 4 期

金代"通检推排"探微

　　通检推排是金代经济史上一个为人瞩目的问题。金代赋役制度的发展演变明显地呈现为前后两个阶段,前期(太祖至海陵王)以杂采宋辽旧制为主,没有建立统一的制度和规范;世宗即位以后,鉴于以前赋役标准的混乱以及由此而造成的役法的种种流弊,改以物力为摊派赋役的统一尺度,而通检推排就是确定物力的关键措施。相对于这个问题的重要性而言,目前学术界对它的研究是很不够的。80 年代初,有人曾著文对金世宗实行通检推排的社会背景与社会效果进行过探讨,[①]但关于这一制度的具体实施情况、发展演变过程以及它在金代赋役制度中的作用等问题,都还有待于进一步研究。本文将对这些问题作一初步的探索,力图为金代经济史的研究提供一点新的认识。

一

　　关于"通检推排"一词的含义,人们目前还有不同的理解,这

---

①赵光远:《试论金世宗对州县民户的通检推排》,《中央民族学院学报》1981
　　年第 2 期;《再论金代的"通检推排"》,《辽金史论集》第 1 辑,上海古籍出
　　版社 1987 年版。

种认识上的歧异主要源自《金史》记载的混乱,《金史·食货志》"通检推排"中说:"通检,即《周礼·大司徒》三年一大比,各登其乡之众寡、六畜、车辇,辨物行征之制也。"这里将"通检"与"三年一大比"混为一谈,已属不妥,而《食货志序》在谈到金代户籍制度时又说:"有司始以三年一籍,后变为通检,又为推排。"这句话最易给人造成概念上的混乱,似乎"通检"与"推排"是先后实行的两种形式及内容有所不同的措施,今人的种种误解皆由此而来。

综合金代文献的记载,对"通检推排"的正确解释应该是:"推排"是指调查核实民户的户口、物力状况,然后据此征派赋役;由中央政府进行的全国性的推排就称为"通检推排",简称"通推"。金代的通检推排只实行于世宗、章宗两朝,但局部地区的推排章宗后仍时有所见,这个问题留待下文再讨论。至于通检推排与"三年一籍"的关系,还须在此略加辨别。金代户籍制度的定制是三年一籍,它所调查的只是户口状况,并不涉及物力,世宗大定四年(1164年)创立通检推排之制后,三年一籍户口的制度并没有因此而被废弃。三年一籍户口与定期举行的通检推排本是两种不同目的、不同内容、不同形式的制度,前者是户籍制度的组成部分,后者是赋役制度的组成部分,通检推排的内容虽然也包括户口,但其主要目的还是调查核实民户的物力状况,因为金代的赋役不是依附在丁口上,而是依附在物力上。《金史·食货志》将通检推排与三年一籍户口相提并论,容易给人造成它们之间是一种替代关系的错觉,而事实上它们却是两项并行不悖的制度。

金代的通检推排制度始创于世宗大定四年(1164年),其中针对州县民户的通检推排,在世宗大定四年至五年(1164—1165年)、十五年(1175年)、二十六年至二十七年(1186—1187年)和章宗承安二年至三年(1197—1198年)、泰和八年(1208年)共进行过五次,对猛安谋克户的通检推排,只在大定二十二年至二十三年间(1182—1183年)进行过一次。每次通检推排,均由朝廷派出特使前往各路,专门负责此项工作。日本学者小川裕人在一篇研究金代物力钱的论文中,曾将实施通检推排的行政系统列表加以显示,①兹转载如下:

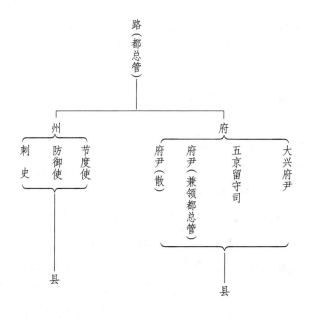

　　此表对州(府)、县两级行政系统的显示无疑是正确的,但通检推排是否按照总管府路的系统进行,却是一个值得讨论的问题。金代的路制共分为三套系统,其一是总管府路,《金史·地理志》记载的就是这套路制,这也是最为人们熟悉的金代行政系统,世宗时全国共分十九路,大定末增置凤翔路为二十路,章宗时省

---

①《关于金代的物力钱》(上),《东洋史研究》5卷6号,1940年。

并临潢府路,复为十九路;其二是转运司路,共分为十三路,辖境与总管府路互有出入;其三是按察司路,始置于章宗大定二十九年(1189 年),共分九路。虽然任何文献材料都没有提到通检推排是按哪套路制的系统进行的,但从《金史》对历次通检推排的记载中,我们可以看出一些带有规律性的东西。

大定四年(1164 年)第一次通检推排时,世宗"遣信臣泰宁军节度使张弘信等十三人,分路通检天下物力而差定之"。①

大定十五年(1175 年)第二次通检推排时,"遣济南尹梁肃等二十六人分路推排"。②

大定二十六年(1186 年)第三次通检推排时,"遣吏部侍郎李晏等二十六人分路推排诸路物力"。③

泰和八年(1208 年)第五次通检推排,"以吏部尚书贾守谦、知济南府事蒲察张家奴、莒州刺史完颜百嘉、南京路转运使宋元吉等十三员,分路同本路按察司官一员,推排诸路"。④

又《金史·食货志》记载承安间第四次通检推排的结果云:"(承安)三年九月,奏十三路籍定推排物力钱。"

上述记载表明,通检推排并非是像小川氏所认为的那样按总管府路的系统进行的,因为每次通检推排所派出的特使不是 13人就是 26 人,与总管府路的 19 路或 20 路都不相吻合,而显然是与 13 个转运司路之间存在着某种联系;可以这么认为,若每路派一人则为 13 人,若每路派两人则为 26 人。承安三年"奏十三路

①此据《金史·食货志》。又《金史·世宗纪》称"张弘信等二十四人",疑"二十四"当为"二十六"之误,说详下文。
②《金史》卷四六《食货志》(一)。
③《金史》卷八《世宗纪》(下)。
④《金史》卷四六《食货志》(一)。

籍定推排物力钱"的记载更是一个明证,所谓"十三路"显然就是指转运司路。除此之外,还有一些旁证材料也有助于说明这个问题。《金史·梁肃传》云:"(大定)四年,通检东平、大名两路户籍物力,称其平允。……朝廷敕诸路以东平、大名通检为准。"东平是山东西路总管府的治所,大名是大名府路总管府的治所,梁肃一人怎么会兼管两路的通检推排呢? 据范成大《揽辔录》,①山东西路转运司辖有山东西、大名府两总管府路,置司东平。这就是梁肃"通检东平、大名两路"的原因。又《金史·食货志》云:"大定元年,命陕西路参用宋旧铁钱。四年,浸不行,诏陕西行户部并两路通检官详究其事。"这里值得注意的是"陕西……两路通检官"的字样,陕西若以总管府论,共分设京兆府路、凤翔路、鄜延路、庆原路、临洮路等五路,但转运司路却只分东、西两路而已,所谓"两路通检官",毫无疑问就是指的转运司路。

以上种种,足以证明通检推排是通过转运司路实施的。金代的转运司路迄今对研究者们来说还比较陌生,《金史》只是在《百官志》的一条小注中提到 13 路转运司的名称,甚至连它们的辖境都没有记载。从转运司路所行使的通检推排职能来看,我们有必要对它在金代的地位和作用重新加以认识。

通检推排的具体实施步骤,自世宗时起就形成了一套比较固定的程序。大定四年(1164 年)初行通检推排时,"凡规措条理,命尚书省画一以行"。② 民户物力的勘定,大致是以"本家陈告,集坊村人户推唱"为主,③然后再由推排官在此基础上核实多寡,

①见《三朝北盟会编》卷二四五。
②《金史》卷四六《食货志》(一)。
③《金史》卷四六《食货志》(一)。

据实申报。为防止推排官与地方豪民沆瀣一气,纳贿作弊,专门制定了"推排受财法"。① 这套规制为后来的历次通检推排所沿用,章宗承安二年(1197年)第四次通检推排时,左谏议大夫高汝砺就曾上奏建议"预令有司照勘大定四年条理,严立罪赏,截日立限,关防禁约",②可见大定四年的"条理"是行之有效的。

二

　　世宗初行通检推排之时,主要是为了改变自海陵王以来"民之贫富变更,赋役不均"的状况,当时并没有将通检推排作为一项调整赋役的经常性措施长期实行下去的意思,但随着赋役标准的统一,以勘定物力为主要目的的通检推排便成了金代赋役制度中一项不可或缺的措施。大定以后,通检推排逐渐制度化,制度化的一个重要标志就是定期举行,即"大率每十年一次"。③

　　世宗朝的首次通检推排于大定四年(1164年)十月开始,后因通检不均,又于次年重新进行了调整。第二次通检推排于大定十五年(1175年)九月开始,与上次间隔十一年。但就在大定二十二年(1182年)对猛安谋克进行通检推排之时,世宗即欲再次通检州县民户,宰执张汝弼、梁肃都觉得通检推排似毋需频繁进行,梁肃阐述其理由说:"小民无知,法出奸生,数动摇则易骇。如唐、宋及辽时,或三二十年不测通比则有之。频岁推排,似为难尔。"④结果这次通

---

①《金史》卷一〇七《高汝砺传》。
②《金史》卷一〇七《高汝砺传》。
③《廿二史札记》卷二八"金推排物力之制"。
④《金史》卷四六《食货志》(一)。

检推排被推迟了。从这件事可以看出,定期推排的制度此时尚未形成。第三次通检推排后来到大定二十六年(1186年)才进行,是年八月,"尚书省奏,遣吏部侍郎李晏等二十六人分路推排诸路物力,从之"。① 而推排工作正式开始大概还是在九月。这次通检推排与上次的间隔期也是十一年。

定期推排的制度至章宗朝才最后形成。《金史·食货志》云:"承安元年,尚书省奏,是年九月当推排,以有故不克。诏以冬已深,比事毕恐妨农作,乃权止之。"承安元年(1196年)距大定二十六年(1186年)正好十年,而尚书省称"是年九月当推排",可见以十年为期的规定至此已得到了明确。所谓"有故"者,是指右丞相完颜襄是年夏率兵北攻阻鞯,致通检推排未能如期举行,遂被推迟到次年十月。最后一次通检推排于泰和八年(1208年)九月开始进行,时距承安二年(1197年)的推排也已相隔十一年,但这并不影响定期推排作为一种规定而存在。就在这次通检推排开始之前,章宗还对贾守谦等推排官说:"卿等各宜尽心,一推之后,十年利害所关。"②显见十年之期的规定是明确的。宣宗时,朝廷大臣上疏,谓"国朝自大定通检后,十年一推物力",③这反映了金人对定期推排的概念。总之,十年之期的规定是肯定存在的,只是在实际执行过程中往往不那么严格罢了。

定期举行的含义不仅仅是指以十年为期。通检推排自始创以来,每次照例都是在九月或十月开始进行,这样的时间安排主要是为了利用冬闲而不致影响来年的农作,承安元年(1196年)

---

① 《金史》卷八《世宗纪》(下)。
② 《金史》卷四六《食货志》(一)。
③ 《金史》卷一〇七《高汝砺传》。

的通检推排之所以被取消,就是因为错过了这个时机的缘故。但是每次通检推排的最终结果往往都要到次年的八九月间才能产生,这可能是因为层层申报需要一个较长的过程。

通检推排制度化的另一个方面,表现在对民户物力的"随时推收"。金代的物力范围很广,几乎包括一切动产和不动产,民户的田亩、房宅等产业经通检推排核定物力后,如有产权变化,理应对其物力随时进行增减,因为这关系到相应的赋役由谁来承担的问题。但在世宗时期对这类问题的处理并没有任何明确的规定,虽然大定间宰执张汝弼、梁肃曾说过"天下民户通检既定,设有产物移易,自应随业输纳"这样的话,①但这只是反映了他们的一种主张,而实际上则是无章可循的,故难免会有"空输税赋、虚抱物力"的现象存在。② 因此民间在进行土地、房产交易时,一般都要对与这些产业相关的赋役达成专门的协议,从今存大定二十八年(1188 年)怀州修武县七贤乡马坊村马愈男马用、马和卖地文契中,可以见到这样的一种协议内容:"据钱、业主对目商议定:所有地内差税、物力实钱,照依通检去马愈户下贮脚供输。"③这是由于缺乏相应的法规而不能不如此申明的。

章宗时,鉴于这种法规不健全的状况,为了对民户的物力变化做出及时的反应,制定了"人户物力随时推收法"。《金史·食货志》云:"泰和二年闰十二月,上以推排时既问人户浮财物力,而又勘当比次,期迫事繁,难得其实,敕尚书省定人户物力随时推收法,令自今典卖事产者随业推收,别置标簿,临时止拘浮财物力以增减

①《金史》卷四六《食货志》(一)。
②《金史》卷四七《食货志》(二)。
③《金石萃编》卷一五八《真清观牒》。

之。"由于通检推排十年才进行一次，其间的物力变化若不及时加以变更，势必出现赋役不均的现象。泰和二年(1202年)制定的这项法令，对民户物力中的不动产的产权移易问题有了明确的处理办法，遂使"随业输纳"不再成为一句空话。但这项法令刚出台时并未得到认真的执行，泰和五年(1205年)六月，"签南京按察司事李革言：'近制，令人户推收物力，置簿标题，至通推时，止增新强、销旧弱，庶得其实。今有司奉行灭裂，恐临时冗并，卒难详审，可定期限，立罪以督之。'遂令自今年十一月一日，令人户告诣推收标附，至次年二月一日毕，违期不言者坐罪。且令诸处税务，具税讫房地，每半月具数申报所属，违者坐以怠慢轻事之罪。仍敕物力既随业，通推时止令定浮财"。[1] 为了使"随时推收"不流于形式，除了限期立罪，令业主自报增置产业外，还通过税务系统监察房地产业的产权移易，这是一个切实有效的措施，因为土地的租税和房宅的商税一般来说不太容易逃避，容易被忽略的是附加在这些房地物力上的赋役。上述措施使得物力的推排渐趋严密，有利于赋役的相对均平。

　　章宗时为完善通检推排制度而进行的另一项创造，是对遭受兵祸及灾荒的地区随时遣使推排，根据受灾的情况酌减物力。《金史·食货志》记载了三件这样的例子：大定二十九年(1189年)九月，"以曹州河溢，遣马百禄等推排遭垫溺州县之贫乏者"；明昌元年(1190年)，"尚书户部言，中都等路被水，诏委官推排，比旧减钱五千六百余贯"；泰和五年(1205年)，"以西京、北京边地常罹兵荒，遣使推排之。旧大定二十六年所定三十五万三千余贯，遂减为二十八万七千余贯"。这里说的"减钱"是指减少物力钱的定额，但更为重要的是，这部分物力和物力钱应承担的赋役

──────────

[1]《金史》卷四六《食货志》(一)。

也将相应地被蠲免。章宗明昌六年(1195年),全国实收物力钱260万余贯,比大定二十六年(1186年)通检推排所定的原额少了42万贯,就是历年减免的结果。这一措施弥补了定期推排的不足,是对通检推排之制的一个必要补充。

三

金朝的最后一次通检推排是在章宗泰和八年(1208年)进行的,三年后,蒙古拥兵南下,黄河以北地区陷入连年的战乱之中,自此以后就再也不可能进行全国性的通检推排了。金代后期的赋役制度仍基本承袭世宗以来的规制,以物力为统一的赋役标准,而越是在战乱频仍的时候,物力的变化就越大,为了求得赋役的相对均平,就不能不对民户的物力状况进行相应的调整,在这种情况下,推排物力更显得必要。章宗以后,虽然定期的通检推排不再进行,但以均平赋役为目的的推排物力的措施并未完全废止,各地州县往往根据其具体情况,不定期地对民户的物力状况进行调查核实,其推排物力的具体方法和手段可能各有千秋,但其性质可以说与通检推排并无二致。

从现存金源文献中有关金代后期推排物力的记载来看,调整赋役的工作多是由州县地方官自主进行的。卫绍王时,张公理为寿张主簿,“时北鄙用兵,科役无适从,公差次物力为鼠尾簿,按而用之,保社有号引,散户有由帖,揭榜于通衢,喻民以所当出,交举互见,同出一手,吏不得因缘为奸,自是为县者皆取法焉”。[1] 这条

---

①元好问:《资善大夫吏部尚书张公神道碑铭》,《遗山集》卷二〇。

史料没有明确的年代,从上下文内容来看,当是卫绍王大安末至崇庆间(1211—1212 年)事,时值蒙古南下,金朝边境频频告警,文中所称"北鄙用兵"显然就是指此而言的。此时距泰和八年(1208 年)的通检推排虽才不过三数年,但由于战争时期的额外差发异常频繁,百姓负担远远重于平时,如果不掌握民户物力的变化情况,赋役不均的问题就会显得非常突出。张公理不以通检推排的旧籍为准,而是重新核定物力并编次鼠尾簿,然后在此基础上摊派赋役。所谓"鼠尾簿",是指按民户物力高低依序编排的一种簿籍,宛如老鼠尾巴由粗而细一样,故有此名。张公理的这一创举是对通检推排的继承和变革,由于它切实可行,所以各地地方官纷纷仿效这种办法。如兴定间刘汝翼为阳翟令,时地方豪强把持政柄,物力不明,赋役不均,"公下车,差次贫富,一一籍记之,一夫之役,斗粟之敛,均赋而平及之"。① 但类似的记载均属一种自发性行为,没有形成为制度,因此它具有多大的普遍性还是一个值得考虑的问题。

金代后期的推排尤其注重对民户耕地数量的检核,这主要是因为连年战乱不止而导致土地大量荒废,实耕之地与田亩数量多不相符。宣宗时,"河北岁括实种之田,计数征敛",其所以如此,是因为"河北累经劫掠,户口亡匿,田畴荒废,差调难依元额,故为此权宜之法"。② 宣宗迁都汴京后,沦陷于蒙古的黄河以北地区的百姓纷纷涌入河南,仅南迁的猛安谋克军户就多达上百万,后虽经革去冗滥,犹"岁支粟三百八十余万斛",③时官私土地皆以三

①元好问:《太中大夫刘公墓碑》,《遗山集》卷二二。
②《金史》卷一〇七《高汝砺传》。
③《金史》卷一〇九《陈规传》。

倍之额征其租税,仍不敷其所需。贞祐四年(1216 年),宰相术虎高琪为了解决这个矛盾,欲仿河北之法每岁推排民地,尚书左丞高汝砺力持异议,他认为河南情况与河北不同,"河南自车驾巡幸以来,百姓凑集,凡有闲田及逃户所弃,耕垦殆遍,各承元户输租,其所征敛皆准通推之额",况且通检推排之常制本为十年一次,若从术虎高琪之言,"即是常时通检"。① 结果此事不了了之。从这两件事也可以看出金代后期的推排与世宗、章宗时期通检推排的一点不同之处,即每次推排不一定都是全面地检核所有的物力,可以是只推排某一项物力内容,如土地。在这种情况下,"推排"一词的含义与作为一种专项制度的通检推排已有了相当的距离。

四

通检推排在金代赋役制度中的作用是一个值得重视的问题。从表面上来看,推排物力的直接后果是根据物力的多寡征收物力钱,因此首先需要了解物力钱在金代财政中的意义。兹据《金史·食货志》,将历次通检推排核定的物力钱总额表列如下:

大定四年	缺	明昌六年	2 604 742 贯①
大定十五年	3 050 000 余贯	承安三年	2 586 702 贯 490 文②
大定二十六年	3 022 718 贯 922 文	泰和八年	缺

注:①明昌六年未进行通检推排,此系当年实收数;
②其中除免旧额 638 111 贯,新增额 202 095 贯。

---

① 《金史》卷一〇七《高汝砺传》。

从上表中可以看出，历次通检推排所定物力钱总额呈渐次下降的趋势，虽然大定四年和泰和八年两次的数额缺乏记载，但估计也与这种总的趋势是相吻合的。若与同一时期的财政收支状况相比较，就可以对物力钱在其中所占的份额有一个比较明确的概念了。世宗大定间，参知政事梁肃称"天下岁入二千万贯以上，一岁之用余千万"，①时物力钱约占朝廷岁入的七八分之一。章宗时，国用日增，财政岁入也大幅度上升，其总额虽不可考，但仅七盐司的岁课就从世宗时的 622 万余贯增加到承安三年（1198 年）的 1077 万余贯，而与此同时，物力钱总额却继续下降，大定间的物力钱约相当于当时盐课的二分之一，至承安三年已不及盐课的四分之一。由此可以得出这样一个结论，即物力钱对金代财政来说，其意义是不大的。

世宗创立通检推排之制，并非以征收物力钱为开辟财源的一个措施，因为就在开征物力钱的同时，世宗取消了海陵王时创设的许多杂税。从《金史·食货志》的一段记载中，可以看出世宗对征收物力钱的态度：大定二十六年（1186 年）第三次通检推排时，世宗要求推排使李晏等将大定十五年（1175 年）确定的物力钱旧额减少到 300 万贯，后因没有达到其要求，世宗便质问李晏说："朕以元推天下物力钱三百五万余贯，除三百万贯外，令减五万余贯。今减不及数，复续收二万余贯，即是实（增）二万贯尔，而曰续收，何也？"并宣称道："物力之数盖是定差役之法，其大数不在多寡也。"世宗的态度是很明确的，征收物力钱并不是通检推排的目的，而确定赋役标准、均平赋役负担才是世宗的初衷所在。又《金史·杨伯元传》称杨"凡两为推排定课使"，这是指他在世宗、章宗

---

①《金史》卷八九《梁肃传》。

朝曾两次受命参加通检推排,"推排定课"的说法,表明了通检推排的最终目的在于"定课",即确定赋役如何分配的问题。

金代赋役制度的一个最大特点,就是赋役标准的统一,即除田亩两税(或牛头税)之外的一切赋役都按物力标准摊派,因此物力在金代赋役制度中的重要性是不言而喻的。事实证明,通检推排是确定民户物力的一个行之有效的措施,它通过全国统一进行的调查核实工作,可以尽量减少可能出现的歧误,而且通检推排均在朝廷派出的特使的主持下进行,这在很大程度上防止了地方官隐瞒实情、虚报物力的现象发生。上文曾经谈到,通检推排是通过转运司路实施的,章宗时,由于"转运司权轻,州县不畏",①因此承安二年(1197年)和泰和八年(1208年)的两次通检推排,除了朝廷钦差使臣外,还命各路以按察司官一员为推排副使,以保证推排工作的顺利进行。世宗、章宗两朝是金代赋役最轻、社会最安定的时期,这与通检推排制度的建立和实施是分不开的。

五

长期以来,史学界对金代的通检推排有许多訾议,甚至从根本上否定这一制度对于均平赋役所起的积极作用,这种批评当然有失公允。但是通检推排在实施过程中确实也存在着许多弊端,造成了一些社会问题,有些问题甚至是相当严重且较为普遍的,如果看不到这一点,那么对通检推排的评价也是不全面的。综合文献材料的记载,可以把通检推排的弊端归结为以下三点。

———————————

①《金史》卷五七《百官志》(三)。

一弊曰推排使妄增物力。

大定四年(1164年)首次进行通检推排时,由于派往各路的推排使急于功利,"往往以苛酷多得物力为功,(张)弘信检山东州县尤为酷暴,棣州防御使完颜永元面责之曰:'朝廷以正隆后差调不均,故命使者均之。今乃残暴,妄加民产业数倍,一有来申诉者,则血肉淋漓,甚者即殒杖下,此何理也?'弘信不能对,故惟棣州稍平"。① 张弘信负责的是山东东路的推排工作,棣州防御使完颜永元以宗室之故,敢于违抗朝廷钦差的推排使,当面指责张妄增物力,而张亦不能奈其何,"于是棣州赋税得以实自占"。② 其它各路的情况大致与山东东路相似,唯有梁肃主持的山东西路通检推排以平允见称,《金史·梁肃传》云:"(大定)四年,通检东平、大名两路户籍物力,称其平允。他使者所至皆以苛刻增益为功,百姓诉苦之。朝廷敕诸路以东平、大名通检为准,于是始定。"此次通检推排中妄增物力的问题是严重的,大定五年(1165年),"有司奏诸路通检不均,诏再以户口多寡、贫富轻重,适中定之",③即对大定四年(1164年)通检推排的结果进行了核查和调整。

此事是对通检推排持否定态度者的主要武器,历来对通检推排的批评多集中在这个问题上。但是必须指出的是,推排使妄增物力的现象只见于大定四年(1164年)的第一次通检推排中,这主要是因为当时任各路推排使的官员对通检推排的意义尚不明确,把它视为一项增加朝廷财政收入的措施,故以"多得物力为

---

① 《金史》卷四六《食货志》(一)。
② 《金史》卷七六《完颜永元传》。
③ 《金史》卷四六《食货志》(一)。

功"。由于此后世宗一再强调推排物力的宗旨不在于征收物力钱,并在物力钱总额上进行控制,总是要求减少旧额,因此以后的历次通检推排都没有再出现过类似的情况。所以严格说来,推排使妄增物力之弊在金代的通检推排中并不具有普遍性。

二弊曰豪强猾吏舞弊作假。

这一问题很少为人提及,其实这才是金代通检推排中的一大通弊,而且很难禁绝。通检推排中的一个常见现象,就是地方豪强与州县胥吏勾结为奸,上下其手,致贫富难以分别,物力不得其实,因而造成赋役负担的不合理。元好问对此深有感触:"郡县通检,名为'聚讼',豪民猾吏囊橐为奸,若新增,若旧乏,往往不得其实,徒长告讦而已。"①承安二年(1197年)通检推排时,左谏议大夫高汝砺对推排中可能出现的欺诈行为进行分析说:"恐新强之家预为请嘱狡狯之人,冀望至时同辞推唱;或虚作贫乏,故以产业低价质典;及将财物徙置他所,权止营运。如此奸弊百端,欲望物力均一难矣。"②文中指出的这些现象,想必在以往的通检推排中都是司空见惯的。

导致豪强猾吏"奸弊百端"的一个重要原因,是由于每次通检推排时限紧迫,各级推排官员很难对民户物力进行仔细核查。如孙镇记同州澄城县承安二年(1197年)通检推排的情况,谓"邑中里胥迫于限促,其间不胜差互"。③ 章宗时制定"人户物力随时推收法",就是为了解决"推排时既问人户浮财物力,而又勘当比次,期迫事繁,难得其实"的问题。④ 不过相对而言,民户的不动产是

①元好问:《辅国上将军京兆府推官康公神道碑铭》,《遗山集》卷二七。
②《金史》卷一〇七《高汝砺传》。
③《金文最》卷七七《澄城县令艾公遗爱碑》。
④《金史》卷四六《食货志》(一)。

比较容易核实的,最难于确定的是浮财,"其浮财物力,惟凭一时小民之语以为增减,有司惟务速定,不复推究其实。由是豪强有力者符同而幸免,贫弱寡援者抑屈而无诉"。① 这些都是通检推排中带有普遍性的问题。

三弊曰各路物力畸轻畸重。

由通检推排所造成的各地区间物力及赋役配置的不平衡,是我们在评价这项制度的利弊得失时不应忽视的问题,但这一问题迄今尚未引起人们注意。

大定四年(1164 年)初行通检推排时,由于河南、陕西诸路自靖康之变后屡经战乱,社会经济残破不堪,故物力定得偏低,而中都、河北、河东、山东诸路以升平日久,人烟稠密,故物力定得较高。此后随着社会经济的恢复和发展,各地间物力不均的问题开始暴露出来。其中河东物力之高、赋役之重最为明显。世宗、章宗两朝,先后削减了河东南、北路的田亩两税定额。据《金史·食货志》载,大定十八年(1178 年),"以户部尚书曹望之之言,诏减鄜延及河东南路税五十二万余石"。《金史·石抹元毅传》则说到调整河东北路田赋的情况:"河东北路田多山坂硗瘠,大比时定为上赋,民力久困,朝廷命相地更赋,元毅以三壤法平之,民赖其利。"这是章宗朝的事情。又《张大节传》云:"章宗即位,擢中都路都转运使,因言河东赋重宜减,议者或不同,大节以他路田赋质之,遂命减焉。"这里说的河东减税,与《石抹元毅传》所说的河东北路"相地更赋"应该是一回事。

当然,仅仅调整田亩两税还不能解决赋役配置不均衡的问题,因为金代的赋役不是依附在田亩上,而是依附在物力上。大

①《金史》卷一○七《高汝砺传》。

定初第一次通检推排时所确定的物力分配格局,在后来的历次通检推排中,也作过一些局部的调整,如承安三年(1198年)的第四次通检推排,"籍定推排物力钱二百五十八万六千七百二贯四百九十文,旧额三百二万二千七百十八贯九百二十二文,以贫乏除免六十三万八千一百一十一贯",新增二十万二千余贯。① 赵秉文在《曹忠敏公(望之)碑跋》中曾提到这样一种传说:"又尝闻诸长老言,公奏河东地瘠民鹜,与山东、河北不同,乞减物力三十余万贯,从之。而碑未及载。当俟得其实迹,为公一书再书而屡书之也。"②如果这一传闻属实的话,大概也是大定间曹望之任户部尚书时候的事情。

但是,由通检推排而造成的各地物力不均的问题始终没有得到彻底的解决。赵秉文《保大军节度使梁公(襄)墓铭》中的一段文字,谈到了自世宗以来各路物力畸轻畸重的问题:"公在陕西,上《平赋书》,累数千言。其大略言大定四年行通检法,是时河南、陕西、徐、海以南屡经兵革,人稀地广,蒿莱满野,则物力少、税赋轻,此古所谓宽乡也;中都、河北、河东、山东久被抚宁,人稠地窄,寸土悉垦,则物力多、税赋重,此古所谓狭乡也。宽狭乡之地,至有水陆肥瘠等,物力相悬不啻数十倍。后虽三经通检,并依旧额。臣恐瓶罍之诗,不独讥于古矣。书奏,上深嘉叹,命藏有司,将用之。……及平赋之令未下,而宋贼绎骚,督赋者病焉。识者服其有先见之明。"③《金史·梁襄传》不载此事,从这篇墓铭的内容来看,梁襄上《平赋书》的时间是在章宗承安二年(1197年)第四次

①《金史》卷四六《食货志》(一)。
②《闲闲老人滏水文集》卷二〇。
③《闲闲老人滏水文集》卷一一。

通检推排之后。"宋贼绎骚"云云,是指南宋开禧北伐之役,可知这是章宗泰和间的事情。如上所述,在世宗以后的历次通检推排中是对各路物力作过一些调整的,但梁襄《平赋书》却称"后虽三经通推,并依旧额",这可能是指由大定初第一次通检推排所确定下来的各路物力不合理的配置格局始终没有得到根本的改变,故仍然有一个"平赋"的问题。可见通检推排所造成的各路物力畸轻畸重的状况,其影响一直延续到章宗泰和年间。

原载《中国史研究》1995 年第 4 期

论金代的物力与物力钱

金代的赋役制度在很多方面都表现出唐宋与辽朝的交叉影响,但它的创造性也是不容忽视的:金代猛安谋克户实行牛头税制,州县民户实行两税法;与前代制度不同的是,金代的两税已经演变为纯粹的地税,而除此之外的种种赋役则几乎全都附加在物力上。物力与物力钱是金代赋役制度的一条主线,值得予以认真研究。40年代初,日本学者小川裕人首先著文探讨了这个问题,①半个世纪过去了,却无人再作进一步的研究。本文意在通过对物力和物力钱的阐释,揭示出金代赋役制度的一些基本特征。

一

在宋代,物力钱、家业钱、家业贯陌与物力、家力、家活是同一个概念,都是指的民户资产,辽代文献中的家业钱、物力也是同义词。而在金代,物力与物力钱则是两个完全不同的概念,物力指

————————

① 《关于金代的物力钱》,连载于《东洋史研究》5卷6号(1940年)、6卷1号及3号(1941年)。

民户资产,物力钱指按照规定的税率对物力征取的一种资产税,——这是金朝独创的一个税目,它的意义主要不在于开辟新的财源,而是为赋役的分配提供一个统一的标准。

金朝开国之初,长期处于与南宋的战争状态之中,无暇顾及各项政治经济制度的建设。熙宗与宋议和后,首先在政治上改变了多种制度并存的局面,统一改从汉制,建立起一套完整的封建中央集权的政治制度。而金朝各项经济制度的整齐划一工作,则更要迟至世宗时期才最后完成。金代前期的赋役制度相当庞杂,毫无自己的特色可言,或承袭女真旧制,或兼采辽宋遗法,或沿用伪齐制度,各种徭役和杂税没有统一的征派标准,其混乱状况从下述史实中可见一斑。

金熙宗皇统五年(1145 年)九月,"河决李固渡,金主宣调曹、单、拱、亳、宋五郡民修之,民有田一顷者出一夫,不及者助夫之费,凡二万四千夫"。① 又《三朝北盟会编》卷二三〇载归正人梁淮夫等《上两府札子》称:"近日修内(按:指海陵王兴建汴京宫殿),夫役频并,每中人之家,止敢置地六十亩,已该作夫头,一顷以上作队首。"这两条材料所反映的一个共同的事实,是力役由田亩而出。

上引《上两府札子》又云:"官中赋税之外,以和籴为名,……民间有米,尽数为之拘括;无,即以户口大小拟定数目,勒令申纳。"据此,则海陵王时和籴以户口为差。

《大金国志》卷一一《熙宗孝成皇帝》(三)云:"金国民军有二:一曰家户军,以家产高下定;二曰人丁军,以丁数多寡定。诸称家户者,不以丁数论,故家口至于一绝,人丁至于佣贱,俱不得

---

① 《建炎以来系年要录》卷一五四,绍兴十五年九月末记事。

免也。"宋人的记载也说："燕云诸民兵千户、百人长,但以家业或丁数定之。"①是则兵役所出,或视其家业,或视其丁口。

《金史·兵志》谓世宗以前"山东、河南、陕西等路循宋、齐旧例,州县司吏、弓手于民间验物力均敷雇钱,名曰'免役'",可见这些地区的免役钱又是按照物力征取的。

世宗以后,鉴于海陵王时赋役严重不均的状况,遂于大定四年(1164年)对全国的州县民户进行了一次大规模的通检推排,②根据通检推排所核实的民户物力征收物力钱,按照物力钱的数额摊派各种徭役和杂税。此后的近半个世纪中,通检推排成为金朝定期调整赋役的一种制度化的经济措施,针对州县民户的通检推排大致每十年进行一次。大定二十二年(1182年),又以同样的方法对猛安谋克户进行了一次通检推排,其徭役、杂税的摊派原则一如州县民户。金源一代的赋役制度至此趋于完备。

金代的物力范围比前代要宽泛得多,《金史·食货志》曰:"租税之外,算其田园、屋舍、车马、牛羊、树艺之数及其藏镪多寡征钱,曰物力(钱)。物力之征,上自公卿大夫,下逮民庶,无苟免者。近臣出使外国,归必增物力钱,以其受馈遗也。"大体上来说,物力可分为"地土物力"和"浮财物力"两大类。除了《食货志》所提到的那些项目之外,浮财物力中还有一个重要的内容是奴婢。由于女真社会的奴隶制烙印较深,金代蓄奴甚为普遍。对于猛安谋克部民来说,奴婢往往是他们财产的象征。在金朝,一名男奴一般

①《建炎以来系年要录》卷三二,建炎四年"是春"条。
②由于文献记载的混乱,人们对"通检推排"一词有不同的理解,笔者对此的解释是:"推排"指核查民户的物力、户口状况,由中央政府进行的全国性的推排就称为"通检推排"。金代的通检推排只实行于世宗、章宗两朝,但局部地区的物力推排章宗后仍屡见不一见。

价值500贯左右，①而许多女真人家庭中都拥有数名到数十名不等的奴婢，少数奴隶主贵族占有奴婢多达数千乃至上万，其价值自是相当可观。大定二十年（1180年）朝议对猛安谋克进行通检推排时，右丞相徒单克宁、平章政事唐括安礼、枢密副使完颜宗尹从维护奴隶主贵族利益的立场出发，主张"不推奴婢、孳畜、地土数目，止验产业科差为便"，左丞蒲察通、右丞道、都点检完颜襄针锋相对地指出："括其奴婢之数，则贫富自见，缓急有事科差，与一例科差者不同。"最后世宗采纳了后一种意见，诏"验土地、牛具、奴婢之数"以为差等。② 但将奴婢计入物力却并非肇始于此，早在这次通检推排之前，上京路就有"女直人户规避物力，自卖其奴婢"的现象存在，③足以说明这一点。另外，以奴婢入物力也不仅仅是针对猛安谋克的规定。章宗时议罢二税户，完颜襄说："出家之人安用仆隶？乞不问从初如何所得，悉放为良。若寺观物力元系奴婢之数推定者，并合除免。"④寺院二税户亦须列入物力，可见这是推排物力的一个普遍原则。物力内容包括奴婢，乃是金朝的一大特色。

《金史·食货志》之所以专门提到使臣归国后须增物力钱的问题，是因为出使它国者通常会得到一笔非常丰厚的礼金，如出使南宋的使节按常规获得的赐予就达上万贯，以至使宋被视为对朝廷官员的一种特殊优待。大定六年（1166年），户部尚书魏子平"复为贺宋主生日使，上曰：'使宋无再往者，卿昔年供河南军储

---

①《金史》卷八〇《赤盏晖传》、卷一三二《纥石烈执中传》。
②《金史》卷四六《食货志》（一）。
③《金史》卷四六《食货志》（一）。
④《金史》卷九四《完颜襄传》。

有劳,用此优卿耳。'"①魏子平破例得到再度使宋的机会,乃是世宗对他的一次特别犒赏。又《金史·夹谷衡传》曰:"旧制,久历随朝职任者,得奉使江表,衡未使而拜执政,特赐钱六千贯。"夹谷衡在擢升执政之前错过了出使南宋的机会,而出任宰执以后的身份又不宜再充使节,故章宗赐钱聊以补偿。出使夏国、高丽者所获得的礼物可能不至如此丰厚,但在增纳物力钱这一点上却也不得例外。《金史·完颜纲传》云:"故事,使夏国者夏人馈赠礼物,视书几道以为多寡。泰和元年,纲为赐夏主生日使,章宗命赍三诏,左司员外郎孙椿年奏诏为一道,寻自陈首。"完颜纲之所以"陈首",就是因为此事关系到物力钱的缘故,而史臣遂书之以褒其诚信。大定二十九年(1189年)六月,章宗"命为国信使之副者,免增物力",②因国信副使所获得的赐予只有正使的一半,故此后遂得免充物力。

对于哪些财产不入物力,也都有明确的规定。《金史·食货志》说:"凡民之物力,所居之宅不预。猛安谋克户、监户、官户所居外,自置民田宅,则预其数。墓田、学田、租税、物力皆免。"大定四年(1164年)第一次通检推排时,规定"凡监户事产,除官所拨赐之外,余凡置到百姓有税田宅,皆在通检之数"。监户、官户均为官奴婢,所不同的是:"凡没入官良人,隶宫籍监,为监户;没入官奴婢,隶太府监,为官户。"③猛安谋克及监户、官户免却物力的只是由官府拨给的那部分田宅,自置者不在此例。而州县民户也只有自家的居宅才不预物力,其它房产也不在此例。

---

① 《金史》卷八九《魏子平传》。
② 《金史》卷四六《食货志》(一)。
③ 《金史》卷四六《食货志》(一)。

章宗即位之初,"又命农民如有积粟,毋充物力"。① 积粟免充物力,其主要用意是鼓励农民囤积粮谷,以起到平抑粮价的作用。

关于"藏镪之赀"如何计算物力的问题,《金史》的记载不甚明晰。《食货志》云:"泰和四年十二月,上以职官仕于远方,其家物力有应除而不除者,遂定典卖实业逐时推收,若无浮财营运,应除免者,……验实免之。"根据这段记载来看,似乎只有赢利的那部分货币才入物力。宋神宗时,吕惠卿所行手实法就有"居钱五当蕃息之钱一"的规定,②对滞留手中的货币与投入经营的货币按不同的标准计算物力。因此很有可能,金代在章宗以后曾一度免除了民户储存货币的物力。

金朝前期虽也依照前代旧制计算民户物力,但对物力征取物力钱却是金世宗的创举,并从此成为金源一代的定制。物力钱的征取标准是一个值得探讨的问题,《金史》中只记载了世宗大定十五年(1175 年)、二十七年(1187 年)以及章宗明昌六年(1195年)、承安三年(1198 年)共四个年度的物力钱总额,而对物力钱的税率却毫无涉及,因此我们只能根据一些零星的史料来加以估算。

《金史·梁肃传》云:"凡使宋者,宋人致礼物,大使金二百两、银二千两,副使半之,币帛杂物称是。及推排物力,肃自以身为执政,昔尝使宋,所得礼物多,当为庶民率先,乃自增物力(钱)六十余贯。论者多之。"梁肃曾于大定十四年(1174 年)以详问宋国使的身份出使临安,次年通检推排,恰又奉诏为推排使,为表率于

————————
①《金史》卷四六《食货志》(一)。
②《续资治通鉴长编》卷二五四,熙宁七年七月月末记事。

民,故主动增纳物力钱六十余贯。据《金史·食货志》,金代银价一般为每两二贯;又 1974 年在陕西临潼出土的金代盐税银铤,其中编号为临相 8、13、14 的三枚银铤上都有"每两钱贰贯"的錾文,编号为临相 12 的银铤上有"每两计八十陌钱贰贯"的錾文。[①] 据此折算,梁肃所获银 2000 两价值 4000 贯。金代金价缺乏明确的记载,按《金史·完颜宗浩传》载泰和七年(1207 年)宗浩复宋知枢密院事张岩书云:"又来书云通谢礼币之外,别备钱一百万贯,折金银各三万两。"按照这条材料提供的比价计算,金每两约合 31 贯;另据日本学者加藤繁考证,南宋绍兴四年(1134 年)临安金价为每两 30 贯,[②]两者相当接近,证明我们的推算是可靠的。据此折算,梁肃所获金 200 两价值 6200 贯。其金银总值为 10200 贯,[③]由此可知他所交纳的物力钱的税率约为 0.6%。

以上所述虽然仅是金银钱币应纳物力钱的税率,但它却具有普遍的意义,因为所有浮财物力的理论税率都应该是一致的,其它诸如房宅、车马、牲畜、奴婢等浮财物力,均按时价估值,然后按统一的税率征收物力钱。至于地土物力,原本与浮财物力税率相同,章宗明昌元年(1190 年)四月,"刑部郎中路伯达等言,民地已纳税,又通定物力,比之浮财所出差役,是为重并也。遂详酌民地定物力,减十之二"。[④] 此处所称减地土物力十之二,可能是指在

---

① 赵康民等:《关于陕西临潼出土的金代税银的几个问题》,《文物》1975 年第 8 期。
② 加藤繁:《唐宋时代之金银研究》第 2 卷第 7 章,台北新文丰出版公司,1974 年。
③ 又《金史》卷九六《路伯达传》云:"尝使宋回,献所得金二百五十两、银一千两以助边。"据上文考证的金银价格折算,路伯达获得的礼金计 9750 贯,与梁肃所获相差无几。
④《金史》卷四六《食货志》(一)。

估算地价时低估其值,但这实际上也就等于将地土物力的物力钱税率降低了百分之二十。

物力钱按照每户的物力总值而依规定的税率征收,这一点是毋庸置疑的。有人以金代的物力钱比附唐代的户税,认为物力钱也是像户税那样按户等征收的,①这是对物力钱的一种误解。唐代户税与每户的资产额没有必然的联系,而是规定出各等户的户税税额,从第一等户的四千文到第九等户的五百文,各等人户均依固定的税额纳税,户等相同的人户,尽管资产可能相去悬殊,但所纳户税是相同的,而且只要户等不变,不管资产有什么变化,户税是不变的。金代的物力钱与每户的物力直接挂钩,每家每户因其物力不等,其物力钱也就各不相同,多者数百上千贯,少者一、二贯,而且物力钱随着各户资产情况的变化随时增减,章宗泰和二年(1202 年)实行的"人户物力随时推收法"就是出于这一目的而制定的,甚至就连臣僚出使别国,"归必增物力钱"。可见金代的物力钱乃是一种最严格意义上的资产税,与唐代的户税完全不是一码事。

物力钱原则上以纳钱为主,即便地土物力也是如此。据世宗大定年间的一则石刻材料记载,时相州宝山寺"承管王琪白石地四十亩,八亩熟土,纳秋粟二斗、物力钱十文"。② 但章宗以后情况有所变化。由于金代铜源奇缺,铸钱成本高昂,大定后期,钱荒问题愈来愈严重,章宗即位后,遂于大定二十九年(1189 年)六月诏"钱悭之郡,所纳钱货则许折粟帛",③即在部分地区许以实物折

---

①张博泉:《金代经济史略》,辽宁人民出版社 1981 年版,第 140 页。
②《宝山寺地界记》,见武亿《安阳县金石录》,《石刻史料新编》本。
③《金史》卷四六《食货志》(一)。

纳。这恐怕不会是一时的权宜之举,可以视为金代后期的一贯性规定。

二

物力在金代经济生活中有着广泛的影响,尤其是它在赋役制度中的特殊地位和作用,目前还不为人们所认识。可以说,金代除了田亩两税(或牛头税)以外的其它一切赋役,几乎都与物力有着或直接或间接的关系。下面仅就有史料记载可考的几个方面,对它们之间的这种关系作一试探。

(一)杂役。杂役又称浮泛差使,正如它的名称所显示的那样,它所包括的内容十分广泛,如修筑城池,维修公廨、驿道、河堤等等,由于各地情况不同,各州县的服役项目也不尽相同,均由地方随事支配。

杂役原则上由物力而出,但并非所有的杂役都是直接与物力挂钩的,《金史·食货志》对杂役的摊派原则是这样记载的:"遇差科,必按版籍,先及富者,势均则以丁多寡定甲乙。有横科,则视物力,循大至小均科。其或不可分摘者,率以次户济之。"大致说来,杂役的摊派分两种情况,一种是常规情况下的"差科",按户等(版籍)高低征发,户等相同者以丁口多寡为序;另一种是特殊情况下的"横科",以物力高低为序,从高到低征派。

正常情况下的杂役既是按户等摊派,这就不能不涉及到户等与物力的关系了。金代民户分为课役户和不课役户,其户口分等情况可通过某些间接的记载加以了解,据兴定四年(1220年)镇南军节度使温迪罕思敬上书言:"今民输税,其法大抵有三,上户输远仓,中户次之,下户最近。"①由此可知课役户分为三等。州县课役户的户等根据什么标准划分,《金史》缺乏明确的记载,但《食货志》有"中物力户有役则多逃避"的说法,称中户为"中物力户",则户等显然是根据物力确定的。猛安谋克原来不分户等,大定二十年(1180年)朝议通检推排时,左丞相完颜守道建议对猛安谋克户"止验财产多寡,分为四等,置籍以科差",但这个意见后来被世宗否定了。大定二十二年(1182年),诏"推贫富,验土地、牛具、奴婢之数,分为上中下三等"。② 这条史料不但告诉了我们猛安谋克户分为三等的事实,而且清楚地表明其户等也是根据通检推排所核定的物力来划分的。

如遇到战争等特殊情况,额外的差发异常频繁,百姓负担远远重于平时,在这种情形下,三等户制的差次就未免显得太疏阔了,必须严格按照物力的顺序摊派夫役。金代后期的一条史料反映了"横科"的支配办法:卫绍王时,张公理为寿张主簿,"时北鄙用兵,科役无适从,公差次物力为鼠尾簿,按而用之,保社有号引,散户有由帖,揭榜于通衢,谕民以所当出,交举互见,同出一手,吏不得因缘为奸,自是为县者皆取法焉"。③ 这条史料没有明确的年代,从上下文内容来分析,当在卫绍王大安末至崇庆间(1211—1212年),正是蒙古南下,金朝边境频频告警的时期,文中所称"北鄙用兵"显然就是指的这起战事。此时距金朝的最后一次通检推排(章宗泰和八年,1208年)相去虽才不过数年,但民户的物力状况肯定已有了一定程度的变化,如果仍然以通检推排的旧籍

---

① 《金史》卷四七《食货志》(二)。
② 《金史》卷四六《食货志》(一)。
③ 元好问:《资善大夫吏部尚书张公神道碑铭》,《遗山集》卷二〇。

为准,赋役就难免不均,张公理在重新"差次物力为鼠尾簿"的基础上摊派杂役,收到了比较好的效果,因此这个办法便受到各地地方官的纷纷仿效。

金代的所有民户原则上都有承担杂役的义务,只有两类人户例外,一是不课役户(或称无物力户),二是品官之家,《金史·食货志》云:"凡叙使品官之家,并免杂役,验物力所当输者,止出雇钱。"

(二)差役。金代的"差役"一词有广、狭二义,广义的差役包括杂役和职役,狭义的差役则专指职役而言,这里说的是后者。

大定二十七年(1187 年)第三次通检推排时,世宗要求推排使李晏等将物力钱总额由大定十五年(1175 年)推定的原额 305 万余贯减少到 300 万贯,并解释说:"物力之数盖是定差役之法,其大数不在多寡也。"①这句话最明白不过地说明了差役与物力的关系。世宗当初创立通检推排之制,原其本意,就是为了改变自海陵王以来赋役不均的状况。物力钱在金代财政中的意义并不大,而且就其在朝廷岁入中的份额来看,还是呈逐年下降的趋势的,②它的主要意义,正如世宗所言,在于"定差役之法"。世宗所关心的主要是物力推排是否均平的问题,因为它关系到"百姓应当赋役,……利害非细"。③

章宗泰和六年(1206 年),"诏定州府物力差役式",④以物力而定差役是世宗以来相沿已久的定制,章宗可能只是将其制度化和法规化了。"物力差役式"的具体内容虽已不可得知,但从我搜

①《金史》卷四六《食货志》(一)。
②请参看本书《金代"通检推排"探微》一文中的有关论述。
③《金史》卷一〇六《贾益谦传》。
④《金史》卷一二《章宗纪》(四)。

集到的一些零星的史料中，仍可对差役与物力的关系有所了解。

与杂役的情况相似，差役也是有的服役项目直接按物力支配，而有的服役项目则按户等征派。据《大金集礼》卷三四《岳镇海渎》载，大定十九年（1179年），礼部定制：诸岳镇海渎神祠看守人，"召土居有物力不作过上户充，于本庙收到香火钱内，每月支钱三贯，二年一替"。这是针对州县民户的规定。又同书卷三五《祠庙杂录》记长白山庙看守人的差派情况说："（大定）十三年十月，于赐遣千户下差人丁多者两户看管，免杂役浮泛差使。十五年闰九月，看庙二户于上户内轮差，周年一替。"这是针对猛安谋克户的规定，其差役虽曾一度按丁口多寡征派，但这不是差役支配方式的主流，只能作为例外情况来看待。

上面举的例子都是按户等征派的差役，它们与物力的关系是间接的。至于直接按物力支配的差役，可以服役于城乡坊里的坊正、里正、主首、寨使、壮丁等和服役于州县官府的司吏、弓手等为代表。坊正、里正职掌按比户口、催督赋役、劝课农桑，主首、寨使佐里正禁察非违，壮丁佐主首巡警盗贼。《金史·食货志》云："凡坊正、里正，以其户十分内取三分，富民均出雇钱，募强干有抵保者充，人不得过百贯，役不得过一年。"又云："大定二十九年，章宗尝欲罢坊、里正，复以主首远，入城应代，妨农不便，乃以有物力谨愿者二年一更代。"坊正、里正以征派与雇募相结合，虽非按物力高低轮充，但他们是由民户内十分之三的富户按物力纳钱雇募的，差役与物力的关系表现在役钱上。主首、寨使、壮丁等可能也都是按照这种办法雇募的。服役于州县官府的司吏、弓手，其差充情况各不相同，司吏在有的地方是按物力轮充，如党怀英《赠正奉大夫袭封衍圣公孔公墓表》所记曲阜县的情况就是这样："诸村当首人，旧验物力差当，公预令定夺相次，明以公文告示，比至，其人已自承认交替,不复更至庭下。"①而在有的地方却是按物力敛钱募人充任,如"山东、河南、陕西等路循宋、齐旧例,州县司吏、弓手于民间验物力均敷雇钱,名曰'免役'"。② 弓手基本上都是雇募,像深州"例置弓手百余,少者犹六七十人,岁征民钱五千余万为雇直"。③ 总而言之,不管是轮充还是雇募,司吏、弓手等役与物力之间都有不可分割的关系。

(三)兵役。金朝以兵立国,战争十分频繁,兵役是诸多赋役中的一项主要内容。

金代前期实行签军制,这是一种极富金朝特色的征兵制度,《金史·兵志》对签军制是这样解释的:"凡汉军,有事则签取于民,事已则或亦放免。"刘祁有"金朝兵制最弊"的评价,④就是针对签军制而说的。世宗以前,汉军以两种途径签取,或以家产(物力)高下定,称"家户军",或以丁数多寡定,称"人丁军",且两途不得通融,"诸称家户者,不以丁数论,故家口至于一绝,人丁至于佣贱,俱不得免也"。《中兴小纪》卷一一记载了这样的一个例子:金太宗时,云中家户军女户陈氏以父子俱阵亡,无可充役者,愿尽纳家产于官以免役,"左监军兀室怒其沮法,赞粘罕诛之"。可见这种规定是多么严格。其所以如此,主要是因为当时初入中原汉地的金朝统治者对募兵制还缺乏认识,尤其是一些女真将帅对传统的征兵制比较习惯,而对实行募兵制心存疑虑。但是签军制的缺陷在这时就已经表现出来了,天会十二年(1134年),"窝里嗢、挞懒下令禁燕云等路汉军不得雇人代名,须以正身。诸将患佣身

①《孔氏祖庭广记》卷一二。
②《金史》卷四四《兵志》。
③《金史》卷一二五《胡砺传》。
④《归潜志》卷七。

之人易致叛亡,其正者类多富家子弟,不任劳苦,……遂成两失"。① 这种制度的不合理性是明显的。

海陵王南侵之役,汉军纷纷叛亡,战斗力亦大不如前,统治者逐渐认识到签军制的弊病。大定八年(1168 年),世宗与参知政事魏子平就继续实行签军制还是改行募兵制的问题进行过一次讨论,"上又问曰:'戍卒逃亡物故,今按物力高者补之,可乎?'对曰:'富家子弟呆懦不可用,守戍岁时求索无厌,家产随坏。若按物力多寡赋之,募材勇骑射之士,不足则调兵家子弟补之,庶几官收实用,人无失职之患。'上从之"。② 需要指出的是,自世宗大定四年(1164 年)始行通检推排,实行以物力定赋役的制度后,签军也已由过去分家户军和人丁军而改为统一按物力签征了。关于世宗与魏子平的这次讨论究竟有无下文,金朝是否真的实行了募兵制,从《金史》中找不到任何有关的记载,所幸在南宋的文献中还能了解一些这方面的情况。大定九年(1169 年)冬,宋人楼钥以书状官的身份跟随贺正旦使汪大猷出使金朝,据他从金人口中听到的消息说:"或云:新制,大定十年为始,凡物力五十贯者招一军,不及五十贯者率数户共之,下至一、二千者亦不免;每一军费八十缗,纳钱于官,以供此费。"③显然,这就是世宗与魏子平那次谈话的直接后果。大定十年实行的募兵制,其规制基本取法于辽朝,《契丹国志》卷一〇《天祚皇帝》(上)记载了辽末募兵制的情况:"计人户家业钱,每三百贯自备一军,……时富民有出一百军、二百军者,家赀遂竭。"这里应该注意的是,楼钥所说的"物力"实

---

① 《大金国志》卷八《太宗文烈皇帝》(六)。
② 《金史》卷八九《魏子平传》。
③ 《北行日录》(上),《攻媿集》卷一一一。

际上指的是物力钱,而《契丹国志》所说的"家业钱"实际上指的是物力。金制是每50贯物力钱纳80贯免役钱,辽制是每300贯物力出一军卒之资费,但金代的物力钱只相当于其物力总额的0.6%左右,所以金代的免役钱相对来说是比较轻的,而辽末的免役钱却难免要令百姓破产了。

募兵制固然有它的优点,但在有战事的时候往往不能满足对大量兵员的需求。章宗时,金与北境阻𪴾发生战争,承安二年(1197年)九月,"遣官分诣上京、东京、北京、咸平、临潢、西京等路招募汉军,不足则签补之"。① 此时仍以募兵为主,而以签军作为其补充。迨至卫绍王以后,蒙古入侵,战事年年未已,签军似乎又成了主流。宣宗贞祐间,杨云翼上疏朝廷云:"臣去岁在乡里,见其简卒之时,不以人材优劣为等差,而以物力多寡为次第,故所得富民之子弟,彼生长于衣食丰裕之中,居则役仆隶,行则策坚肥,未尝谙习天下劳苦之事。……仓卒之际,非徒无益,适足为我军之累。"他为此提出恢复募兵制的建议,主张"不以物力多寡为先后,惟躯干勇壮是求"。② 但这个建议并未见到什么反响。

通观金源一代的兵制变化,除了金朝前期有按丁口签军的情况外,自世宗以后,不管是实行募兵制还是实行签军制,兵役都是由物力而出的。募兵须以物力钱为度而纳免役钱,签军亦按物力高低征取。

(四)和雇。金代的和雇是州县百姓的一项经常性力役,和雇的具体服役项目各地不尽相同,但征派原则是一致的,即按物力多寡出役。世宗大定十八年(1178年),金朝在代州设阜通监铸

---

①《金史》卷一〇《章宗纪》(二)。
②《玉堂嘉话》卷一。

钱，"自立监铸钱以来，有铜矿之地虽曰官运，其雇直不足则令民共偿。……所运铜矿，民以物力科差济之，非所愿也。其雇直既低，又有刻剥之弊"。① 这是按物力和雇人夫运输铜矿石的一个例子。另外如和买、和籴等赋役究竟依照什么原则摊派，金代文献中缺乏记载，但很可能也与和雇的支配方式相似。

（五）养马之役。民户配养官马是金朝独有的一个赋役项目，反映了金代马政的特色。金代的各类官马平时多分畜于民户，需要时得随时征用。养马之役是百姓的一项沉重负担，宣宗时，参知政事李复亨称"民养驿马，此役最甚"。② 畜养官马一般也是按照物力高低摊配，《金史·兵志》记载说："明昌五年（1194年），散骒马，令中都、西京、河北东西路验民物力分畜之。又令它路民养马者，死则前四路所养者给换，若欲用则悉以送官。此金之马政也。"除了这四路外，其它各路养官马者大概也是采取这种方式进行摊配。又海陵王时有以所谓"养马钱"征税于民者，可能是对不养官马的民户课的一种杂税。

（六）河夫钱。金代杂税名目繁多，如军须钱、河夫钱、水利钱、铺马钱、司吏钱、弓手钱、牛夫钱、菜园钱、养马钱、桑皮故纸钱、捕盗征赏钱等等，有些税目其具体内容已难知其详。这些杂税的分配方式，除了上文提到的司吏钱、弓手钱是按物力征取外，还有两种主要的杂税也是以物力或物力钱为度征取的，这就是我们这里要谈到的河夫钱和军须钱。

河夫钱又称黄河夫钱。金代的黄河水害严重，有人统计，在金朝统治期内，黄河共决口22次、河溢11次，其它小的水害不可

---

①《金史》卷四八《食货志》（三）。
②《金史》卷一〇〇《李复亨传》。

胜计。① 修筑河堤、维护河道是一项经常性的工程,河防工程的费用主要就靠征收河夫钱来解决。河夫钱的征收以物力多寡为次第,其数量相当可观。如大定二十九年(1189 年)五月,"河溢于曹州小堤之北。……工部言:'营筑河堤,用工六百八万余,就用埽兵军夫外,有四百三十余万工当用民夫。'遂诏命去役所五百里州府差雇,于不差夫之地均征雇钱,验物力科之。每工钱百五十文"。② 按每个工 150 文雇钱计,430 万工总计当用雇钱 645 000贯,这笔钱相当于大定二十七年(1187 年)通检推排所定物力钱总额的五分之一多,均由百姓按物力高低以河夫钱的名目缴纳。而这只不过是一次规模不大的"河溢"。章宗明昌五年(1194年),都水监田栎拟议用工五千万修筑河堤,可见河防工程之浩大。

(七)军须钱。金朝统治北中国共 120 年,其中有近半数的时间是在各种规模不等的战争中度过的。巨额的军费开支仅靠财政岁入当然无法解决,不足的部分就由军须钱来弥补。

军须钱是金代杂税中规模最大、税率最高的一项。世宗大定三年(1163 年),南方与宋朝的战事尚未结束,西北地区的契丹人起义又正如火如荼,是年军费所需共一千万贯,而国库中只有二百万贯,另外的八百万贯全靠向州县百姓征收军须钱予以解决。章宗承安三年(1198 年),金与阻𥽄战于朔漠,元帅府"以军须所费甚大,乞验天下物力均征。拟依黄河夫钱例,征军须钱。验各路新籍物力,每贯征钱四贯,西京、北京、辽东路每贯征钱二贯,临

---

①张家驹:《两宋经济重心的南移》,湖北人民出版社 1957 年版,第 123 页。
②《金史》卷二七《河渠志》。

潢、全州则免征。周年三限送纳;恐期远,遂定制作半年三限输纳"。① 此次军须钱的征收办法,是按照承安三年九月刚刚结束的第四次通检推排所确定的物力钱数额,凡每贯物力钱征军须钱四贯。此次通检推排核准的物力钱总额为258万余贯,军须钱四倍于此,则计为1032万贯,因西京、北京、辽东路减半征收及临潢、全州免征,实际上征收的军须钱约近千万。金朝后期与蒙古的战争远比这次战争的规模要大得多,其军须钱更不知为数几何,但不管军须钱的数额有什么变化,按物力征收的原则大概是不会变的。

除了以上举出的物力在金代赋役制度中的作用外,物力及物力钱对经济生活的影响还表现在其它的许多方面。如章宗明昌五年(1194年),因民间钱荒严重而实行"限钱法","令官民之家以品从、物力限见钱,多不过二万贯,猛安谋克则以牛具为差,不得过万贯,凡有所余,尽令易诸物收贮之"。② 物力成为合法拥有铜钱的一种资格和等级标准。但值得注意的是,猛安谋克与州县民户的限钱规定不同,它也许说明了这样一个问题,即物力对州县民户的意义可能更为重要。又如宣宗时,交钞因发行太滥而难于为百姓接受,贞祐四年(1216年)八月,陇州防御使完颜宇建议"姑罢印造,以见在者流通之,若滞塞则验丁口之多寡、物力之高下而征之"。兴定四年(1220年),镇南军节度使温迪罕思敬上书言交钞之弊云:"今日出益众,民日益轻,有司欲重之而不得其法,至乃计官吏之俸、验百姓之物力以敛之,而卒不能增重。"③这表明

---

① 《金史》卷四四《兵志》。
② 《金史》卷四八《食货志》(三)。
③ 《金史》卷四八《食货志》(三)。

完颜宇以物力敛交钞的建议是被付诸实行了的。这是物力与社会经济的关系的又一例证。

通过对物力与物力钱的初步分析,使得我们对金代赋役制度的一些基本原则有所了解,相对于宋辽两朝来说,金代赋役制度有两个明显的特征值得注意。

一是赋役标准的一致性。宋代的赋役标准颇为混乱,其中两税依田亩定,身丁税依丁口定,差役依户等定(而确定户等的标准又各不相同),役钱依税钱或家业钱定。辽代的赋役制度虽然材料很少,但从一些零星的记载中也可看出其赋役标准是很不一致的,《辽史·食货志》称"太宗籍五京户丁以定赋税",可见某些赋税是按丁口征收的,但是像匹帛钱、鞋钱、地钱、农器钱等杂税则是附加在田亩正税上的,而杂徭又通常是按物力支配的。金代赋役标准的一致性,主要表现在以物力(或物力钱)为统一的征取尺度,这与宋辽两朝的情况形成了鲜明的对比。

二是赋役规范的一律性。宋代的赋役制度向以复杂多变著称,其复杂性的表现之一,就是各地区间存在的不同规范,例如南方与北方就有许多的差异;同是南方,经济发达的两浙路与经济落后的两广路又多有不同。辽代赋役的地区性差异则更为明显,北方草原地区与汉地实行的完全是两种不同的赋役制度,而以渤海人为主的东京地区和以汉人为主的燕云地区,其赋役内容也判然有别,圣宗太平九年(1029 年),户部使韩绍勋等将燕地制度搬到东京来实行,激起了大延琳的起义,最后不得不恢复其旧制。与宋辽相比较,金代赋役制度很少表现出地区性的差异,即便是在猛安谋克户与州县民户间,除了田亩正税有牛头税与两税的不同之外,其它赋役也基本上是一致的,这在很大程度上应该归结

于在全国范围内统一实施的通检推排以及由此形成的以物力为
准绳的赋役规范。

原载《中国经济史研究》1995 年第 1 期

金代杂税论略

在中国历代王朝的财政结构中,杂税是一个不可忽视的重要组成部分,但是由于它所具有的随意性、临时性、区域性和非制度化的特点,历代正史《食货志》大都对它忽略不记,抑或语焉不详,史料的先天不足给今天的研究工作造成了很大的困难。正是出于同样的原因,金代杂税至今仍是一个无人问津的问题,已有的两部金代经济史都将它一笔带过,目前人们对它的全部了解几乎仅止于《金史·食货志序》里这样短短的几句话:"物力之外,又有铺马、军须、输庸、司吏、河夫、桑皮故纸等钱,名目琐细,不可殚述。"然而,若想对金代的赋税制度有一个较为全面的认识,杂税毕竟是一个不能回避的研究课题,所以尽管明知史料极度匮乏,笔者还是决意对此做一初步探索。

谈及金代杂税,首先需要对金源一代国家赋税的总体结构有所了解。金朝的赋税制度与其它朝代比较起来有较多的特殊性,这主要表现在它的赋税类别上,金代赋税大致可以分为以下四类。

一、土地税

金代的土地税包括两套并行不悖的体制,一是两税制,一是牛头税制,这两种税制是针对不同的户类而设置的。我曾根据金朝户籍管理体系的特点,将其户口划分为州县民户、猛安谋克户、糺户三大类。州县民户主要由汉人和渤海人构成,其人口约占全国总人口的80%以上,两税制就是针对州县民户的土地税,另外官田的承佃者也全是州县民户。猛安谋克户以女真人为主,也包括部分契丹人和奚人。猛安谋克人口约占全国总人口的14%左右,对他们全都实行牛头税制。糺户是指生活在金朝北境和西北边境地区的诸游牧部落,其民族成份比较复杂。糺户虽多以游牧生活方式为主,但其中也有一些部族已进入农业社会,这部分部族最初同猛安谋克一样实行牛头税制,后来曾一度改行两税法,世宗时又恢复为牛头税。

金代的两税税物以本色为主,一般是夏税纳麦,秋税纳粟,但也不排除有以钱钞折纳的情况。1974年在陕西临潼就出土过金章宗泰和六年(1206年)的秋税银铤四笏,①又《金史·食货志》泰和八年(1208年)有"秋夏税纳本色外,亦令收钞"的记载,即许以交钞折纳。不过总的来看,两税纳钱钞均应以特例视之。因此,在金代的财政岁入中,一般是不把两税这一块算进去的。至于牛头税,性质与两税又有不同。相对于两税来说,牛头税的税率极低,又从来没有以钱钞折纳的记录,而且它有专项用途,即主要用于猛安谋克部内"备饥馑"之需,故牛头税对于国家财政几乎没有什么意义。实际上,严格说来,金代的牛头税既非地租,也非地税,牛头税的赋税形态是一个很棘手的问题,容另文讨论。

---

①赵康民等:《关于陕西临潼出土的金代税银的几个问题》,《文物》1975年第8期。

292 | 辽金史论

二、物力钱

物力钱是金朝独有的一个税目,它是按照规定的税率对民户物力征取的一种资产税。金代的物力范围比前代要宽泛得多,土地、房屋、车马、牲畜、奴婢、树木,乃至"藏镪之货"、"民户积粟"等等,均须纳入物力。"物力(钱)之征,上自公卿大夫,下逮民庶,无苟免者"。①

物力钱始创于世宗大定初。大定十五年(1175年)第二次通检推排时所核定的物力钱总额为 305 万余贯,约占当时朝廷岁入的 10%以上。章宗时,国用大增,财政岁入也大幅度攀升,而物力钱总额却呈下降的趋势,在国家财政中已变得无足轻重。这是因为金朝统治者征收物力钱的主要目的并不在于开辟新的财源,而是为赋役的分配提供一个统一的标准。

三、征榷税

征榷税即对部分工商业实行专卖制度所获得的收益。《金史·食货志》云:"金制,榷货之目有十:曰酒、曲、茶、醋、香、矾、丹、锡、铁,而盐为称首。"征榷是国家固定税收,一般来说,它是金代财政的主要来源。其中尤以盐税为大宗。世宗时七盐司岁课为 622 万余贯,仅此一项就占当时全部财政岁入的四分之一左

①《金史》卷四六《食货志序》。

右。章宗承安三年(1198 年),盐课增至 1077 万余贯,以致时人有"国家经费,惟赖盐课"的说法。①

征榷之税均纳钱钞。建国以来,考古文物工作者陆续发现了一些金代税银实物。1987 年,在山西省征集到两笏大定年间的解盐银铤;②1974 年,陕西临潼曾出土章宗时代的盐税银铤共计十二笏。③ 盐税之外的其它税银也有发现,与临潼盐税银铤同时出土的就有九笏带有"使司"戳记的银铤,又 1978 年在哈尔滨市西南郊也发现过一枚"使司"款的金代银铤。④ 有人将"使司"解释为转运使司,也有人认为应是盐使司的省称,这两种说法都是不对的。实际上这些税银上的"使司"戳记是酒使司、曲使司、醋使司等等诸院务使司的通称,也就是说它们是盐税之外的其它征榷税税银。

相对于无定制的杂税而言,以上三类可称为正税。

四、杂税

杂税在《金史·食货志》中没有专门立目加以介绍,其概念也很难严格规范,迄今为止,在中国经济史研究中,还无人对杂税进行准确的定位。一般说来,杂税具有临时性或区域性的特点,或者是某些时候、某种特殊情况下征收的专项税,或者是地方上随

①《金史》卷四九《食货志》(四)"盐"。
②王重山等:《山西发现金元时代的银铤》,《中国钱币》1988 年第 3 期。
③见前揭赵康民文。
④郝思德:《哈尔滨市郊区发现的"使司"款金代银锭》,《学习与探索》1979年第 4 期。

事增设的特别税。但实际上本文所谈的金代杂税要比这更为宽泛，即凡是不能归入前三类正税的赋税均视之为杂税，这一点是需要加以特别说明的。

杂税与土地税和物力钱的界限应该说是很分明的，难于界定的是它与征榷的区间。金代的征榷和杂税大抵类似于元代的岁课和额外课，《元史》列有32种额外课的名目，"谓之额外者，岁课皆有额，而此课不在其额中也"。① 其实《金史》对于征榷和杂税也有概略的区分，征榷一般称为"院务税"、"院务诸税"、"院务商税"、"院务课程"等，而杂税一般称作"诸税"、"诸名钱"、"诸科名钱"、"诸窠名钱"等。《金史》中常常将两者并称，如《金史·食货志》谓"院务商税及诸名钱，三分须纳大钞一分"，"院务诸税及诸科名钱，并以三分为率，一分纳十贯例者，二分五贯例者，余并收见钱"；《金史·孙铎传》称"院务课程及诸窠名钱须要全收交钞"。可见金人的基本概念还是清楚的。

由于杂税无一定之制，以至我们无法对其总额做出一个大概的估计。不过从下文的考述中可以看到，虽然征榷在一般情况下是金代财政的主要来源，但在非常时期、非常情况下，杂税在财政岁入中可能会达到很高的比例，有时甚至可能超过常课的征榷。因为在发生战争之类的特殊情形下，国家财政开支动辄成倍增长，而亏空的部分全要靠杂税来弥补。我总觉得，由于杂税缺乏定制，由于杂税数额记载阙略，人们对杂税在国家财政中的作用往往估计不足，——不只是金朝，其它朝代也大抵如此。

通观金代赋税，其正税（土地税、物力钱、征榷税）是不能算重的。金代两税的税率及官田租率都略低于宋代的水平，世宗就曾

——————
① 《元史》卷九四《食货志》（二）。

对臣僚说过"今租税法比近代甚轻"的话。① 至于牛头税更是一种象征性的税赋。金代物力的范围虽然很广，但物力钱的税率只有 0.6% 左右。就是作为国家财政收入主要来源的征榷，与宋代相比也并不算高。而杂税对金代百姓来说则是一个沉重的负担。

金代的各种苛捐杂税名目繁多，故《金史·食货志》谓其"名目琐细，不可殚述"。其中海陵一朝和蒙古南侵以后的两个时期内，杂税的负担尤为沉重。海陵王在位期间积极进行对南宋的战争准备，以此"科配诛求"，无所不为，如修汴京宫殿时，"颜色、胶漆、金翠珠玉、布麻、铜铁、鹦子、鹌鹑之类，皆出民间"。② 又《金史·完颜宗尹传》云："海陵军兴，为一切之赋，有菜园、房税、养马钱。"说明当时曾经创设了许多新的杂税名目。金朝后期，自蒙古入侵之后的二十余年，几于无岁不战，由于国计艰窘，百姓的税负大大增加，刘祁曾引用麻九畴的诗句，对金末苛捐杂税猥滥的状况有一段精彩的描述：

> 麻征君知几（按：即麻九畴）在南州，见时事扰攘，其催科督赋如毛，百姓不安，尝题《雨中行人扇图》诗云："幸自山东无税赋，何须雨里太苍黄？寻思此个人间世，画出人来也著忙。"虽一时戏语，也有味。知几若见今日事，又作何语耶？……又有《道人》云："太公寿命八十余，文王一见便同车。而今若有蟠溪客，也被官中要纳鱼。"虽俚语，可以想见时世也。③

---

① 《金史》卷四七《食货志》（二）"租赋"。
② 《三朝北盟会编》卷二三〇，引归正人梁淮夫等《上两府札子》。
③ 《归潜志》卷九。

从这段文字中我们可以充分体味到金末民生的艰难。

以下根据我所掌握的材料,对金代的杂税逐项进行论列。限于史料,有些杂税的具体内容已不很清楚,只能做出某种推测而已。

1. 军须钱

军须钱(一作军需钱)是金代杂税中规模最大、税负最重的一项。在金代一百二十年历史上,约有近半数的时间都伴随着战争,庞大的军费开支仅靠正常的岁课当然是无法解决的,不足的部分就以军须钱的名义向百姓征敛。

军须钱作为一项杂税,始创于大定三年(1163 年)。是时因与南宋的战事未已,"军士每岁可支一千万贯,官府止有二百万贯,外可取于官民户,此军须钱之所由起也"。① 次年,金宋双方订立隆兴和议,战争宣告结束,照理说军须钱也就应该取消了吧,可实际情况并非如此。大定十一年(1171 年),户部尚书高德基"上疏乞免军须、房税等钱,……未报"。② 又大定末年,京兆府路同州"同知州事纳富商赂,以岁课军须配属县"。③ 由此可知,所谓的"军须钱"并未因战争的结束而停征,而是已经演变为一种经常性的岁课了。

当然,在没有战争的情况下,军须钱的税额想必不会很高,而一旦发生战争,军须钱就动辄达到数量惊人的地步。如上所述,大定三年所需军费共一千万贯,而国库中仅有二百万贯,另外的八百万贯全靠向州县百姓征收军须钱来加以弥补。章宗明昌六

① 《金史》卷四四《兵志》。
② 《金史》卷九○《高德基传》。
③ 《金史》卷九九《李革传》。

年(1195年)以后,金朝屡屡遭到北方阻䪁等部的侵扰,用于北部边防的军费开支大幅度上升。承安间,廷议开界壕御边,百官可否不一,枢密使完颜襄说:"今兹之费虽百万贯,然功一成则边防固而戍兵可减半,岁省三百万贯。"①可见当时仅北境戍兵每年至少就要花费六百万贯。承安三年(1198年),金军北伐阻䪁,元帅府"以军须所费甚大,乞验天下物力均征。拟依黄河夫钱例,征军须钱,验各路新籍物力,每贯征钱四贯,西京、北京、辽东路每贯征钱二贯,临潢、全州则免征"。②此次军须钱的征收办法,系以承安三年九月刚刚结束的第四次通检推排所确定的物力钱数额为准,凡每贯物力钱征军须钱四贯。此次通检推排核准的物力钱总额为258万余贯,军须钱四倍于此,则计为1032万贯;因西京、北京、辽东路减半征收及临潢、全州免征,实际上征收的军须钱约近千万。即便如此,仍不敷军费所需,所以又在这一年将七盐司岁课由622万余贯提高到1077万余贯。从此年军须钱总额接近于调整后的盐课总额来看,军须钱在当时的财政收支中显然占有一个很大的比例。

承安间的战事毕竟只是国境外的局部战争,规模很有限。金朝后期,蒙古大举入侵,金蒙战争持续二十余年,无论是就其战争规模,还是就其军费对财政的需求而言,都远远超过了金朝与阻䪁的战争。虽然没有史料能够说明金代后期军须钱的数额是多少,在财政中的比例又是多少,但我估计当时财政的最主要来源可能就是军须钱。因为当宣宗南迁以后,黄河以北的国土几乎沦丧殆尽,通过工商业垄断经营而获取的征榷税势必大幅度下降,

---

① 《金史》卷九四《完颜襄传》。
② 《金史》卷四四《兵志》。

国家财政结构无疑会发生根本性的变化。所以我们不难理解金末杂税独多的现象，而在诸多杂税中，军须钱仍是数额最大的一宗。在当时的战争情况下，金朝统治者大概觉得军须钱乃是最正当的税赋，因此有时甚至借着军须钱的名义谋求征敛。宣宗贞祐间，河东宣抚使胥鼎向朝廷提出解决交钞贬值的建议时说："今之物重，其弊在于钞窒，有出而无入也。……臣愚谓宜权禁见钱，且令计司以军须为名，量民力征敛，则泉货流通而物价平矣。"①

关于金代后期军须钱的情况，从《金史》里的一些零星记载中也能看出点眉目。首先，军须钱的征收范围可能包括金朝政府所能控制的所有州县。据《金史·哀宗纪》载：正大八年（1231 年）四月，"全免京西路军需钱一年"。所谓"京西路"，是兴定三年（1219 年）在南京路境内设置的京东、京西、京南三路行三司之一。此地处于金王朝的后方，自然当在征收军须钱之列，免征一年只是一个特例。又《金史·宣宗纪》载：贞祐三年（1215 年）七月，"诏河北郡县军须并减河南之半"。宣宗南迁以后，河北屡遭蒙古军队焚掠，且多数州县已不在金朝政府的直接控制之下，而是由地方武装统辖，但就在这种情况下，金政府仍在河北征收军须钱。

军须钱输纳期限的变化也值得注意。章宗承安三年（1198年）以前的规定是"周年三限送纳"，承安三年因对阻䩐用兵，军费支绌，"遂定制作半年三限输纳"。② 宣宗兴定三年（1219 年），有记载称"免单丁民户月输军需钱"，③可知南渡以后已经改为一月

①《金史》卷四八《食货志》（三）"钱币"。
②《金史》卷四四《兵志》。
③《金史》卷一五《宣宗纪》（中）。

一输。输纳期限的迫促说明军费开支越来越高,财政状况越来越恶化。到了哀宗天兴元年(1232年)九月,甚而至于"以榜召民卖放下年军需钱",①即允许地方豪强扑买军须钱。豪强们在取得征税权之后,自然要无所忌惮地尽量搜括,实征之数必定大大超出扑买之数,普通百姓所承受的税负之重是可想而知的。金代后期沉重的军须钱是造成当时流民大量增加的重要原因,兴定四年(1220年),宣宗曾对朝廷臣僚说:"闻百姓多逃,……今又添军须钱太多,亡者讵肯复业乎?"②

2. 和籴

金代的和籴基本上没有制度化,所谓的"和籴"主要表现为在某些非常时期的抑配征购行为,所以我将它列入杂税。

世宗时曾一度制定常平仓法,颁之州县,史称"大定旧制,丰年则增市价十之二以籴,俭岁则减市价十之一以出"。③ 然而这套办法并没有能够真正实行下去。章宗即位后虽又复行常平仓法,但至明昌五年(1194年)即诏罢常平仓和籴,此后就再没有关于常平仓的记载。泰和间,沈州辽滨县"有和籴粟之未给价者余十万斛,散贮民居,而以富户掌之,中有腐败者则责偿于民,岁既久,官吏囊橐为奸,民殊以为苦"。④ 既将和籴粟散贮民居中,可见辽滨县并没有设置常平仓,明昌时制定的常平仓法可能早就不再实行了,而和籴则往往成为贪官污吏中饱私囊的名目。

总的来看,金代和籴可以说没有常规性制度,只是在有特殊需要的时候实行抑配勒索。海陵王时是强行抑配现象比较严重

①《金史》卷一八《哀宗纪》(下)。
②《金史》卷四七《食货志》(二)"租赋"。
③《金史》卷五〇《食货志》(五)"常平仓"。
④元好问:《内翰冯公神道碑铭》,《遗山集》卷一九。

的一个时期,南宋归正人梁淮夫《上两府札子》对此有所反映:"金贼未修内以前,米麦极贱,米不过二百一石,小麦一百五十一石。自修内,连年水旱,蝗蝗间作,官中税赋之外,以和籴为名,强取民间者,如带籴、借籴、帖籴之类,二年之间,不下七八次。民间有米,尽数为之括拘;无,即以户口大小拟定数目,勒令申纳。"①此处提到的"带籴"、"借籴"、"帖籴"三种名目究竟是什么内容呢?我们不妨参考一下宋人的解释。南宋初,薛徽言上章指陈"带籴之弊",谓带籴乃"湖南一路旧有之,名籴而未尝给钱"。② 又绍兴元年(1131年),南宋臣僚有言"浙西科敛之害"者,谓"不支籴钱,强令输粟,号曰均籴,又别立一名,曰借籴"。③ 由此可知,所谓"带籴"和"借籴"竟都是不支籴价的勒索,何"籴"之有! 又陈傅良谓宋徽宗时"西北边粮草名曰便籴,而均籴、结籴、贴籴、括籴之名起,盖以官告度牒之类等第抑配,而边民不聊生矣"。④ 此处说的"贴籴"与海陵王时候的"帖籴"应该是一回事,陈傅良没有明确解释贴籴的内容,但仔细玩味其文义,贴(帖)籴似乎与带籴、借籴还是有所不同的,可能多多少少要支付一点籴本。

世宗初年,一方面与南宋的战事尚未结束,一方面又要对付西北地区的契丹人起义,为了筹措军粮,曾在部分地区进行抑配征购。大定二年(1162年),"以正隆之后仓廪久匮,遣太子少师完颜守道等山东东、西路收籴军粮,除户口岁食外,尽令纳官,给其直"。⑤ 看得出来,当时的和籴手段是相当严厉的,即计其户口

---

①《三朝北盟会编》卷二三〇。
②薛季宣:《先大夫行状》,《浪语集》卷三三。
③《建炎以来系年要录》卷四九,绍兴元年十一月乙巳。
④《文献通考》卷一八《征榷考》(五)引陈傅良说。
⑤《金史》卷五〇《食货志》(五)"和籴"。

预留口粮外,余粮悉数征购。同一时期,还有"陕西之民,……困于和籴"的记载,①可能是因为当时陕西的战事导致对和籴的过度需求,令陕西百姓无法承受的缘故。

和籴负担最重的当然还是要算金朝后期。自卫绍王大安三年(1211 年)蒙古军队入侵金朝始,这种苛捐杂税骤然增多。崇庆元年(1212 年),南宋贺正旦使程卓回程中途经真定府时,闻"车夫怨言征取之扰,自常赋外,有曰和籴,又曰初借。前途言者亦如是"。② 这里说的"初借",可能和前面谈到的海陵王时期的"借籴"是一个意思,总归是不支籴本的平白勒取。宣宗南迁后,因都城开封粮食紧缺,"贞祐三年十月,命高汝砺籴于河南诸郡,令民输挽入京,复命在京诸仓籴民输之余粟。侍御史黄掴奴申言:'汝砺所籴足给岁支,民既于租赋之外转挽而来,亦已劳矣。止将其余以为归资,而又强取之,可乎?'"③从这段文字中足以看出当时的和籴手段刻薄到何种程度。虽名曰"和籴",实则是一点也不"和"的。金末人李节的诗句揭露了所谓"和籴"的真相:"梧头打出和籴米,丁口签来自愿军。"元好问评论说:"读之则时政可见矣。"④由于不堪和籴的重负而流亡它乡的百姓也不在少数,《金史·食货志》云:"兴定元年,上颇闻百姓以和籴太重,弃业者多,命宰臣加意焉。"

金末和籴之最为后人诟病者,莫过于"阑籴"一事。元代史家将此视为金末弊政而痛加诋斥:"及其亡也,括粟、阑籴,一切掊克

---

①张万公:《武威郡侯段铎墓表》,《山右石刻丛编》卷二二。
②程卓:《使金录》,《碧琳琅馆丛书》本。
③《金史》卷五〇《食货志》(五)"和籴"。
④《中州集》卷七《李节小传》。

之政,靡不为之。"①阑籴之法始于宣宗贞祐三年(1215年),是年八月,"增沿河阑籴之法,十取其八,以抑贩粟之弊,仍严禁私渡"。② 宣宗南迁后,黄河以北屡经兵火,田野荒芜,百姓无食,于是有些商人便从河南贩运粮食到河北牟利,金朝政府在黄河沿岸的各个渡口设卡,用低价从商人手里强行籴取其十分之八的粮食,是谓"阑籴"("阑",通"拦")。当时尚书省拟定的具体办法是:"于诸渡口南岸,选通练材货官,先以金银丝绢等博易商贩之粮,转之北岸,以回易籴本。"③阑籴的实行等于断绝了河北百姓的粮食来源,因此河北行省侯挚上奏请罢此法,云:"河北人相食,观、沧等州斗米银十余两。伏见沿河诸津许贩粟北渡,然每石官籴其八,商人无利,谁肯为之? 且河朔之民皆陛下赤子,既罹兵革,又坐视其死,臣恐弄兵之徒得以藉口而起也。愿止其籴,纵民输贩为便。"④监察御史陈规则建议"过河之物每石官收不过其半,则富有之家利其厚息,辐凑而往,庶几公私俱足"。⑤ 但他们的意见都没有得到采纳。

3. 和买、配卖

和买即"抑贾(价)买民物",配卖即"高贾卖官物"。它们与和籴的性质类似,虽称"买"、"卖",实际上是一种变相的赋税。

在金代,字面意义上的和买几乎不存在,所谓"和买"大都是以抑配的形式进行的。大定十年(1170年),世宗对户部官员说:

①《金史》卷四六《食货志序》。
②《金史》卷一四《宣宗纪》(上)。
③《金史》卷五〇《食货志》(五)"和籴"。
④《金史》卷五〇《食货志》(五)"和籴"。
⑤《金史》卷一〇九《陈规传》。

"官钱积而不散,则民间钱重,贸易必艰,宜令市金银及诸物。"①但户部实行的办法则是"抑配百姓,且下其直"。② 这就是典型的和买。

更有甚者,还有根本不付任何酬值的和买。泰和五年(1205年),有人上奏,谓"黄河危急,刍藁物料虽云折税,每年不下五六次,或名为和买,而未尝还其直",章宗"敕委右三部司正郭澥、御史中丞孟铸讲究以闻。澥等言:'大名府、郑州等处自承安二年以来,所科刍藁未给价者,计钱二十一万九千余贯。'"③这样的和买已经完全演变为一种赋税了。此外权门豪强也常常以和买的名义掠夺百姓财物,如宣宗兴定间,监察御史程震劾奏皇子荆王守纯"从(纵)厥奴隶,侵渔细民,名为和市,其实胁取"。④ 不过这实际上已经超出了我们论述的赋税范围。

杨云翼写于兴定年间的一首章疏,对于我们了解金朝的和买颇有参考价值,兹节引如下:

> 臣窃见国家之取于民,有曰和买、有曰和雇者,徒爱其虚名之美,而不救其利害之实也。盖和雇、和买之有损于国,无补于民,适足为吏卒之利耳。且科敛之限方急,州县之官以鞭笞棰楚从事于匆遽之间,小民奔走趋命之不暇,故出数倍之直,以应上之求,恐恐然惟以不得罪于州县为幸。国家悯小民趋办如是之劳,故出直以偿之,意固善矣,奈何州县官之

①《金史》卷四八《食货志》(三)"钱币"。
②《金史》卷五〇《食货志》(五)"榷场"。
③《金史》卷二七《河渠志》。
④元好问:《御史程君墓表》,《遗山集》卷二一。

明干者少,胥吏、乡里正、主首之属,因缘为奸,官直之及贫民者,十才二三,则是官有费损之实,民无饶益之利也。为今之计,莫若罢和雇、和买之虚名,凡有科敛,一验贫富多寡之数而均之民,不必出直以偿之。国家方事殷之时,虽户赋口敛亦不为过,何必取公帑不及支之财,欲以益当赋之民,而要和雇、和买之名哉。①

这篇奏议告诉我们,金代的和买虽然一般是要支付酬值的,但这些酬值大部分都被贪官污吏吞没了,百姓们能拿到手的只是其中很小的一部分。因此杨云翼主张干脆取消酬值,把和买彻底赋税化。

配卖不像和买那么普遍,这里只能举出两例。章宗时,因交钞贬值,金朝政府曾"抑配行市买钞",②即通过城镇的商业同行组织配卖交钞。又据《金史·食货志》记载,承安间,"于淄、密、宁海、蔡州各置一坊,造新茶。……以商旅卒未贩运,命山东、河北四路转运司以各路户口均其袋数,付各司县鬻之",而此四路"悉桩配于人"。如果说和买还不是完全没有"和买"的可能性的话,那么配卖则绝对都是抑配。

4. 科配军器物料

金代战争频繁,制造军器的物料一般都向百姓摊派。海陵王准备入侵南宋时,"中都与四方所造军器材用皆赋于民,箭翎一尺至千钱,村落间往往椎牛以供筋革,至于乌鹊狗彘无不被害者"。③

①见王恽《玉堂嘉话》卷一。
②《金史》卷九九《孙铎传》。
③《金史》卷五《海陵纪》。

《金史·郑建充传》也说:"正隆军兴,括筋角造军器,百姓往往椎牛取之,或生拔取其角,牛有泣下者。"由于军情紧急,这种科配一般都是非常严厉和非常苛刻的。如章宗承安间北征阻䪁,陕西同州奉命"征箭十万,限以雕雁羽为之,其价翔跃不可得"。① 此次战事规模虽不算大,但给州县百姓增加的负担却是很重的。

金代后期与蒙古的长期战争对军器的需求极大,对百姓的征敛也就更重了。贞祐三年(1215年)七月,"朝廷备防秋兵械,令内外职官不以丁忧致仕,皆纳弓箭"。② 宣宗南渡后的"新制"规定,"科买军器材物稽缓者并的决",③在如此严厉的法令督责之下,以致于出现了"民间销毁农具以供军器"的情况,④可以想见当时的百姓是怎样穷于应付。

在没有战争的年代,军器似乎也是一个经常性的征敛项目。下述史料可以说明这一点。据《金史·世宗纪》载:大定四年(1164年),"以北京粟价涌贵,诏免今年课甲";又《金史·百官志》谓殿前都点检司武库署"掌收贮诸路常课甲仗"。这里说的"课甲"、"常课甲仗",在《金史》中缺乏更具体的记载,不过既云"常课",应当理解为即使在和平时期也不例外。又据金人记载说:"潞州岁造军器为常课,其物料,旧例下县科配,本县(长子县)所当数余万贯。"⑤这是大定十几年间的事情,当时金朝并没有任何战事。只是不知道像潞州这样岁课军器物料的州府是否很普遍。

①《金史》卷一二八《循吏传》。
②《金史》卷一〇六《张行简传》。
③《金史》卷一〇四《乌林荅与传》。
④《金史》卷一〇〇《李复亨传》。
⑤刘丙:《长子县令乌公德政碑》,《金文最》卷七二。

5. 河夫钱

河夫钱又称黄河夫钱。金代是黄河水害较重的一个时期,修筑河堤、维护河道是一项经常性的工程,河防工程的费用主要就靠征收河夫钱来解决。

河夫钱一般按照物力征收,在金代杂税中也是数额较大的一种。如大定二十九年(1189 年)五月,"河溢于曹州小堤之北。……工部言:'营筑河堤,用工六百八万余,就用埽兵军夫外,有四百三十余万工当用民夫。'遂诏命去役所五百里州府差雇,于不差夫之地均征雇钱,验物力科之。每工钱百五十文"。① 按每个工 150 文雇钱计,430 万工总计当用雇钱 645000 贯,均由百姓按大定二十七年(1187 年)通检推排所确定的物力钱高低缴纳。而这只不过是一次规模不大的"河溢"。章宗明昌五年(1194 年),都水监田栎拟议用工五千万修筑河堤,可见河防工程之浩大。

对于居住在黄河沿岸的百姓来说,为支应河防工程而承受的税赋尤为沉重。大定十年(1170 年),世宗指斥黄河堤埽之弊,谓"百姓差调,官吏互为奸弊,不早计料,临期星火率敛,所费倍蓰,为害非细";"然其所征之物,或委积经年,至腐朽不可复用"。② 世宗指出的这些情况大概是很普遍的。章宗时,黄河水害频仍,国史院编修官高霖上疏,称诸堤埽"凡卷埽工物,皆取于民,大为时病"。③ 平章政事完颜守贞也说:"科征薪刍,不问有无,督输迫切,则破产业以易之。"④ 宣宗南渡后,黄河"南岸居民,既已籍其河夫修筑河堰,营作戍屋,又使转输刍粮,赋役繁殷,倍于他所,夏

---

① 《金史》卷二七《河渠志》。
② 《金史》卷六《世宗纪》(上)、卷二七《河渠志》。
③ 《金史》卷一〇四《高霖传》。
④ 《金史》卷二七《河渠志》。

秋租税,犹所未论"。① 总之,金朝虽然试图通过河夫钱将河防的负担加以均平,但实际上黄河沿岸的居民总是负担更重。

6. 商税

日本学者加藤繁在《宋代商税考》一文中,将商税分为过税、入市税和市籍租三种,②这是广义的商税,而金代所称的商税是狭义的商税,实际上就是加藤氏说的入市税,亦即交易税。

金代前期是否有统一的商税法不得而知,但据说"伪齐刘豫令民鬻子依商税法计贯陌而收其算",③可见在伪齐境内是有商税法的。金朝商税法的制定,见于《金史·食货志》明文记载的是在大定二十年(1180 年):"定商税法,金银百分取一,诸物百分取三。"大定二十八年(1188 年)怀州修武县七贤乡马坊村马用卖地文契,特意注明"税讫价钱壹拾陆贯文",④就说明在土地交易时是缴纳了商税的。又《金史·食货志》在"诸征商"条下载:"大定间,中都税使司岁获十六万四千四百四十余贯;承安元年,岁获二十一万四千五百七十九贯。""税使司"的职责范围虽不甚清楚,但我估计这里说的应该是商税收入。

7. 关税

关税就是加藤繁说的过税。金朝的关税不是始终都有的,据洪皓说:"虏法:文武官不以高下,凡丁家难未满百日,皆差监关税、州商税院、盐铁场,一年为任,谓之'优饶'。"⑤这是金朝前期的情况。《金史·食货志》则明确告诉我们:大定二年(1162 年)

①《金史》卷二七《河渠志》。
②《中国经济史考证》第 2 卷,吴杰译,商务印书馆 1963 年版,第 179 页。
③《建炎以来系年要录》卷九四,绍兴五年十月末。
④《金石萃编》卷一五八《真清观牒》。
⑤《松漠记闻·补遗》。

八月,"罢诸路关税,止令讥察"。此后《金史》中就再也见不到有关关税的记载。不过我对大定二年后是否始终没有恢复关税还存有一点疑问。蒙古海迷失后二年(1250 年),刘秉忠向忽必烈上书言策,谓"关市津梁正税十五分取一,宜从旧制"云云,[①]我想刘秉忠说的"旧制"无非是指金源旧制,这是否说明金朝后期还是有关税的呢?

8. 市税

金代的市税即加藤繁之所谓"市籍租",按照加藤的定义,市籍租是"对于在市中有店铺的商人所课的税"。《金史》中"市税"一词仅出现过一次,即《世宗纪》大定二十四年(1184 年)八月条"诏免上京今年市税"。另外市税还可以称为市租,如《金史·太宗纪》天会二年(1124 年)正月:"以东京比岁不登,诏减田租、市租之半。"

9. 房税

房税即官房房租。辽代一般称房钱,辽燕京三司课程钱中有"房钱"一项,[②]即此。

根据《金史·完颜宗尹传》的说法,金朝的房税始创于海陵王时期,但熙宗皇统元年(1141 年)的《曲沃县建庙学记》谓曲沃县学"蹴为民居者几十年,官取其租",[③]可见早在海陵王之前就有房税。而《金史·食货志》却有大定三年(1163 年)"定城郭出赁房税之制"的记载,这可能说明此前征收房税尚未形成定制。大定十一年(1171 年),户部尚书高德基曾"上疏乞免军须、房税等

---

① 《元史》卷一五七《刘秉忠传》。
② 《三朝北盟会编》卷一四,引马扩《茆斋自叙》。
③ 《金文最》卷二二。

钱",结果没有下文。① 章宗即位后,于明昌元年(1190年)正月"敕尚书省定院务课商税额,……免赁房税"。② 但这恐怕只是一个权宜性的措施,哀宗天兴二年(1233年)《曲赦蔡州诏》中有"自来拖欠官房、地基、军须等钱,俱免追征"的内容,③证明直到金末仍有房税。

10. 地基钱

地基钱是城镇官地的租钱。《金史·食货志》云:"海陵贞元元年五月,以都城隙地赐随朝大小职官及护驾军。七月,各征钱有差。"这是有关地基钱的最早记载。世宗大定间,"郡县街陌间听民作廛舍,取其僦直",④也是一种房宅地基钱。南宋绍熙元年(1190年),杨万里在一首奏议中说到:"臣近因接送房使,往来盱眙,闻新酋用其宰臣之策,蠲民间房园、地基钱。"⑤这和上面引用的章宗明昌元年(1190年)"免赁房税"的记载可能是同一件事。地基钱大概只是部分蠲减,而不是永久地蠲免,因为《金史·食货志》明昌三年(1192年)又有"诏减南京出赁官房及地基钱"的记载,可见地基钱是始终存在的。

房税和地基钱均由店宅务负责征收,《金史·百官志》云:"中都店宅务,……掌官房、地基征收官钱。"店宅务在有的地方又称作楼店巡,上海博物馆就藏有一方正隆五年(1160年)铸造的"北京楼店巡记"铜印。⑥ 根据金代石刻材料,房舍的计量单位一般是

---

① 《金史》卷九〇《高德基传》。
② 《金史》卷四九《食货志》(四)"诸征商"。
③ 王鹗:《汝南遗事》卷一。
④ 《金史》卷九二《李偲传》。
⑤ 《诚斋集》卷六九《转对札子》"贴黄"。
⑥ 景爱:《金代官印集》卷四,文物出版社1991年版。

"桄"(一桄即一步),而地基则大多论"间"(一间为二步)。①

11. 五厘钱

五厘钱是伪齐统治时期独创的一个税目。伪齐建立之初,规定"民间房缗以十分为率,五厘纳官"。② 也就是说须将私房房租的5%上缴官府。五厘钱的性质和宋朝对民间私房所征收的屋税约略相似,据说北宋时的屋税也正是在北方地区较为普遍,③伪齐的五厘钱或许与此有关。

五厘钱在某种程度上似乎可以代表坊郭户的物力水平。如阜昌五年(1134年)伪齐对私田每亩科税250文,"在坊郭者以五厘、营运、免行等钱,比附均敷",④就说明了这样一个问题。在当时,五厘钱可能被人们认为是一种无理的苛捐杂税,所以金朝废除伪齐时,曾派人到开封的大街小巷到处向人宣称:"不用尔为签军,不要尔免行钱,不要尔五厘钱。"⑤以此收买民心。后来金朝果然再没有征收过五厘钱。

12. 金银之税

金银之税是对民营金银矿冶征收的一种经营税。《金史·食货志》云:"大定三年,制金银坑冶许民开采,二十分取一为税。"但不久之后就取消了这种税收,大定十二年(1172年),"诏金银矿冶,恣民采,毋收税"。章宗明昌五年(1194年),改以"召募射买"的办法出让矿冶的开采权。

---

① 《八琼室金石补正》卷一二六《京兆府提学所帖碑》、《金石萃编》卷一五五《凝真大师成道记》。
② 《伪齐录》卷上《刘豫传》。
③ 王曾瑜:《宋朝的坊郭户》,《宋辽金史论丛》第1辑,中华书局1985年版。
④ 《建炎以来系年要录》卷七八,绍兴四年七月末。
⑤ 《三朝北盟会编》卷一八一。

13. 免役钱

金代的免役钱主要涉及杂役、差役和兵役。

《金史·食货志》云:"凡叙使品官之家,并免杂役,验物力所当输者,止出雇钱。"这里说的雇钱,就是免役钱中的一种。

金朝中原地区的某些差役,向来是采取雇募的形式,同时向不服役者征取免役钱。如"山东、河南、陕西等路循宋、齐旧例,州县司吏、弓手于民间验物力均敷雇钱,名曰'免役'"。① 皇统间,深州"例置弓手百余,少者犹六七十人,岁征民钱五千余万为雇直",②可见差役的免役钱数额是很大的。

金朝前期实行签军制。世宗时,鉴于签军制弊病丛生,于是改行募兵制。自"大定十年为始,凡物力五十贯者招一军,不及五十贯者率数户共之,下至一二千者亦不免。每一军费八十缗,纳钱于官,以供此费"。③ 这里说的"物力"实际上指的是物力钱,也就是说凡具有五十贯物力钱的物力水平,则须纳免役钱八十贯。金代的州县民户有课役户和不课役户之分,免役钱的征收范围只限于课役户。

另外有关伪齐的某些史料也涉及到免役钱。皇统五年(1145年),兖州禀行台尚书省云:"孔子庙宅,赐田二百大顷,自宋时不曾输纳税役,至废齐阜昌五年,断勒拘催二税并役钱。"④又金废伪齐后,取消了伪齐的某些杂税,其中有一项名为"免行钱",⑤估计是代替兵役的役钱。

---

① 《金史》卷四四《兵志》。
② 《金史》卷一二五《胡砺传》。
③ 楼钥:《北行日录》(上),《攻媿集》卷一一一。
④ 《孔氏祖庭广记》卷七。
⑤ 《三朝北盟会编》卷一八一。

在此还须对所谓"输庸钱"做一点辨析。《金史·食货志序》谓"物力之外又有铺马、军须、输庸、司吏、河夫、桑皮故纸等钱,名目琐细,不可殚述",显然,元朝史官把输庸钱也当成了一种杂税,这是一个极大的误解。据《金史·章宗纪》载:明昌元年(1190年)三月,"有司言:'旧制,朝官六品以下从人输庸者听,五品以上不许输庸,恐伤礼体。其有官职俱至三品、年六十以上致仕者,人力给半,乞不分内外,愿令输庸者听。'从之";明昌二年十二月,"敕三品致仕官所得傔从毋令输庸"。又《金史·百官志》"百官俸给"条载:贞祐三年(1215年)四月,"以调度不及,罢随朝六品以下官及承应人从己人力输傭钱"。《金史·食货志》的作者可能是把输庸钱理解为一种免役钱了,实际上"输庸"的"庸"并非租庸调的"庸","庸"在这里是"傭"字的通假,《百官志》作"傭"乃其本字。金制,凡品官皆有从己人力,担任从己人力的民户本可免除杂役,但当时的官僚们常常令从己人力照旧为官府服役,而官府则须向他们支付"输傭钱",于是输傭钱便成为官僚俸禄之外的一项常规性收入,故《金史·百官志》把它记在"百官俸给"中。不过因考虑到高级官僚的仆从服杂役未免有失体统,所以限定六品以下官员从己人力才能输傭,明昌间曾一度允许三品致仕官从人输傭,但不久又加以禁止。宣宗南迁后,因财政紧张,最终取消了输傭钱。

14. 牛夫钱

《金史·食货志》云:"前时近官路百姓以牛夫充递运者,复于它处未尝就役之家征钱偿之。(大定)二十三年,宗州民王仲规告乞征还所役牛夫钱,省臣以奏,上曰:'此既就役,复征钱于彼,前虽如此行之,复恐所给钱未必能到本户,是两不便也。不若只计所役,免租税及铺马钱为便。其预计实数以闻。若和雇价直亦须裁定也。'有司上其数,岁约给六万四千余贯,计折粟八万六千余石。上复命,自今役牛夫之家,以去道三十里内居者充役。"所谓"牛夫钱",论其性质也应纳入免役钱的范围。大概从大定二十三年(1183年)以后就取消了这项杂税,而改为除免就役者之租税及铺马钱。

15. 贷役钱

据《金史·世宗纪》记载,大定二年(1162年)三月,"免南京正隆丁夫贷役钱"。贷役钱的具体内容已不可考。

16. 牛头税

这里说的牛头税不是指猛安谋克户的专项赋税,而是指州县民户的一项杂税。《金史·食货志序》云:"猛安谋克户又有所谓牛头税者,宰臣有纳此税,庭陛间诮及其增减,则州县征求于小民盖可知矣。"此处的"宰臣"显然是指汉人宰执。估计这是某些州县仿照猛安谋克牛头税的形式而增设的一项杂税。

17. 养马钱

养马钱始创于海陵王时。大定间,平章政事完颜宗尹对世宗说:"海陵军兴,为一切之赋,有菜园、房税、养马钱。大定初,军事未息,调度不继,故因仍不改。今天下无事,府库充积,悉宜罢去。"于是"养马等钱始罢"。① 关于养马钱的具体内容,从《金史·李复亨传》中可以看出一些眉目:兴定四年(1220年),参知政事李复亨奏:"民养驿马,此役最甚。……可依旧设回马官,使者食料皆官给之,岁终会计,均赋于民。"海陵以来的养马钱大概也不外乎这种形式,总之是对不养官马的民户课的一种杂税。

---

①《金史》卷七三《完颜宗尹传》。

18. 铺马钱

据《金史·食货志》记载：泰和元年（1201年），因银价低回，宰执建议"宜令诸名若铺马、军须等钱，许纳银半"；泰和二年，为回笼交钞，"户部见征累年铺马钱，亦听收其半"。又大定间有"以牛夫充递运者"免铺马钱的记载，已见前述。但铺马钱的具体内容不得其详。

19. 桑皮故纸钱

桑皮故纸钱是金末发明的一种杂税。宣宗兴定元年（1217年）五月，"以钞法屡变，随出而随坏，制纸之桑皮故纸皆取于民，至是又甚艰得，遂令计价，但征宝券、通宝，名曰'桑皮故纸钱'，谓可以免民输挽之劳，而省工物之费也"。时尚书右丞高汝砺上奏极陈其弊："河南调发繁重，所征租税三倍于旧，仅可供亿。如此其重也，而今年五月省部以岁收通宝不充所用，乃于民间敛桑皮故纸钞七千万贯以补之，又太甚矣。而近又以通宝稍滞，又增两倍。……民既悉力以奉军而不足，又计口、计税、计物、计生殖之业而加征，若是其剥，彼不能给，则有亡而已矣。"①交钞之弊是令金末统治者非常头疼的一个问题，桑皮故纸钱正是由这个问题引出的恶果之一。高汝砺的劝谏看来没有什么效果，至少到兴定四年（1220年），桑皮故纸钱仍在继续征敛。《金史·宣宗纪》载：兴定四年八月，"上谕宰臣：河南水灾，唐、邓尤甚。……自今岁九月始，停周岁桑皮故纸折输"；又《金史·食货志》有兴定四年十一月"减桑皮故纸钱四之一"的记载。

20. 水利钱银

《金史·食货志》载：明昌六年（1195年），"陕西提刑司言：

---

①《金史》卷四八《食货志》（三）"钱币"。

'本路户民安水磨、油梗,所占步数在私地有税,官田则有租,若更输水利钱银,是重并也,乞除之。'省臣奏:'水利钱银以辅本路之用,未可除也,宜视实占地数,除税租,命他路视此为法。'"水利钱银可能是对利用江河水力资源的民户所征取的一种杂税,这项税收不归户部支配,而是纳入地方财政。

21. 菜园钱

根据《金史·完颜宗尹传》可以得知,菜园钱是海陵王时创设的一项杂税,后于大定间废罢。另外据说刘豫伪齐也曾对菜园征税,《宋史·食货志》在记载绍兴九年(1139年)规复河南后除免苛税一事时说:"初,刘豫之僭,凡民间蔬圃皆令三季输税。……起居舍人程克俊言:'河南父老苦豫烦苛久矣,赋敛及于絮缕,割剥至于果蔬。'于是诏新复州县,取刘豫重敛之法焚之通衢。"海陵时期的菜园钱或许与此不无关系。

由于史料的匮乏,本文所谈到的杂税肯定远远没有反映出金代杂税的全部内容,然而仅此已足以表明杂税在金代赋税中的重要性,同时也充分说明了杂税给金朝人民带来的负荷是格外的沉重。

原载《中国社会经济史研究》1996年第3期

辽金的佛教政策及其社会影响

一、辽朝对佛教的接受与崇奉

辽朝是以崇佛著称的一个朝代,无论是统治者推崇提倡的程度,还是社会各阶层佛教信仰的普遍,都远甚于此前的隋唐和其后的金元,更不用说与它同时的五代、北宋了。佛教的极盛,对辽朝的政治、经济、文化、社会诸方面产生了深刻的影响,甚而关系着这个朝代的兴衰存亡。

契丹族本无佛教信仰,佛教最初是由汉人和渤海人传入辽朝的。唐天复二年(902年)九月,契丹"城龙化州于潢河之南,始建开教寺"。① 开教寺是在契丹境内建立的第一座佛教寺院。据《辽史·地理志》载,上京道龙化州系唐天复二年耶律阿保机"破代北,迁其民,建城居之"而产生的一座新城镇。《太祖纪》也有如下的记载:天复二年七月,时为迭剌部夷离堇的耶律阿保机率兵四十万"伐河东代北,攻下九郡,获生口九万五千"。开教寺正是

①《辽史》卷一《太祖纪》(上)。

为这批来自代北的汉民而创设的。辽朝初年,僧尼最集中、佛事最盛的地方是上京临潢府,辽太祖六年(912年)遣兵讨渤海部,"以所获僧崇文等五十人归西楼(临潢府),建天雄寺以居之",①这是佛教传入临潢之始。其后辽朝在攻掠汉地的过程中,不断将俘掠的汉人迁往临潢府,在其城南"别作一城,以实汉人,名曰汉城。城中有佛寺三,僧尼千人"。② 堪称辽初的佛教中心。

神册三年(918年)五月,太祖下诏在全国普建孔庙、佛寺、道观,做出三教并举的姿态,但从他与臣僚的下面这段对话中,可以看出当时契丹统治者对佛教的真实态度:一次太祖问臣僚曰:"受命之君,当事天敬神。有大功德者,朕欲祀之,何先?"臣僚皆以佛对。太祖曰:"佛非中国教。"太子耶律倍答道:"孔子大圣,万世所尊,宜先。"太祖"大悦,即建孔子庙,诏皇太子春秋释奠"。③ 在佛教初入辽朝的数十年间,它并未成为契丹人的宗教信仰,辽朝统治者创建佛寺并倡导佛教活动,只是用以安抚新俘掠的汉人和渤海人而已,此时佛教的传播范围也很有限。迄太祖之世,契丹统治者对于佛教只有利用而无信仰可言。

菩萨堂的建立是辽朝佛教政策发生转折的一个标志。天显十二年(937年),太宗将幽州大悲阁白衣观音像迁往契丹族的发祥地木叶山建庙供奉,"尊为家神",④是即所谓菩萨堂。太宗此举表明了他对佛的认同,从此佛教才作为一种宗教信仰开始为契丹族所接受,并渐渐在契丹社会中流行开来。

圣宗以后,辽朝佛教进入了其全盛期。史称圣宗对"道释二

①《辽史》卷一《太祖纪》(上)
②《旧五代史》卷一三七《契丹传》。
③《辽史》卷七二《耶律倍传》。
④《辽史》卷三七《地理志》(一)。

教,皆洞其旨",①而尤其"留心释典",②在他在位期间,曾允准续刻云居寺石经,并委派瑜伽大师可玄提点镌修。但与辽朝后期崇佛、佞佛不同的是,圣宗一朝的佛教政策始终是很有分寸的:一方面倡导佛学,支持佛教活动,另一方面对寺院和僧尼多方加以限制,不使其过分膨胀。统和初,曾有诏禁止私建佛寺,凡无额寺院均被视为非法。时晋国公主在燕京新建佛寺一所,圣宗允诺赐以寺额,室昉谏曰:"诏书悉罪无名寺院。今以主请赐额,不惟违前诏,恐此风愈炽。"圣宗遂改变了主意。③ 统和九年(991年),"诏禁私度僧尼";统和十五年(997年),"禁诸山寺毋滥度僧尼";开泰四年(1015年),"诏汰东京僧"。④ 以往人们在谈及辽代佛教盛况时,往往将圣宗朝与兴宗、道宗朝相提并论,这似乎主要是着眼于民间崇佛的方面。

纵观辽朝佛教的发展,真正的崇佛、佞佛高潮是在辽代后期的兴宗、道宗、天祚三朝,而且这一时期的佛教对辽朝国运的兴衰所带来的消极影响也最为明显。佞佛之风的蔓延首先是与统治者的好尚分不开的,《元史·释老传》有云:"释、老之教,行乎中国也,千数百年,而其盛衰,每系乎时君之好恶。"辽兴宗"溺佛屠法",⑤曾在重熙七年(1038年)亲"幸佛寺受戒",⑥皈依佛祖。他在位期间,极力提高佛教的社会地位,多方优遇僧人,甚至对名僧官拜三公、三师,尊崇备至。道宗"好佛法,能自讲其书。每夏季

①《契丹国志》卷七《圣宗天辅皇帝》。
②《全辽文》卷八《涿州白带山云居寺东峰续镌成四大部经记》。
③《辽史》卷七九《室昉传》。
④《辽史》卷一五《圣宗纪》(六)。
⑤《辽史》卷六二《刑法志》(下)。
⑥《辽史》卷六八《游幸表》。

辄会诸京僧徒及其群臣,执经亲讲"。① 道宗对华严学有相当的造诣,曾自撰《华严经随品赞》十卷。在他在位期间,完成了《契丹藏》的刻印工程。道宗还屡召诸路名僧,于宫内设坛授戒。关于道宗对佛教的尊崇,有两件事常为人们所提及,一是咸雍八年(1072年)三月,"有司奏春、泰、宁江三州三千余人愿为僧尼,受具足戒,许之";一是大康四年(1078年)七月,"诸路奏饭僧三十六万"。《辽史·道宗纪赞》因有"一岁而饭僧三十六万,一日而祝发三千"之语,视之为帝王荒政而加以非难。天祚朝虽已国事孔棘,内外交困,但崇佛之举不少逊于乃祖。天庆三年(1113年)正月,竟下诏"禁僧尼破戒",②也就是禁止出家人还俗,这是一个破天荒的举措。从圣宗时禁私度僧尼到天祚时禁僧尼破戒,辽朝的佛教政策发生了显著的变化,对佛教的尊崇在升温,对寺院、僧尼的限制在减弱。其后果便是佛教最终走向泛滥。

辽朝统治者的崇佛礼佛政策极大地促进了佛教在民间的发展,自辽中叶以后,佛寺香火旺盛,信徒遍及全国,从通都大邑到穷乡僻壤,"处处而敕兴佛事,方方而宣创精蓝",③"城邑繁富之地,山林爽垲之所,鲜不建于塔庙,兴于佛像"。④ 从有关史料来看,辽朝后期的佛寺规模也相当可观,据宋哲宗元符三年(1100年)出使辽朝的陆佃说:"北虏崇释氏,故僧寺猥多,一寺千僧者,比比皆是。"⑤自中唐以降,中古时代那种大型的律寺已经普遍衰落,唐末五代以后的佛教寺院多以小型的禅寺为主,因此辽朝的

---

①《栾城集》卷四二《北使还论北边事札子》。
②《辽史》卷二七《天祚皇帝纪》(一)。
③《全辽文》卷九《安次县祠垡里寺院内起建堂殿并内藏埤记》。
④《全辽文》卷一〇《涿州云居寺供塔灯邑记》。
⑤陆游:《家世旧闻》卷上。

寺院规模之大，不能不让宋人感到吃惊。

佛教教团在政治上得到了统治者的优容礼遇，在经济上得到了权贵、富豪的强有力支持。道宗时，兰陵郡萧夫人在中京耗资二万余缗创建寺院，寺既成，又施地三千顷、粟一万石、钱二千贯、百姓五十户、牛五十头、马四十匹，"以为供亿之本"。① 清宁五年（1059年），秦越大长公主献燕京棠阴坊宅第以建佛寺，又施"稻畦百顷、户口百家"等；寺未及竣工，公主病逝，其女懿德皇后为母酬愿，施钱十三万贯以助其役，道宗也赐钱五万贯。② 此外，广大的佛教信徒常以邑社的形式，向寺院发起经济上的资助，从建寺造塔刻经，到供给僧众的日常生活，都有他们的供献。在社会各阶层的广泛支持下，寺院的经济力量日益壮大，当辽末国库空虚之时，来州海云寺曾捐钱千万以济国用，朝廷"受而不拒"。③ 国家竟反过来接受起寺院的施舍来了，这是在辽朝的佛教政策下出现的一种值得深思的现象，它从一个侧面说明了佛教兴盛与国家衰微之间的关系。

由于统治者对僧人优礼有加，更使人们趋之若鹜，竞入佛门，为人父母者"多舍男女为僧尼"。④ 如怀州刺史王泽，其三个女儿中有两个出家为尼，六个曾孙女中也有两个落发，加上王泽的继母仇氏晚年亦出家受具，王家先后共有五人入佛门。⑤ 良乡白继琳生性善佛，居家持五戒，其三子中有二人为僧，孙辈中亦有一人出家。⑥

---

①《全辽文》卷八《创建静安寺碑铭》。

②《全辽文》卷一〇《妙行大师行状碑》。

③《辽史》卷六〇《食货志》（下）。

④《契丹国志》卷八《兴宗文成皇帝》。

⑤《全辽文》卷七《王泽墓志铭》、卷一一《王安裔墓志铭》。

⑥《全辽文》卷一〇《白继琳幢记》。

辽阳张行愿有二子一女,其长子及女儿均受度为僧尼。[1] 知惠州军州事董庠,五个孙女中就有三个在道宗时削发为尼。[2] 这种现象固然与人们的佛教信仰有关,但在很大程度上可以说是崇佛的社会风尚与礼佛的宗教政策相互作用的结果。

佞佛之风不仅盛行于素有佛教传统的汉人、渤海人之中,在接受这种宗教信仰时间不长的契丹人中间,也同样有着对佛教的普遍尊崇。从一个侧面可以看出佛教信仰的影响力之大:辽代许多契丹人的名字都与佛教有关,如世宗女名观音;景宗女名观音女;圣宗小字文殊奴,齐天皇后小字菩萨哥,其子名佛宝奴;道宗宣懿皇后萧氏小字观音。此外如萧观音奴、萧和尚、耶律和尚、耶律大悲奴、耶律佛留、萧谢佛留、萧和尚奴、萧僧孝奴、耶律佛顶、萧慈氏奴、萧弥勒奴、萧弥勒女、萧僧隐、耶律僧隐等等,显然都是具有佛教意义的。

契丹统治者始则出于利用的动机而接受佛教,后则因为信仰的缘故而尊崇佛教,然而佛教的盛行给辽朝社会带来的消极影响,却是他们始料所不及的。

二、"辽以释废"

对于辽代佛教的消极影响,前人已早有认识。金末元初,在士大夫阶层中流行着"辽以释废,金以儒亡"的说法,1247 年,忽必烈召见金朝遗老张德辉,曾就此说法征询他的意见,张对"金以

---

①《全辽文》卷一〇《张行愿墓志》。
②《全辽文》卷九《董庠妻张氏墓志铭》。

儒亡"之说颇不以为然,而对"辽以释废"一语则未予置评。①

经过对辽朝佛教的全面考察,我觉得"辽以释废"的结论大致是可以接受的,并非耸人听闻。今人尽可以指出辽朝衰亡的多种原因,但无节制的崇佛佞佛无疑是其中一个不可忽视的因素。佛教之关系于辽朝的衰败,主要表现在下述两个方面。

其一,僧侣人口的冗滥超出了社会的正常承受能力。

辽自圣宗以后,对私度、滥度僧尼的限制逐渐放松,僧众迅速膨胀。唐代创立的试经受具制是防止僧侣伪滥的有效手段,辽朝虽然也实行这一制度,但真正通过这种途径得度的人很少,在现存辽代碑志塔铭中,仅有两例试经受具的情况,而"遇恩得度"、"遇恩受具"、"遇普度坛受具"之类的记载却比比皆是。普度、恩度导致了僧侣人口的泛滥。上文曾经说到,道宗咸雍八年(1072年),仅春、泰、宁江三州一次就有三千余人获准恩度。此外辽代僧侣受具亦无年龄限制。按照《四分律》的规定,凡年不满二十岁者不得受具足戒,而辽代僧侣十余岁就受具的例子却十分常见,其中如涿州僧智广受具足戒时尚不满十岁。②

道宗时滥度僧尼的情形臻于极致,僧侣人口数量达到了一个高峰。大康四年(1078年)"诸路奏饭僧三十六万",这个数字大抵近似于当时全国僧侣人口总数。学界近年的研究成果表明,辽朝人口约近千万,③那么道宗时的僧侣人口约占总人口的 3.6%,这个比例的确是异乎寻常的高。若与其它朝代作一比较,可以对此有一个更加明确的认识。

---

① 《元朝名臣事略》卷一〇《宣慰张公德辉》,引《张德辉行状》。
② 《全辽文》卷一〇《刘庆为出家男智广特建幢塔记》。
③ 王育民:《辽朝人口考》,载《辽金史论集》第 5 辑,文津出版社 1991 年版。

与辽同一时代的北宋,其僧侣人口的最高峰是真宗天禧五年(1021年)的 458 000 余人,①时宋朝全国共 990 万户,人口约 5000 万,僧侣人口占总人口数的 0.92%,而这已经遭到了朝中有识之士的强烈批评,宋祁在宝元二年(1039年)奏上的《论三冗三费》一疏中,将冗僧与冗官、冗兵并列为三冗,认为当时僧侣数量之众,已经到了国家财政所无法承受的地步。后经仁宗及神宗时期的大力裁汰,至熙宁十年(1077年),全国僧侣数量降至 232 000 余人,②是时宋全国户数为 1600 余万,人口约 8000 万,僧侣人口仅占总人口数的 0.3%。而与此几乎同时的辽大康四年(1078年),其僧侣人口的比例高达 3.6%,是宋的十二倍! 再看以崇佛著称的元朝,至元二十八年(1291年)在宣政院注籍的僧侣共 213 148 人,③是年全国总人口为 5984 万,僧侣人口也仅占总人口的 0.36%。只有北朝时期是一个例外,当时的僧侣人口动辄以百万计,北魏和北齐都号称有僧侣二百余万,④北周武帝建德三年(574年)毁佛时还俗僧尼竟达三百万众,⑤而这三个朝代的总人口都不过才一千余万。这些数以百万计的僧尼当然并不都是出家人,他们中的绝大多数是为避役而依附于寺院的编户,实际上照旧耕织为生,真正不耕而食的僧侣,其数量是很有限的。

法国学者谢和耐认为,中国历代王朝的僧侣人口一般都不超过总人口的 1%,在一个以农业经济为主的国家里,过多的僧侣会打破社会的平衡;如果由于佛教的发展而造成僧侣人口比例增

---

① 《宋会要辑稿》道释一之一三。
② 《宋会要辑稿》道释一之一四。
③ 《元史》卷一六《世祖纪》(一三)。
④ 见《魏书》卷一一四《释老志》、《续高僧传》卷二五《护法下》。
⑤ 《广弘明集》卷一〇。

加,哪怕是提高的比例非常微弱,也足以造成严重的社会问题。①
上文的分析结果表明,辽朝僧侣人口的比例在汉传佛教地区可能
是历来最高的。如果说占人口总数1%的僧侣人口比例代表着社
会承受力的一个限度,那么辽朝的僧侣人口数量显然已严重破坏
了这个平衡,从而导致了深刻的社会危机。

其二,佞佛之风侵蚀了契丹人勇武雄健的民族精神。

契丹族本是一个骁勇善战的马上民族,太祖、太宗开国之初,
南征北伐,灭渤海,掠中原,铁骑所指,堪称无敌。自澶渊定盟后,
辽朝偃武修文,传统的尚武精神缺乏战争的砥砺,再加上受儒学
尤其是佛教的影响,契丹人渐渐失去了往昔的勇武精神。出土于
黑水城遗址的西夏文童蒙读物《新集碎金置掌文》,其中有一句描
述契丹人民族特征的诗句,谓"契丹步履缓"。据西夏史专家的研
究结论,此书的成书时间大约在12世纪初叶以前,也就是相当于
辽朝后期。② 像契丹这样一个游牧民族,在当时的西夏人眼里居
然是这么一种印象,这里就不能不考虑到佛教的影响力。宋真宗
已经看到了佛教的这种麻醉作用,因此他认为:"戎羯之人,崇尚
释教,亦中国之利。"③元祐四年(1089年)使辽的苏辙,对这一点
看得更清楚:"契丹之人,缘此诵经念佛,杀心稍悛。此盖北界之
巨蠹,而中朝之利也。"④此言一针见血地道出了佛教的消极作用。
在佛教的长期濡染浸润下,契丹人由强健趋于文弱,辽王朝由雄
盛转为衰微,国势由此一蹶不振,以至最后竟不敌以二千五百人

①[法]谢和耐:《中国五至十世纪的寺院经济》,耿昇译,甘肃人民出版社
    1987年版,第28页。
②聂鸿音、史金波:《西夏文本〈碎金〉研究》,《宁夏大学学报》1995年第2期。
③《续资治通鉴长编》卷七二,大中祥符二年十一月癸酉。
④《栾城集》卷四二《北使还论北边事札子》。

起兵的女真,终于走向覆亡。

三、金朝佛教政策的拨乱反正

金朝继辽而兴,由于直接受到辽代崇佛之风的影响,佛教在金代社会亦盛行不衰。辽末金初,战乱频仍,"兵火之余,佛庙丘墟,十所而九",①一时佛门冷落至极。但为时不久,佛教就迅速恢复了它的生机,重现昔日的盛况。元好问对此深有感触,他以河东为例,谓靖康之乱时,河东佛寺"废于兵者凡十之七。曾不百年,瓦砾之场,金碧相望,初若未尝毁者。浮屠氏之力为可见矣"。② 金宣宗南迁以后,国蹙财绌,"百司之治,或侨寓于编户细民之间",唯"佛之徒则不然",寺庙塔幢之建,不减于前。时人因有"以力言者,佛为大,国次之"之语。③

与此形成鲜明对照的是金朝的佛教政策。女真统治者鉴于辽朝佛教的消极影响,实行了拨乱反正的佛教政策。所谓拨乱反正,主要体现在利用与限制并重,利用的是佛教对于民众的安抚力量,限制的是僧侣人口数量和佛教教团势力。礼佛而不佞佛,这是金朝统治者对待佛教的基本态度。

金朝自开国之初,就注意加强对佛教教团的整顿和限制。太宗攻取黄河以北宋地后,曾于天会八年(1130年)诏禁私度僧尼。④ 随后由金朝扶植起来的刘豫齐国,对佛教采取了压制的态

①《金文最》卷七一《蓟州玉田县永济务大天宫寺碑》。
②《遗山集》卷三五《威德院功德记》。
③《遗山集》卷三五《竹林禅院记》。
④《金史》卷三《太宗纪》。

度,时人称齐国"不兴佛道",①"凡浮屠老子之居,曩日所严奉以祈福者,一切废革"。② 佛教在一个时期内陷入了低潮。

金熙宗皇统二年(1142年),宋金订立绍兴和议,北方地区的战事终告结束。长期的战乱造成了大量寺院残毁,僧尼星散无余。是年二月,熙宗采取了一个振兴佛教的重大举措:"以生子肆赦,令燕、云、汴三台普度"。③ 所谓"三台",是指燕京、云中、开封三个行台尚书省,亦即在原辽朝南京道、西京道及新占领的河南境内普度僧尼。普度的对象是"童行有籍于官者",④于是"凡有师者皆落发"。⑤ 如泰安天封寺僧道先共收有七个沙弥,皇统二年普度时即将他们全部度为比丘。⑥ 陕州灵宝县御题寺,金初毁于兵火,后寺僧法济在废墟上营构草堂数间,招揽徒众,至皇统二年,将其弟子六人尽度为僧。⑦ 关于这次普度僧尼的数量,有三种不同的说法。《嘉祥县洪福院碑》谓"闽宗(即熙宗)下普度之诏,天下男女削发为僧尼者不啻数万";⑧《松漠记闻》卷上和《建炎以来系年要录》卷一四九均称"得度者无虑三十万";《佛祖历代通载》卷二○称"普度僧尼百万"。百万之说显系夸张,姑置不论。《洪福院碑》作于泰和二年(1202年),去皇统二年(1142年)普度已六十年,其记载系辗转传闻之辞,亦不足为凭。《松漠记闻》的

①《金文最》卷六五《大圣院存留公据碑》。
②《金石萃编》卷一五四《沂州府普照寺碑》。
③《松漠记闻》卷上。
④《建炎以来系年要录》卷一四九,绍兴十三年六月庚戌。
⑤《松漠记闻》卷上。
⑥《金文最》卷七○《重修天封寺碑》。
⑦《金文最》卷七一《御题寺重建唐德宗诗碑》。
⑧《金文最》卷七九。

作者洪皓建炎中奉使金国，被羁留于金十五年，后于皇统二年因金熙宗"生子肆赦"才得以南归，而熙宗普度僧尼也正是起因于这次大赦，故洪皓所记实为其亲历之事，应当是可以信据的。此次受度的三十万僧尼并不都是童行，其中伪滥的成份相当严重，时"奴婢欲脱隶役者，才以数千请嘱，即得之"。①普度的结果显然违背了熙宗的初衷。

由于皇统二年的普度使金朝又面临着僧侣人口冗滥的压力，因此海陵王完颜亮即位的次年，就诏令"废度僧道"，②对僧侣人口数量采取严格的控制措施。以往学界对海陵一朝的佛教政策缺乏全面的了解，《金史·海陵纪》载正隆元年（1156年）二月八日，海陵"御宣华门观迎佛，赐诸寺僧绢五百匹、绫五十段、银五百两"，不少论著皆以这条材料作为海陵王礼佛、崇佛的证据。可是就在这年的十一月，海陵王却诏"禁二月八日迎佛"。显然后一条记载更能反映他对佛教的真实态度。海陵王不是一个宿命论者，天德三年（1151年）营建燕京新都时，有司呈奏宫室阴阳所宜，海陵王说："国家吉凶，在德不在地。使桀、纣居之，虽卜善地何益；使尧、舜居之，何用卜乎！"③很难想象，像他这样通达天命的人会崇信佛教。事实上，海陵王的佛教政策是相当严厉的，除了"废度僧道"、"禁二月八日迎佛"的禁令外，他还采取了许多措施来打击佛教教团势力。正隆元年（1156年）二月，遣刑部尚书纥石烈娄室等拘括"大兴府、平州路僧尼道士女冠等地，盖以授所迁之猛安谋克户"。④正隆三年（1158年）营建汴京，"括天下之良材"，佛

①《建炎以来系年要录》卷一四九，绍兴十三年六月庚戌。
②《佛祖历代通载》卷二〇。
③《金史》卷五《海陵纪》。
④《金史》卷四七《食货志》（二）。

寺亦未能幸免。①

世宗、章宗两朝是金朝的全盛时期,这一时期的佛教政策颇具代表性,利用与限制并重的意图表现最为充分。自世宗时起,国家对于佛教教团的统制逐渐制度化,并且具有相当的稳定性,这是金朝佛教政策成熟的明显标志。

金世宗早年"颇信神仙浮图之事",②但即位后便不再耽溺于佛教,他曾对臣下谈起过这个转变过程:"人多奉释老,意欲邀福。朕曩年亦颇惑之,旋悟其非。且上天立君,使之治民,若盘乐怠忽,欲以侥倖祈福,难矣;果能爱养下民,上当天心,福必报之。"③另有一次,世宗对宰执也表明了同样的态度:"人皆以奉道崇佛、设斋读经为福,朕使百姓无冤,天下安乐,不胜于彼乎!"④信天命不如尽人事,这是金世宗为政的基本准则。对于佛教信仰,他大抵是持一种否定的态度。大定八年(1168年),世宗曾对人宣称道:"至于佛法,尤所未信。梁武帝为同泰寺奴,辽道宗以民户赐寺僧,复加以三公之官,其惑深矣。"⑤佞佛是辽朝的一大弊政,世宗对此是十分警惕的。

虽然世宗并不信奉佛教,但他对于佛教的态度却比海陵王要温和得多。在现实社会中,佛教自有其不可替代的作用,因此适当的支持和保护是必要的。世宗即位的次年,就取消了海陵王关于佛诞日迎佛的禁令。大定二年(1162年)定都燕京后,即在燕京敕建大庆寿寺,命名僧玄冥为开山第一代,并"赐钱二万、沃田

①《金文最》卷七四《平原县淳熙寺重修千佛大殿碑》。
②《金史》卷九二《徒单克宁传》。
③《金史》卷七《世宗纪》(中)。
④《金史》卷八《世宗纪》(下)。
⑤《金史》卷六《世宗纪》(上)。

二十顷"。① 大定八年(1168年),又诏玄冥在东京创建清安禅寺,特许度僧五百员。② 大定二十六年(1186年),以香山寺成,赐名大永安寺,"给田二千亩,栗七千株,钱二万贯"。③ 世宗通过优遇名僧及对各大寺院施田、赐钱、特许度僧等种种方式,适度地表示了他对佛教的支持,旨在使佛教为其所用。对于不信佛的世宗来说,对佛教的任何支持和保护都是功利性的。

在对佛教教团进行笼络的同时,世宗特别注意对寺院和僧侣从宏观上加以控制。世宗在位三十年间,除了大定初因对西北契丹部落用兵,曾一度有过以发卖度牒及寺观名号来筹措军费的权宜之举外,其它时候从未放松过对佛教的限制。世宗曾屡次下诏,严禁民间私建寺院,大定二十年(1180年)重申此禁令时,并有"嗣后创造到无名额寺观者尽行除去"的强硬规定。④ 对私度僧尼也明令禁止,大定二十五年(1185年),诏禁"农民避课役为僧道者",章宗嗣位之初,又重申这一禁令。⑤

在总结辽朝佛教政策的得失时,女真统治者认识到无节制的普度、恩度是辽代僧侣人口冗滥的主要原因,因此自熙宗皇统二年(1142年)普度后,终金一代,再没有过第二次;恩度也仅有可数的几次,且范围很小,受度的人数也很有限。为了有效地控制僧侣人口,防止出家人的伪滥冗杂,世宗时仿唐宋旧制,实行试经度僧。这一制度始行于何年,史尤明文,在我搜集到的金代僧道

---

①《佛祖历代通载》卷二〇。
②《释氏稽古略》卷四。
③《金史》卷八《世宗纪》(下)。
④《金石萃编》卷一五七《三官宫存留公据碑》。
⑤《金史》卷四六《食货志》(一)。

试经具戒的材料中,时间最早的一条是大定十年(1170 年)。① 辽朝的试经度僧制有名无实,而金朝在相当长一个时期内,都是以这种手段作为僧侣受度的主要途径,因此形成了一套严密有效的制度。在章宗泰和元年(1201 年)修成的《泰和律义》中就有《释道令》十条,大概已将僧道试经受度的办法以法令的形式固定下来。世宗时,这一制度尚不完备,试期亦无定制,自章宗明昌元年(1190 年)后,始规定为三年一试,每次限度八十人,另外"凡僧尼官见管人及八十人者放度一名"。② 章宗谓"僧道三年一试,八十而取一"云云,③就是指的这后一种情况,有人将章宗这句话解释为考选僧官,完全是一种误解。僧童就试,以诵读《法华》、《心地观》、《金光明》、《报恩》、《华严》五部经为主,尼童试课减半。"中选者试官给据,以名报有司,……死者令监坛以度牒申部毁之"。④ 除了对具戒僧侣进行严格的甄选外,章宗时还对童行数量也加以限制。承安元年(1196 年),对僧人蓄徒的限额作了如下规定:长老、大师许度弟子三人,大德许度二人,戒僧年四十以上者许度一人。童行是金代僧侣的主要来源,限制童行数量无疑是遏制僧侣人口的一个有效手段。

章宗承安二年(1197 年),因与西北阻鞑等部的战事造成朝廷的财政困难,为了筹措军费,尚书省建议依照大定初的先例,出卖度牒及寺观名号,章宗不得已而从之。此禁一开,便一发而不可收拾。宣宗以后,空名度牒的发行更滥,试经度僧之制渐趋消

---

①《遗山集》卷三一《通玄大师李君墓碑》。
②《金史》卷五五《百官志》(一)。
③《金史》卷一〇六《张晖传》。
④《金史》卷五五《百官志》(一)。

亡,国家最终放弃了对于佛教教团的一切统制。

四、辽金僧侣社会地位的变化

辽金僧侣社会地位的变化是辽金佛教政策变化的一个缩影。
辽朝佞佛最甚,僧侣所受尊崇较之前朝有过之而无不及;入金以
后,随着统治者对佛教热情的下降,佛教教团势力受到了严格的
限制,僧侣的社会地位明显地跌落了。

辽朝僧侣的社会地位是随着全社会佞佛之风的蔓延而逐步
提升起来的,其中统治者的作为在这里起着主导的作用。辽朝统
治者优礼僧侣的惯用手段是对僧人颁赐官爵。景宗保宁六年
(974 年),"以沙门昭敏为三京诸道僧尼都总管,加兼侍中",①首
开为僧人加授世俗官称之先例。兴宗以后,这种现象乃至司空见
惯,官位也越授越高,史载兴宗"尤重浮屠法,僧有正拜三公、三师
兼政事令者凡二十人",②名僧海山"行业超绝,名动天下。……
自国主以下,亲王贵主,皆师事之。尝赐大师号曰崇禄大夫、守司
空、辅国大师。凡上章表,名而不臣"。③ 道宗对僧侣的尊崇不减
兴宗,他曾屡屡召请名僧到宫廷说法,授以显官:清宁二年(1056
年),僧纯慧加检校太傅、太尉,后又加守司徒;咸雍二年(1066
年),僧守志加守司徒;咸雍五年(1069 年),僧志福加守司徒;咸
雍六年(1070 年),僧圆释、法钧并加守司空。以方外之人的身份

①《辽史》卷八《景宗纪》(上)。
②《契丹国志》卷八《兴宗文成皇帝》。
③王寂:《辽东行部志》。

而官拜三公、三师,这是世俗君王所能给予僧侣的最高礼遇。考之前朝,对僧人加官赐爵的现象早已有之,但辽代之甚,辽代之泛滥,却是此前任何一个朝代都无法比拟的。

金朝佛教政策的调整大大削弱了僧侣的尊贵之势。女真统治者在限制佛教教团的同时,也有意贬抑僧侣的社会地位。辽代僧侣之显贵者,其势堪与帝王抗礼,"帝后见像设皆梵拜;公卿诣寺,则僧坐上坐"。① 金初,这种情形仍无大的改变。海陵王对此很不以为然。贞元三年(1155年),磁州僧法宝云游京师,及其将去,左丞相张浩、平章政事张晖等再三挽留,海陵王得知此事后,诏三品以上朝官上殿,责之曰:"闻卿等每到寺,僧法宝正坐,卿等皆坐其侧,朕甚不取。佛者本一小国王子,能轻舍富贵,自修苦行,由是成佛。今人崇敬,以希福利,皆妄也。况僧者,往往不第秀才,市井游食,生计不足,乃去为僧。较其贵贱,未可与簿尉抗礼。……卿等位为宰辅,乃复效此,失大臣礼。"又召法宝入朝责问道:"汝既为僧,去住在己,何乃使人知之?"遂责以"妄自尊大"而杖之二百,张浩、张晖也各杖二十。②

僧侣的政治影响力的减弱也是其地位下降的一个标志。辽代佛教教团常以各种方式对国家的政治、经济施加影响,是社会政治生活中一支不可忽视的力量。金代僧侣的政治影响力明显减弱,统治者对他们的行为多加约束,不让他们过问政治。海陵王时,有三位比丘尼时常出入宫中,为贵妃定哥传递消息,海陵王知道后将她们全部处死。③ 章宗时,王翛知大兴府,时僧徒多游于

---

①《松漠记闻》卷上。
②《金史》卷八三《张通古传》、卷五《海陵纪》。
③《金史》卷六三《后妃传》(上)。

权贵显宦之门,王翛恶其生事,乃禁僧人午后不得出寺。有一长老犯禁,被王翛械系于狱,皇姑大长公主遣人为长老说情,王翛说:"奉主命,即令出。"一俟皇姑离去,他就召来长老,立时杖毙于庭下。"自是京辇肃清,人莫敢犯"。① 明昌二年(1191年)二月,章宗明确发布一道禁令:"敕亲王及三品官之家,毋许僧尼道士出入。"②僧侣被排斥于世俗政治生活之外,丧失了他们曾经拥有的那种能量。

度牒是僧侣身份的凭证,度牒的纯洁与否,往往能反映出其持有者的精神地位如何。宋人称辽朝"出家者无买牒之费",③证以辽朝文献,确实没有发现任何买卖度牒的记载。在把崇佛奉为国策的辽朝,度牒始终未曾商品化,即使在国家财政非常困难的情况下。这对保持僧侣神职身份的崇高形象十分重要。而金朝统治者对待度牒的态度则完全不同,度牒的发放常常受到国家财政政策的支配。世宗大定初,西北边部的战事耗去大量军费,朝廷就公开标价出卖度牒和寺观名号,一道度牒售价约二百贯,一个寺观名号标价在一百贯至三百贯之间。章宗以后,陷于内外交困之中的金朝政府更是把出卖空名度牒、寺观名号及紫、褐衣师号作为敛财的一个常用手段。宣宗贞祐四年(1216年),耀州僧广惠又进而建议将僧道官的任命制也改为明码标价出售:京府节镇以上僧道官须纳粟百石,防御州、刺史州僧道官纳粟七十石,任期均为三十个月;诸监寺住持纳粟十石,任期一年,愿连任者可以纳粟再任。④ 这一建议当即为朝廷所接受。元朝史官在批评金末

①《归潜志》卷八。
②《金史》卷九《章宗纪》(一)。
③《松漠记闻》卷上。
④《金史》卷五〇《食货志》(五)。

弊政时说:"僧道入粟,始自度牒,终至德号、纲副威仪、寺观主席亦量其赍而鬻之。"①度牒等等的商品化,彻底亵渎了佛学的神圣,只要有钱便能买到的僧侣身份,当然也就不再受人尊崇。

针对僧侣所立条禁的宽严,也是衡量僧侣社会地位的一个重要因素。辽朝僧侣在法律上所受的优待远过于世俗之人,即使违犯了五戒中的淫戒,处罚也是很轻的。金朝加强了僧侣法禁,熙宗时制订的《皇统新制》,"刑法大率与旧制不相远,惟僧尼犯奸者死",②是与辽法的最大不同。洪皓《松漠记闻》卷上对此记载更为详细:"旧俗,奸者不禁。近法益严,立赏三百千,它人得以告捕。尝有家室,则许之归俗;通平民者,杖背流递;僧尼自相通,及犯品官家者,皆死。"对僧侣的法律规范更接近于世法,僧侣的法律特权被削弱了。

总的来看,金代僧侣的社会地位并不比同时代的南宋或其它一些朝代更低下,只是由于它处在辽代僧侣地位达到一个高峰之后的跌落状态,因此其间的变化才如此的显著。

原载《佛学研究》第 5 辑,1996 年

---

① 《金史》卷四六《食货志》(一)。
② 《三朝北盟会编》卷二四四,引《金虏图经》。

关于《契丹国志》的若干问题

　　《契丹国志》是第一部通记辽朝一代之事的纪传体史书,也是目前除元修《辽史》之外最系统最具有参考价值的文献,但是关于这部书的来历,却是一个使人们困惑已久的问题。前人曾从不同的角度对此书做过一些研究,余嘉锡先生就其作者叶隆礼的事迹进行过考证,冯家昇先生曾探讨过《辽史》与《契丹国志》的关系,此外还有人论述过《契丹国志》的史料价值。然而对此书至关重要的真伪问题,史学界迄今尚未取得共识。本文旨在通过对《契丹国志》一书中存在的诸多问题进行客观的分析和论证,藉以对此书作者的真伪之争做出一个比较明确的结论。

一

　　《契丹国志》一书的来历虽然颇成问题,但是大多数人却都愿意相信它确是出自叶隆礼之手,而少有人疑其为伪书。其中一个重要的原因,就是叶隆礼确有其人。据《至元嘉禾志》卷一五《宋登科题名》,叶隆礼系宋理宗淳祐七年(1247年)进士。历仕建康通判、国子监簿、两浙转运判官兼知临安府，又知绍兴府，①其仕履之可考者均不出理宗时期。然而《契丹国志》卷首所载《进书表》，末署"淳熙七年三月日，秘书丞臣叶隆礼上表"，淳祐七年（1247 年）上距淳熙七年（1180 年）达六十七年之久，淳祐七年进士登第的叶隆礼，无论如何也不可能在六十七年前任秘书丞，况且《中兴馆阁录》和《续录》亦无叶隆礼任秘书丞的记载。这是《契丹国志》一个最明显的漏洞，也是历来关于《契丹国志》真伪之争的焦点所在。

最早发现《进书表》的这个漏洞并产生怀疑的是清人程晋芳，在他的《勉行堂文集》卷五中有一篇《〈契丹国志〉跋》，谓淳祐七年"上距淳熙七年且六十七年，乌有淳祐七年进士转于七十年前献书者乎？或淳熙误作淳祐，然亦无是年成进士即官秘书丞之理。凡此皆有可疑，古书于今往往有难解处，惜不得多本以证之也"。值得注意的是，程晋芳本人虽曾长期参预《四库全书》的编修，但不管是从《四库全书总目》还是从《四库全书简明目录》中，我们都看不出馆臣对《契丹国志》作者的真实性有丝毫的怀疑，而一个明显的事实是，为《契丹国志》撰写提要的人对其《进书表》在时间上的矛盾并无任何察觉。程晋芳的《〈契丹国志〉跋》作于何时不得而知，但《四库全书总目》中的《契丹国志》提要不是出自他的手笔，则是可以肯定的。因为《契丹国志》一书在已经抄入文渊阁《四库全书》之后，又于乾隆四十六年（1781 年）十月奉旨抽出重纂，等到改编本完成并作好提要时，已是乾隆四十九年（1784 年）十一月；②而程晋芳就在这一年西游关中，并已客死于

①见余嘉锡《四库提要辨证》卷五。
②见台北商务印书馆影印文渊阁《四库全书》第 383 册，《契丹国志》书前提要；并参见《办理四库全书档案》上册乾隆四十六年十月十六日上谕。

巡抚毕沅署中了。

本世纪30年代，余嘉锡先生在《四库提要辨证》中也曾指出《契丹国志·进书表》中的矛盾（余先生似未见过程晋芳《〈契丹国志〉跋》），因谓此书"疑是后人所伪撰，假隆礼之名以行，犹之《大金国志》托名宇文懋昭耳"。但同时他又怀疑《进书表》所署淳熙七年（1180年）或为咸淳七年（1271年）之误，这表明他对《契丹国志》的真伪问题其实是犹疑未决的。40年代初，中法汉学研究所编纂的《〈契丹国志〉通检》，在其序言中大胆断言《进书表》所署淳熙七年（1180年）实为淳祐七年（1247年）之误，且谓"前贤论列，皆未及此，故特拈而出之"。① 岂不知程晋芳早已有过类似猜测，况且正如程氏所说，即使淳熙七年为淳祐七年之误，"然亦无是年成进士即官秘书丞之理"。其实，关于"淳熙七年"的种种猜度都是徒劳的，我们今天所见《契丹国志》元刻本，②其《进书表》也正作"淳熙七年"，可见这一纰漏实在是没有斟酌的余地。

尽管如此，直到今天为止，在辽金史研究者中，相信《契丹国志》确实出自叶隆礼之手的仍大有人在。如前些年李锡厚先生发表的《叶隆礼和〈契丹国志〉》一文，③即认为《契丹国志》本非伪书，伪的只是《进书表》而已，谓《进书表》乃是后人杜撰出来置于叶隆礼《契丹国志》书前的。这种说法意在避开《进书表》中无法弥补的漏洞，但它纯属臆度之辞，作者并没有提供任何直接或间接的材料来证明这一点，而且在我看来，这种假设即便从情理上

---

① 《〈契丹国志〉通检》由吴晓铃主持编纂，此序当即吴氏手笔。
② 现藏中国国家图书馆，有黄丕烈跋。
③ 《史学史研究》1981年第4期。

来说也是令人难以置信的。又如贾敬颜、林荣贵点校的《契丹国志》，①其点校说明称《契丹国志》"比元代官修的《辽史》约早百年"，这种说法显然也是以肯定叶隆礼为《契丹国志》的作者为前提的。

前此对《契丹国志》的真伪之争，基本上只是着眼于《进书表》的矛盾之处，其局限性是不言而喻的。其实，要分辨一部书的真伪，最能说明问题的应当是此书的内容。从下面指出的《契丹国志》一书中所存在的大量问题，可以看出它绝不会出自叶隆礼之手。

二

对《契丹国志》存在的问题，《四库全书总目》曾经约略列举过几条，然而书中的种种纰漏却远比《四库提要》所指出的要严重得多。我把《契丹国志》中存在的问题大致归纳为以下五个方面，囿于篇幅，每类问题以举两例为限。

其一是篡改史料。

篡改史料乃史家之大忌，然而在《契丹国志》中，作者随心所欲地篡改史料的例子却不乏所见。如卷九《道宗纪》清宁十年（宋英宗治平元年，公元 1064 年）共记有三事：辽使耶律防、陈颐来求真宗、仁宗御容；宋遣张昇、刘永年为回谢使副；宋又遣胡宿、李缓（"缓"为"绶"之误）为回谢使副，且许以御容。这三件事全是从《续资治通鉴长编》卷一八五至卷一八六宋仁宗嘉祐二年（1057

——————————————

① 上海古籍出版社 1985 年版。

年)抄来的。据《长编》载,是年三月乙未,辽使耶律防、陈颐来求御容;戊戌,遣张昇、刘永年为回谢使副,但未许御容;九月庚子,辽使萧扈、吴湛再来求御容,且言当致道宗像;十月己酉,宋遣胡宿、李绶为回谢使副,并许以御容。《契丹国志》除漏记辽使第二次来求御容外,其它三事全部照抄《长编》。作者之所以要将前几年的事抄来记在此年下,大概只是因为这一年无事可记,聊充篇幅罢了。如此明目张胆地篡改史料,说明作伪者的手法是多么拙劣。

又如卷六《景宗纪》乾亨六年(宋太宗太平兴国四年,公元979 年)七月云:"宋太宗欲北侵,遗诏渤海王发兵相应,然渤海畏辽,竟无至者。遣使如渤海责问。"这条记载抄自《续资治通鉴长编》卷二二太平兴国六年(981 年)七月,《宋会要辑稿》蕃夷四之一〇三、《文献通考》卷三二六《四裔考》及《宋史·太宗纪》记载此事也全都在太平兴国六年七月。《契丹国志》的作者将《长编》两年以后的内容抄来记在此年下,也是有意识地篡改史料的行为。

以上情况是很能说明问题的。不能想象,奉诏修撰《契丹国志》的叶隆礼竟敢如此肆无忌惮地颠倒历史记载,并把这样的一部史书奏上朝廷。像这么随心所欲地篡改史料的做法,是只有坊肆书贾才做得出来的。

其二是误解原文。

将《契丹国志》和它所依据的史籍原文拿来一一对照,就可以发现书中有不少误解原文的地方。如卷五《穆宗纪》应历四年(954 年)五月云:"(辽兵)数千骑屯忻、代之间,周遣符彦卿击之,辽兵退保忻口。彦卿恃勇轻进,为辽兵所败,死伤甚众,彦卿引兵还晋阳。"这段记载系节录《资治通鉴》之文,《通鉴》卷二九二周显德元年五月丙申云：“（符）彦卿与诸将阵以待之。史彦超将二十骑（胡注：二十太少，恐当作二千）为前锋，遇契丹，与战，李筠引兵继之，杀契丹二千人。彦超恃勇轻进，去大军浸远，众寡不敌，为契丹所杀，筠仅以身免，周兵死伤甚众。彦卿退保忻州，寻引兵还晋阳。”很显然，《契丹国志》的作者是错把符彦卿和史彦超当成一个人了；但转念一想，符彦卿既然已死，下文又说他引兵还晋阳，岂不自相矛盾？于是作者就把“为契丹所杀”改成“为辽兵所败”。其实《通鉴》的这段文字并没有什么费解之处，只是《契丹国志》的作者在抄书时未免太匆忙了，以至顾不上把原文的意思看个明白。

又如卷七《圣宗纪》统和二十二年（1004 年）十月云：“契丹既陷德清，率众抵澶州北，直犯大阵，围合三面。宋李继隆等整军成列出御。统军顺国王挞览为床子弩所伤，中额殒。契丹师大挫，退却不敢动。”这段文字抄自《续资治通鉴长编》，《长编》卷五八真宗景德元年（1004 年）十一月甲戌云：“契丹既陷德清，是日，率众抵澶州北，直犯大阵，围合三面，轻骑由西北隅突进。李继隆等整军成列以御之，分伏劲弩，控扼要害。其统军顺国王挞览有机勇，……威虎军头张瓌守床子弩，弩潜发，挞览中额陨，其徒数十百辈竞前舆曳至寨。是夜，挞览死。”据此，挞览当时并非中弩即亡，而是抬回寨后到晚上才死的。“中额陨”之“陨”，是颠踬、跌倒的意思，而《契丹国志》的作者误解了这个“陨”字，把它改成“殒”，则是谓挞览当即就死了，这是与事实相悖的。

其三是节录失误。

这种情况突出地表现在作者节录史籍时不能准确地反映原文内容，从而导致史实错误。如卷八《兴宗纪》在重熙十年（1041年）下记载说：“夏四月，宋遣知制诰富弼往契丹为回谢使，西上阁门使张茂实副之。"据《长编》卷一三五庆历二年(《契丹国志》误以公元1033年改元重熙,比《辽史》晚一年,故其重熙十年实为重熙十一年,即宋仁宗庆历二年)四月庚辰条云:"以右正言、知制诰富弼为回谢契丹国信使,西上阁门使符惟忠副之。"卷一三六同年五月癸丑又云:"命知贝州、供备库使、恩州团练使张茂实为回谢契丹国信副使,代符惟忠也。惟忠行至武强,病卒,富弼请以茂实代之,诏从其请。"上引《契丹国志》即系综括《长编》这两条记载而成,但作者竟张冠李戴,将符惟忠的官称置于张茂实的名上。这也是抄书太草草,不及细细推敲的缘故。

又如卷七《圣宗纪》统和十七年(999年)十二月云:"契丹入攻宋,宋真宗亲征。次于澶州,为知冀州张旻败于城南;次大名府,为知府州折惟昌败于五合川。"这段文字系节录《续资治通鉴长编》的记载,《长编》卷四五宋真宗咸平二年(999年)十二月曰:"戊午,驻跸澶州。己未,知冀州张旻遣使驰奏,败契丹于城南,杀千余人。……甲子,次大名府。……丁卯,左侍禁、阁门祗候卫居实自府州驰骑入奏:'驻泊宋思恭与知州折惟昌、钤辖刘文质等引兵入契丹五合川,破黄太尉寨,尽杀敌众。'"《契丹国志》的作者想要综括这段文字的意思,无奈辞不达意,仿佛是说真宗两败于契丹,与史实相去远甚。

其四是机械抄书。

机械抄书是《契丹国志》中普遍存在的一个问题。如卷五《穆宗纪》应历三年(953年)有这样一段记载:"秋八月,周太祖得风痹疾,术者言宜散财以禳之,于是筑社坛,建太庙于大梁。太祖享太庙,才及一室,不能拜而退,命晋王荣终礼。是夕,宿南郊,几不救,夜分小愈。"这段文字中,从"周太祖得风痹疾"至"建太庙于大梁"句抄自《资治通鉴》卷二九一周广顺三年(953年)九月,从

"太祖享太庙"以下则抄自同年十二月乙亥条,所谓"是夕"即指乙亥日。而一经《契丹国志》作者的节录之后,其"是夕"就不知将谓何夕了。可见这位作者的抄书手段实在过于机械,连一点起码的加工处理都不会。

又如卷一九《大实林牙传》云:"大实深入沙子,立天祚之子梁王为帝而相之。……今梁王、大实皆亡,余党犹居其地。"大实(石)林牙的这篇传记全部抄自洪皓《松漠记闻》卷上,《松漠记闻》作于宋高宗绍兴年间,故云"今梁王、大实皆亡,余党犹居其地"。而《契丹国志》的作者也照抄不误,岂不知耶律大石建立的西辽政权早在13世纪初就已被蒙古灭亡,安得谓"余党犹居其地"!

其五是缺乏常识。

《契丹国志》一书还存在着某些常识性的错误,譬如此书的作者竟分不清尊号、谥号和庙号的区别,常常混为一谈,而这在古人来说其实是很普通的常识问题,只要粗通文墨者就不会不知道。

如卷一《太祖纪》开篇小注即称耶律阿保机"谥太祖",卷五《穆宗纪》应历九年谓"周帝(柴荣)崩,谥曰世宗",都是将庙号当成了谥号。

又如卷三《太宗纪》云:"谥曰嗣圣皇帝,庙号太宗。"据《辽史·太宗纪》,天显二年(927年)群臣上尊号曰嗣圣皇帝,统和二十六年(1008年)上谥孝武皇帝,重熙二十一年(1052年)增谥孝武惠文皇帝。又卷五《穆宗纪》云:"谥曰天顺皇帝,庙号穆宗。"据《辽史·穆宗纪》,应历元年(951年)群臣上尊号曰天顺皇帝,重熙二十一年(1052年)谥曰孝安敬正皇帝。又卷七《圣宗纪》云:"谥曰天辅皇帝,庙号圣宗。"据《辽史·圣宗纪》,统和元年(983年)群臣上尊号曰天辅皇帝,景福元年(1031年)谥曰文武大孝宣皇帝。《契丹国志》的这几条记载均误以尊号为谥号。

又如卷八《兴宗纪》云："庙号兴宗,谥曰文成皇帝。"据《辽史·兴宗纪》,重熙元年(1032年)群臣上尊号曰文武仁圣昭孝皇帝,清宁元年(1055年)上谥神圣孝章皇帝。此处误以尊号为谥号,又误"文武"为"文成"。

又如卷九《道宗纪》云："庙号道宗,谥天福皇帝。"据《辽史·道宗纪》,咸雍元年(1065年)群臣上尊号曰圣文神武全功大略广智总仁睿孝天祐皇帝,乾统元年(1101年)上谥仁圣大孝文皇帝。这里也是误以尊号为谥号,又误"天祐"为"天福"。

以上归纳的五种情况远远没有反映出《契丹国志》一书存在的所有纰漏,但这已经足以说明问题了。从上面的分析可以看出,此书作者所具有的文化素养和知识水平,与进士出身并曾担任过国子监簿的叶隆礼是完全不相称的。抄书如此之草率,态度如此之敷衍,又怎么可能是奉敕所撰并曾奏上朝廷的呢? 即使撇开《进书表》那明显的漏洞不说,单单从书中所反映出来的这些问题,就可以断定它不是一部严肃的历史著作,种种迹象都显示出这样一个事实:《契丹国志》当是出自惯以作伪牟利的坊肆书贾之手,它所标明的作者和作年都是杜撰出来以欺骗读者的。据我的判断,此书可能是元朝前期江南地区的某一家书坊所为,因为南宋末年的叶隆礼主要担任江浙一带的地方官,到元朝初年,叶隆礼在江南可能还算得上一个不大不小的名人,所以书贾才会嫁名于他。但从《契丹国志》伪称此书于淳熙七年(1180年)奏上朝廷这一点来看,作伪者对叶隆礼的生平仕履可能并不是很清楚,也没有细细考究,就炮制出这样一个留有明显漏洞的《进书表》,这未免太颟顸了。

本文论证《契丹国志》不是宋人叶隆礼的著作,指出它是一部书贾托名的伪书,并不是想就此将它全盘否定。我无意贬抑《契丹国志》一书的史料价值,尽管此书的作者和作年都出自杜撰,尽管书中存在着各种各样的错误,但毕竟它还保存了许多我们在别的地方见不到的记载,这就是《契丹国志》的史料价值所在。在辽史史料相当贫乏的今天,这部书仍然值得我们给予足够的重视。

三

最后还要谈到的一个问题,虽无关乎《契丹国志》的真伪,但却与此书的内容关系很大,这就是辽朝的纪年问题。

北宋时代,一般人对辽朝的情况所知无几。辽朝书禁甚严,不准本朝书籍流入宋境,宋人有关辽朝的一星半点的知识,差不多都是从那些所谓的归正人或归明人所写的笔记杂著中得来的。即便像辽朝纪年这样一个并非很隐秘的问题,宋人的了解也是相当有限的,欧阳修在《新五代史》卷七三《四夷附录》篇末的一条小注中说:"契丹年号,诸家所记,舛谬非一,莫可考正。"到了辽朝亡国之后的南宋,人们对辽的情况就更加隔膜,见于李焘《续资治通鉴长编》中的契丹年号起迄,就相当凌乱而且有不少错误。《契丹国志》因为主要取材于宋人著作,所以书中的辽朝纪年与《辽史》歧异甚多,这是应该引起我们充分注意的。

由于过去人们对这一点往往注意不够,所以有时难免会造成一些误解。如《四库全书总目提要》在批评《契丹国志》的失误时说:"帝纪中凡日食星变诸事,皆取《长编》所记,按年胪载。然辽宋历法不齐,朔闰往往互异,如圣宗开泰九年,辽二月置闰,宋十二月置闰,宋之七月,在辽当为八月,而此书仍依宋法,书'七月朔日食'。此类亦俱失考。"《提要》指出的这类问题确实是《契丹国志》的一个通病,但这里举的例子却大谬不然。据《辽史》,开泰元年是宋大中祥符五年(1012年),而《契丹国志》误以开泰元年为大中祥符六年(1013年),比《辽史》错后一年。因此开泰九年本应是宋天禧四年庚申(1020年),《契丹国志》却误为天禧五年辛酉(1021年,此年辽实为太平元年),其《圣宗纪》开泰九年"秋七月朔日食"即抄自《长编》卷九七天禧五年"七月甲戌朔,日有食之"的记载,而这一年辽、宋历法均无闰月。《提要》之所以发生这个错误,就是因为四库馆臣没有注意到《契丹国志》的纪年与《辽史》不同。类似的问题还见于钱大昕的《宋辽金元四史朔闰考》,[1]在宋天禧四年七月庚戌朔下钱氏注云:"辽同。《纪》、大任、《契丹国志》。"意谓辽之七月与宋历同为庚戌朔,其根据是《辽史》本纪、陈大任《辽史》和《契丹国志》。显然,钱大昕也忽略了《契丹国志》与《辽史》的纪年有所出入,所以他在这里很不恰当地引用《契丹国志》为证。

为了便于说明《契丹国志》的纪年歧异问题,兹将《辽史》与《契丹国志》的纪年并列于下,以资比较。

	《辽史》	《契丹国志》
太祖	神册6年(916—921年)	神册5年(916—920年)
	天赞4年(922—925年)	天赞6年(921—926年)
太宗	天显12年(926—937年)	天显10年(927—936年)
	会同9年(938—946年)	会同11年(937—947年)
	大同1年(947年)	

①见《二十五史补编》。

	《辽史》	《契丹国志》
世宗	天禄 4 年（947—950 年）	天禄 3 年（948—950 年）
穆宗	应历 18 年（951—968 年）	应历 17 年（951—967 年）
景宗	保宁 10 年（969—978 年）	保宁 6 年（968—973 年）
	乾亨 4 年（979—982 年）	乾亨 9 年（974—982 年）
圣宗	统和 29 年（983—1011 年）	统和 30 年（983—1012 年）
	开泰 9 年（1012—1020 年）	开泰 9 年（1013—1021 年）
	太平 10 年（1021—1030 年）	太平 10 年（1022—1031 年）
兴宗	景福 1 年（1031 年）	景福 1 年（1032 年）
	重熙 23 年（1032—1054 年）	重熙 22 年（1033—1054 年）
道宗	清宁 10 年（1055—1064 年）	清宁 10 年（1055—1064 年）
	咸雍 10 年（1065—1074 年）	咸雍 30 年（1065—1094 年）
	大康 10 年（1075—1084 年）	
	大安 10 年（1085—1094 年）	
	寿隆 6 年（1095—1100 年）	寿昌 6 年（1095—1100 年）
天祚	乾统 10 年（1101—1110 年）	乾统 10 年（1101—1110 年）
	天庆 10 年（1111—1120 年）	天庆 10 年（1111—1120 年）
	保大 5 年（1121—1125 年）	保大 4 年（1121—1124 年）

根据上述比较结果，我们发现：第一，两书所记辽朝立国时间相差一年。《辽史》记其亡国在保大五年乙巳（1125 年），前后共历 210 年；而《契丹国志》记其亡国在保大四年甲辰（1124 年），卷首所载《契丹国九主年谱》亦云："契丹自太祖神册丙子称帝，至天祚保大甲辰，……实历二百单九年。"第二，《辽史》所记契丹九帝年号共计二十二个，而《契丹国志》所记年号只有十九个，少太宗

大同及道宗大康、大安三个年号。第三,在所有这些年号中,年数和起迄年份全同者只有四个,即道宗清宁、寿昌及天祚乾统、天庆。

至于两书纪年的是非,除了道宗寿昌年号《辽史》误为寿隆,当从《契丹国志》外,我没有发现第二处《志》是而《史》非的地方,辽朝纪年仍当以《辽史》为准。

原载《史学史研究》1992 年第 2 期

再论《大金国志》的真伪

——兼评《大金国志校证》

在各个断代史的研究中,金朝的史料相对来说是较为贫乏的。《大金国志》是我们今天能够看到的除了《金史》之外唯一的一部金代通史,但此书通行的扫叶山房本错讹较甚,长期以来没有一个理想的本子可供人们使用,崔文印同志的《大金国志校证》一书(中华书局1986年版),在一定程度上弥补了这个缺憾。笔者在仔细阅读此书之后,对点校者的某些见解实在不敢苟同,特提出来与崔文印同志进行商榷。另外,此书的标点和校证也都存在着一些问题,也在此一并提出,以资作者和读者参考。

一、从《大金国志》的舛谬论此书的真伪问题

前人论及《大金国志》的真伪问题者,最早当推清初学者王士禛,他在《池北偶谈》卷一八《契丹大金二国志》条中说:"《金志》记载与《南迁录》多相合,与史多谬。其《文学传》则全节取元好问《中州集》。或云宋人伪造,似也。"最为人们熟悉的评论则当属《四库全书总目》,《提要》在指出《大金国志》的种种牴牾之后,得

出此书"恐已经后人窜乱,非复(宇文)懋昭原本"的结论。其后,从清儒钱大昕,到近现代学者李慈铭、余嘉锡,都进而指出《大金国志》出自元人之手,①这种看法在今日学术界事实上已经得到普遍认同。

崔文印同志近年在对《大金国志》进行校点整理的基础上,先后发表了《〈大金国志〉初探》和《〈大金国志〉新证》两文,②作者在这两篇文章以及校证本《前言》中,对《大金国志》的真伪问题提出了不同的看法。在《初探》一文中,作者认为《大金国志》并非后人托名宇文懋昭而作,它确实出自宇文氏之手,只是后来在流传过程中被改动过某些于当朝有违碍的地方,但这仅是字句的更改,并不影响全书内容。其后,崔文印同志在《新证》一文及校证本《前言》中又对上述观点进行了修正。他认为,今本《大金国志》系由两个部分组成,即宇文氏的"原作"和元人的"续作"。"原作"包括卷一《太祖纪》至卷十五《海陵纪》,卷二七《开国功臣传》及卷三〇至卷四〇所记金朝典章仪制、有关宋金关系的表册文书和《许亢宗行程录》;"续作"包括卷一六《世宗纪》至卷二六《义宗纪》和卷二八至卷二九《文学翰苑传》。于是崔文印同志得出了这样一个结论:"宇文懋昭的原书,并不是一部记述金朝始末的全史,它只是一部记述从太祖到海陵四朝的开国史。"得出这个结论的主要依据是,在卷十五以后的帝纪和《文学翰苑传》中,存在着许多错误,"它们的低劣水平,和原作泾渭分明",所以很容易把这部分狗尾续貂之作与原作区分开来。在《新证》一文中,他还

---

① 其说分见于钱大昕跋《大金国志》抄本、李慈铭《越缦堂日记》光绪十五年正月廿五日、余嘉锡《四库提要辨证》卷五。
② 分载于《史学史研究》1982 年第 4 期和 1984 年第 3 期。

具体指出了"续作"中存在的五种错误：歪曲史实、无中生有、疏于考证、浅陋无知、钞书错误，为其"狗尾续貂"说提供了重要的证据。

崔文印同志对《大金国志》所下的这样一个总的论断，在我是颇不以为然的。其主要的原因，是我在这部书里实在看不出"狗尾"和"貂"的区别。在作者认为是续作的那些部分里，确实存在着许许多多稍具史学修养的人不可能发生的错误，但这些错误在那些所谓的原作里，也同样普遍并且同等程度地存在着，只不过没有被作者所发现罢了。即以崔文印同志认为"本书最有价值的部分"前十五卷帝纪为例，我就可以把其中的错误归纳为以下十个方面（限于篇幅，每类问题仅举两例）。

（一）浅陋无知，缺乏常识

在前十五卷帝纪中，存在着相当一部分常识性错误，绝非稍具史学素养者之所为。如卷三《太宗纪》天会二年正月有关于庆阳府、环州、泾州大水的记载，按天会二年即宋宣和六年（1124年），此时永兴军路所属庆阳府、环州，秦凤路所属泾州均在北宋版图之内，尚未为金朝所攻占，这三地发生的灾情显然不应该记在金国史志中，这是一个起码的常识问题。

又如卷一五《海陵纪》正隆六年（1161年）云："正月甲戌朔，日有食之。太史奏当交不亏，群臣称庆。"考《金史》是日无日食，这条记载是从《建炎以来系年要录》卷一八八绍兴三十一年（1161年）抄来的，《系年要录》原文云："春正月甲戌朔，日有食之。……既而太史局言当交不亏，诏勿贺。"这里记载的本是南宋朝廷中事，而《大金国志》的作者却把它抄到《海陵纪》中，不知这个太史局究竟是哪里的太史局？ 而且又把"诏勿贺"改成"群臣称庆",或是有意为之。

(二)误解原文,混淆史实

卷四《太宗纪》天会四年(1126年)正月云:"遣王汭、素颉颃入使宋朝,会种师道等勤王兵至。"按宋金双方史料中所记金使之名,均无"素颉颃"其人,王汭此次使宋,系与萧三宝奴和耶律忠同来。这里的错误是在摘抄《九朝编年备要》时因误解原文造成的。《备要》卷三〇,靖康元年(1126年)正月"种师道等帅师入卫"条云:"(师道)拜同知枢密院事,宣抚京畿河北河东路。师道时被病,特命毋拜跪,许乘肩舆入朝,家人掖升殿。金使王汭素颉颃,入对,见师道,拜跪稍如礼。"《宋史·种师道传》也说:"金使王汭在庭颉颃,望见师道,拜跪稍如礼。"《三朝北盟会编》卷三〇靖康元年正月二十日亦有同样的记载。"王汭素颉颃"是说王汭素来颉颃无礼,而《大金国志》的作者竟把"素颉颃"当成了金使之名。

又如卷一四《海陵纪》正隆四年(1159年)记金修汴京,意欲迁都南侵事云:"九月,修造方殷,其谋始露,南宋疑之。乃遣枢密使王纶等来使。至是,纶等回南,言邻国恭顺和好无他。"按《系年要录》卷一八二、一八三记载王纶于绍兴二十九年(1159年)六月甲申出使金国,九月乙酉还朝,《十朝纲要》卷二五、《续宋中兴编年资治通鉴》(以下简称《续宋通鉴》)卷六及《宋史·高宗纪》所记并同,《金史·交聘表》记载王纶到达金国的时间是七月甲辰,也可与南宋文献相印证。考上述《大金国志》引文乃取自《中兴小纪》卷三八绍兴二十九年九月的一段记载,原文作:"时有言金国将败盟,上命同知枢密院王纶等奉使彼国验之。至是纶等回,言邻国恭顺和好无他。"《小纪》"至是"之前明系追述语,"至是"才说的是九月的事。而《大金国志》的作者没有明白原文的意思,遂谓王纶九月使金,然则其"至是"又将谓何月?类似错误,在前十五卷帝纪中为数甚多。

(三)疏于考证,以讹传讹

卷三《太宗纪》天会二年(1124年)五月云:"国使往宋告嗣位,宋以著作郎许亢宗为贺登位使。"这条文字抄自《九朝编年备要》卷二九宣和六年(1124年)。本书卷四〇《许奉使行程录》开篇亦云:"宋著作郎许亢宗为贺金主登位使,时太宗嗣位之次年,在宋为宣和六年也。"检《三朝北盟会编》卷二〇记许亢宗使金事在宣和七年乙巳(1125年)正月二十日,且《会编》和《靖康稗史》所载许亢宗行程录也都题为《宣和乙巳奉使(金国)行程录》,该《行程录》明确交待说:"于乙巳年春正月戊戌陛辞,翼(一作"翌")日发行,至当年秋八月甲辰回程到阙。"查《金史·交聘表》,许亢宗到达金国的时间是天会三年(宣和七年)六月辛丑,也可印证上述记载。可知《大金国志》因照抄《九朝编年备要》而致系年有误。

又卷一四《海陵纪》正隆四年(1159年)二月云:"宋遣礼部侍郎孙道夫来使,回归南宋,具言北主诘以关陕买马非约,恐有渝盟之意。"这段文字抄自《续宋通鉴》卷六绍兴二十九年(1159年)二月。按《系年要录》卷一七八绍兴二十七年(1157年)十一月乙丑记以太常少卿孙道夫充贺金国正旦使,卷一七九绍兴二十八年(1158年)二月丙午云:"太常少卿孙道夫权尚书礼部侍郎。因道夫使北还,奏金主诘关辅买马等语,上顾问甚悉,翌日遂有是命。"《宋史·高宗纪》所记亦同。《金史·交聘表》及《蔡松年传》也都说孙道夫是贺正隆三年(1158年)正旦使,又《张仲轲传》云:"(正隆)三年正月,宋贺正使孙道夫陛辞,海陵使左宣徽使敬嗣晖谕之曰：'归白尔帝，事我上国多有不诚，今略举二事：……尔于沿边盗买鞍马，备战阵，二也。'"《续宋通鉴》所记此事不但时间错后一年，而且谓孙道夫以礼部侍郎使金也显然有误。《大金国志》照抄其文，谓孙道夫二月来使，更是错上加错。试想，贺"正旦"使岂有二月才到金国的道理？类似这样的错误在前十五卷帝纪中触目皆是，以上举出的仅是两个较为典型的例子罢了。崔文印同志在《新证》一文中说："作者在采摭诸书史文时，确实不是简单、机械的钞书，而是下了一番研究和甄择史料的功夫。"据我看来，这种说法与事实相去甚远。

（四）失于校雠，将错就错

卷一《太祖纪》天辅二年（1118 年）二月记宋遣平海军校呼庆送金使李善庆归国，这段记载抄自《九朝编年备要》卷二八，而"呼庆"实为"呼延庆"之误，《三朝北盟会编》卷四、《系年要录》卷一及《十朝纲要》卷一八记其事均作"呼延庆"。本书作者失于校雠，照抄《备要》之文，致有此误。

又如卷二《太祖纪》天辅五年（1121 年）八月"国主追袭天祚于国崖"一事，系抄自《九朝编年备要》卷二九，所谓"国崖"实即"望国崖"之误。望国崖（或作王国崖、旺国崖、忘国崖，均系同名异译）是辽金时代的一处避暑胜地，屡见于辽金史中，在本书里也曾多次出现，据《金史·地理志》，其地在西京路大同府抚州境内。《大金国志》它处所记此名俱不误，唯有此处因《备要》原夺一字，而作者不加考校，遂亦误抄作"国崖"。

（五）断章截句，辞不达意

卷二《太祖纪》天辅六年（1122 年）正月记赵良嗣使金事，称

"（金主）以国书副本示良嗣，读至'燕京自我得之，则当归我，大国其熟计之。若不早见与，请速退涿、易之师，无留我疆'"云云，这段话摘抄自《九朝编年备要》卷二九，原文曰："以国书副本示良嗣，读至'燕京用本朝兵力攻下，其租税当输本朝'，良嗣曰：'租税随地，岂有与其地而不与其租税者。'粘罕曰：'燕京自我得之，则当归我，大国熟计，若不早见与，请速退涿、易之师，无留我疆。'"《三朝北盟会编》卷一二、《续资治通鉴长编纪事本末》卷一四三和《十朝纲要》卷一八所记此事均与《备要》同。《大金国志》节录原文断章截句，居然将粘罕的话当作了国书的内容。

又卷一四《海陵纪》正隆四年（1159年）云："宋遣秘书监沈介、国子司业黄中来，介为贺正使，中为贺生辰使。相先后行。至是介先还，中言：'彼国治汴宫，役夫万计，此必欲迁都以见迫，不可不早为计。'"这段文字中"至是介先还，中言"云云，文义不相衔接，检《系年要录》卷一八一绍兴二十九年（1159年）四月壬辰云："国子司业黄中贺金主生辰还。时金主亮再修汴京，以图南牧，沈介为贺正旦使先还，不敢言，中归，为上言。"可知本书是在节录史文时断章截句而导致辞不达意的。从《大金国志》抄书的情况来看，只要它对旧史原文一有删节，即往往出现前言不搭后语的情况，这是很能反映作者的实际水平的。

（六）歪曲史料，割裂原文

卷一一《熙宗纪》皇统三年（1143年）云："春，云中家户军女户陈氏妇姑持产业契书共告于元帅府，以父子俱阵亡无可充役，愿尽纳产业于官，以免充役。元帅怒其沮坏军法，杀之。"此事《金史》无考，这是从《中兴小纪》卷一一抄来的。但《小纪》记此事于绍兴元年（金太宗天会九年，1131年）十一月，原文谓陈氏妇姑

再论《大金国志》的真伪 ∣ 357

"诉于(右)〔左〕副元帅粘罕",又云"左监军兀室怒其沮法,赞粘罕诛之"。考粘罕卒于天会末年(1136年或1137年),①兀室也已于天眷三年(1140年)被诛,故此事绝不会发生在皇统三年(1143年)。作者篡改了这一事件发生的年代,又不径称左副元帅粘罕,只笼统称为元帅府、元帅,意在掩人耳目。

又卷一二《熙宗纪》皇统八年(1148年)有如下两条记载:"四月,中京小雨大雷,群犬数十争赴土河而死,所可救者才二三耳。……五月,汴都太康县一夕大雷雨,下冰龟亘数十里,龟大小不等,首足卦文皆具。"这两条记载全都是一字不易地从《松漠记闻》中抄来的,前一条见《记闻》卷上天会十四年(1136年)四月,后一条见《记闻》卷下天眷元年(1138年)五月。作者之所以如此肆无忌惮地歪曲史料,我想可能主要是因为皇统八年无事可记,所以就东拉西扯聊充篇幅。崔文印同志说:"原作绝无歪曲史料、无中生有等作法,这是与续作有天壤之别的。"不知道作出这种论断的根据何在?

(七)移花接木,弄巧成拙

《大金国志》在抄撮各种史籍时,常常东拼西凑,联缀成文,有时不免误将两事合为一事。如卷一《太祖纪》天辅三年(1119年)有这样一段记载:"时春正月,赵良嗣来使,……遂使人欢。时国中议论不决,以宋朝欲还山前、山后地,意皆狐疑。……国主遂将宋使马扩远行射猎。每晨,国主坐一虎皮椅上,纵骑打围。尝曰:'此吾国中最乐事也。'既还,令诸将具饮食,迎邀南使。"这段文字

---

① 《金史》卷七四《宗翰传》谓卒于天会十四年(1136年),《熙宗纪》则作天会十五年。

中,前面说赵良嗣使金,后面又称宋使马扩,令人不知究竟。实际上这段文字全都节录自《三朝北盟会编》卷四,但从"时春正月"①至"遂使人欢"一段出自宣和二年(1120 年)三月六日所引赵良嗣《燕云奉使录》,是赵使金时的事情;自"时国中议论不决"以下则出自同年十一月二十九日所引马扩《茆斋自叙》,是马氏父子使金时的事情。据《会编》和《续资治通鉴长编纪事本末》卷一四二的记载,赵良嗣是二月出使,九月还朝;赵回到东京后,朝廷才又派遣马政及其子马扩再使金国。《大金国志》将这两件事牵合成一段,把史实弄得颠倒错乱。

又如卷五《太宗纪》天会六年(1128 年)三月"宋翟兴复西京"条云:"范致虚既败,统制翟兴提兵数百入洛阳,禽守臣(高)世由斩之。"据《三朝北盟会编》卷八六建炎元年(1127 年)三月十九日引《中兴遗史》,以及《系年要录》卷三同年三月己酉条记载,翟兴破西京斩高世由是建炎元年(金天会五年)三月的事。按建炎元年三月翟兴收复西京后,十一月粘罕再陷之,次年三月翟兴又第二次收复西京。《大金国志》则合二为一,统记于天会六年下,结果也不免混淆史实了。

(八)使臣往返,时序错乱

崔文印同志在校证本《前言》中曾指出卷十五以后的诸帝纪往往将宋使出发的时间当作到达金国的时间,以证明续作者的低能。但这种情形也并不是十五卷以后所独有的,在前十五卷帝纪中,凡有关宋金使事的记载,几乎没有例外地都是原封不动地从

---

① 按"正月"为"二月"之误,但实际上二月也只是赵良嗣出使之月,到达金国已是四月了。

宋人书中抄来的，因此它所记载的宋使到达时间只能是出发时间，而金使出发时间又都只能是到达时间。姑举两例为证：卷二《太祖纪》天辅五年九月有"遣勃堇乌歇、高庆裔等使于宋"的记载，这是从《九朝编年备要》卷二九宣和四年（1122年）九月照抄来的，而据《金史·太祖纪》和《大金吊伐录》卷一，金使的出发时间应该是四月壬辰。又如卷一四《海陵纪》正隆四年十一月（原作十月，误）记宋使贺允中来报太后哀，十二月记遣施宜生等使于宋。据《系年要录》卷一八三、《续宋通鉴》卷六和《宋史·高宗纪》，贺允中是十一月出使，施宜生是十二月到达；而《金史·海陵纪》和《交聘表》则均谓施宜生十一月出使，贺允中十二月到达。那么，《大金国志》的这两条记载正好应该颠倒过来才是。

（九）机械抄书，不加思索

此书既称为《大金国志》，当然应该以金朝为本位，但在前十五卷帝纪中，不少地方一字不改地抄袭宋人的记载，出现了许多于此书的性质很不相宜的辞句。如卷四《太宗纪》天会四年（1126年）正月记金军兵临东京城下，宋使李梲等前往金营议和，斡离不提出"须尊其主为伯父"、"且欲亲王宰相为质"等条件，这些记载本是宋使回朝后转述斡离不的话，而作者原封不动地从《九朝编年备要》中把它抄来，于是在金国史志里就出现了称金帝为"其主"这样不伦不类的辞句。类似情形在诸帝纪中随处可见。

另外一种机械抄书的情况可以卷一三《海陵纪》贞元二年（1154年）六月记宁江州献瑞桃一事为例。作者在这条记载中抄了一段洪皓《松漠记闻》卷上记述宁江州的文字，其中有一句是"宁江州去冷山一百七十里"。洪皓因为曾被金人拘留于冷山很多年，所以《记闻》中常有某地去冷山若干里的说法，而此书作为金国史志,仍旧袭用这种特定的说法,未免不伦。又宁江州金初已废,因此我颇疑心献瑞桃云云根本就是无中生有的事。

（十）取舍不当,剪裁无方

崔文印同志称"原作"的作者"在摘取史文的过程中,注入剪辑之功、分类排比之功,乃至必要的撰述之功等等",而事实并非如此。据我的考察,上述几种功力均为《大金国志》的作者所不具备,他所具备的,只有机械抄书的能力(尚且不能保证不失原意)。特别应该指出的是,这位作者尤其不善于对史料进行综述概括,一年中的记事,往往是抄完一书再抄一书,以至于出现记事重复、时序错乱的现象。下面试举两例:卷五《太宗纪》天会五年(1127年),先是抄《南渡录》,从正月抄到六月,而后又回过头来从二月抄《九朝编年备要》,其中吴革图谋起兵一事就前后重复。又如同卷天会七年(1129年),夏天的事记在四月之前,六月的事记在九月和十月之间,这是因为既抄《三朝北盟会编》卷一三二所引《金虏节要》,同时又抄《续宋通鉴》卷二的记载,而作者缺乏必要的剪裁排比,遂令人无法卒读。

以上是就前十五卷帝纪中存在的主要问题做一个大致的说明。根据上述分析,我们可以得出这样的结论:前十五卷帝纪与海陵之后的帝纪、与《文学翰苑传》相比较,其水平没有轩轾之分。在这部书里,并没有如崔文印同志所指出的"原作"与"续作"两个部分的区别,狗尾续貂说是不能成立的。可以肯定的是,本书四十卷全都出自一个文化素养较低并且草率从事的作者之手。如果说前十五卷帝纪毕竟与其后的帝纪有些什么不同的话,那只是作者愈往后抄书愈加草率而已,并且他所能够抄撮的史籍也不如前面的多,因而导致内容的相对贫乏。整个南宋时代,高宗一朝的史料是最为丰赡的,所以此书前十五卷帝纪取材比较裕如,内容也显得较为充实一些。而《世宗纪》以后情况有所不同。像《三朝北盟会编》《建炎以来系年要录》和《中兴小纪》这几种被作者大量抄袭的史籍,其记事下限都迄于海陵末年,因此自《世宗纪》以后,作者只好不加选择地乱抄一气,甚至像《南迁录》这样的伪书也成了主要的取资对象。

在《新证》中,崔文印同志对"原作"和"续作"的取资情况做了一个比较。他说:"本书卷一五以前的诸帝纪和《开国功臣传》等原作采撷诸书史文,和续作有着显然的不同。如果说续作不少地方,如《章宗纪》之于《南迁录》,是抓住一本史书一抄到底的话,那么原作则是根据不同问题,对史书进行精加选择,并且总是采录一书的部分内容,绝无一抄到底的情况。"事实上,这个判断也是不符合本书的实际情况的。我可以举出前五卷帝纪中抄《九朝编年备要》的例子来作一个说明。

《大金国志》从卷一《太祖纪》的始年即阿骨打之十三年(宋政和四年,1114 年)至卷五《太宗纪》天会五年(宋靖康二年,1127年)四月,其间四卷多的篇幅,大部分内容都抄自《备要》。以至如卷一阿骨打之十六年(宋政和七年,1117 年),只因《备要》此年没有任何关于金朝的记载,《大金国志》这一年的内容就只有这么一句话:"次年之冬始称帝。"无书可抄,只好预告下一年的要闻了。我约略统计了一下,上述四卷多的篇幅共约 25 000 字,其中抄自《备要》者约为 18 000 字左右,即占 70%以上。像这样从《大金国志》的开篇一直抄到靖康二年(1127 年)四月《九朝编年备要》的卷末,还能不说是一抄到底吗?崔文印同志之所以作出上述那种不符事实的判断,是因为没有找到史文的真正出处(校证本中无一处提及《备要》),当然也就不知道"原作"中竟也有一抄到底的情形了。

《大金国志》卷首所载《进书表》的时间是端平元年（1234年）正月十五日，前人对这个《进书表》提出过许多无法解释的疑问，崔文印同志认为这个时间实际上只是宇文氏"原作"奏进朝廷的时间。但这种解释并不能自圆其说，因为就是在所谓的"原作"里，仍有许多地方抄袭了端平以后才可能有的书。就前十五卷帝纪而论，至少可以提出以下三书作为《大金国志》不可能进呈于端平元年的证据。

其一是刘时举的《续宋编年资治通鉴》。《大金国志》卷五以后有不少内容抄自刘书。刘书纪事迄于宁宗嘉定十七年（1224年），又书末有一条附论称"理宗之立，犹能撑拄五十年而后亡"，则已是元人语，但这条附论是否刘书原文不可知。刘氏书前署衔为"通直郎户部架阁国史实录院检讨兼编修官"。据《宋史·史嵩之传》和《宋季三朝政要》卷二，谓理宗淳祐四年（1244年）史嵩之遭父丧去位，寻起复右丞相兼枢密使，其时刘时举为京学生，上书论嵩之不当起复。按刘时举淳祐四年尚为京学生，则其书决没有作于端平之前的可能。据我的推测，《续宋通鉴》一书大概是在刘氏后来做国史实录院检讨兼编修官时写出来的，那么最早也应当是在理宗后期了。

其二是《契丹国志》。《大金国志·太祖纪》与《契丹国志·天祚纪》很多地方都非常一致，可以明显地看出前者有抄袭后者的痕迹（两书的关系问题，容当另文论及），其中卷一天辅元年（1117年）抄自《契丹国志·天祚纪》的一段约四百字的记载，在引文开头已注明"《契丹志》云"。《契丹国志》成书于元代，这是很多学者的共同看法，其《进书表》题为淳熙七年（1180年），正如《大金国志》之题为端平元年一样不可信据。

其三是陈均的《九朝编年备要》。《备要》约成书于理宗初年，初梓于绍定二年（1229年）冬。① 单单从时间上来说，《大金国志》的作者在端平元年（1234年）以前抄袭此书似乎应不成问题，但有许多迹象说明问题并非如此简单。今本《备要》卷三〇靖康二年（1127年）正月到三月间阙文甚多，正月"庚子上如青城"条，二月"丁卯太上帝后如青城"条、"辛未皇后皇太子如青城"条、"三月朔上在青城"等条，均只残存纲目，其内容或全阙，或残阙过半，因此《大金国志》的作者只好破例地抛开《备要》，转抄起《南渡录》来。又《大金国志》卷五天会五年（1127年）"粘罕责金银不足，杀宋从人梅执礼等四人"条，其中有这样几句话："留守司差官百员，分坊巷遍括，左谏议大夫洪刍分诣懿亲蕃衍宅遍括。"这条记载抄自《备要》靖康二年二月，但今本《备要》只到"蕃衍宅"止，其下阙数十字，考《系年要录》卷二是年二月乙酉条记此事云："左谏议大夫洪刍等分诣懿亲蕃衍宅、诸妃嫔位，所至与宫人饮，又颇匿余金以自奉。……"这说明《大金国志》末句的"遍括"二字，系作者臆增以结其句。上述事实表明，《大金国志》作者所见《九朝编年备要》，其残阙情况一与今本同。《备要》镂版于绍定二年冬（1229年），到端平元年（1234年）正月，其间仅仅四年，如果《大金国志》确是宇文氏在端平元年前作成的，他当时所见到的应是刚刚梓行的《九朝编年备要》，怎么竟会如此残阙不堪？《备要》的残阙情状，当是宋末以后形成的。

古来伪书，大凡有两种，一种是彻头彻尾的伪书，不但作者和成书年代是假的，而且书中的内容也全与历史事实不符。另一种伪书，虽然它的作者和作年均系杜撰，但书中的内容却大都是有

---

① 见绍定二年林岊序。

来历的。《大金国志》就属于这后一种。

我们断定《大金国志》是一部伪书,指出它的种种谬误,并非想全盘否定其史料价值。毕竟,作者在元代编撰此书时,他所能见到的某些史籍今天已经见不到了,也就是说,这部书或多或少保留了一些仅见于此的金史史料,但由于其内容真伪杂糅,我们在使用《大金国志》一书时应该非常谨慎。

二、《大金国志校证》訾议

校证本所存在的问题,约略归纳起来,大致可以分为误点、误校、漏校、臆度和臆改等情况。下面主要就前十五卷帝纪中存在的这些问题,分别举例加以说明。

(一)误点

1. 卷二太祖天辅五年三月:"(耶律)淳主燕云,平上中京、辽西六路,而沙漠以北诸番部天祚主之。"(页24)

按,此句当点作"淳主燕、云、平、上·中京、辽西六路"。"平"指平州,非动词。这段记载抄自《九朝编年备要》,《契丹国志·天祚纪》和《辽史·耶律淳传》均同,又《辽史·天祚纪》保大二年亦作六路,但脱"中京"二字。

2. 卷三太宗天会三年十二月:"粘罕自云中由怀仁河阴将侵代州之境。"(页48)

按,校证本将"怀仁河"标上地名号,然"怀仁河"于史无征。辽金时期,怀仁、河阴各是一县,怀仁属大同府,在桑干河北,河阴属应州,在桑干河南,粘罕由云中侵代,此二县为其必经之地。

3. 卷四太宗天会四年三月："宋诏三镇坚守，又以李纲为两河宣抚，至太原，克平阳，始议弃守三镇。"（页56）

按，此段标点和校勘都有问题。北京大学图书馆藏明抄本作"至太原陷、平阳陷，始议弃守三镇"，影印文渊阁《四库全书》本作"迨至太原、平阳相继陷没，始议弃守三镇"。是年三月，太原、平阳虽处于金军的围困之中，但仍坚守未下，故宋迟迟不肯放弃协议交割的中山、太原、河间三镇，等到太原、平阳陷落之后，才重新考虑放弃三镇。很明显，扫叶山房本"平阳"下脱一"陷"字。（"平阳"上之"克"字亦当作"陷"，明抄本《大金国志》中的"陷"字，清本大都改作"克"，不知有何违碍？）校证本未予校补，因此把"至"和"克"都误解为动词，反倒像是说李纲克平阳了。

4. 卷八太宗天会十二年："是时，（韩）世忠进屯扬州，魏良臣将命过扬，世忠置酒，伪为流星，更牌沓至，绐以移军守江。"（页129）

按，此处当读作"伪为流星更牌沓至"。流星如何"伪为"？流星更（一作庚）牌则是急递诏命文书之牌符，类似《宋史·岳飞传》中之金字牌。《中兴小纪》卷一七绍兴四年十月记此事云："时奉使魏良臣过扬，世忠置酒与别，杯一再行，流星庚牌沓至。良臣问故，世忠曰：'有诏移军守江。'"所载更为详确。

5. 卷一〇天眷二年载诛诸王诏云："欲申三宥公议，岂容不顿一兵！群凶悉殄。"（页151）

按，这几句话读起来好生费解。检《三朝北盟会编》卷一六六绍兴五年正月和《容斋三笔》卷五"北虏诛宗王"条均载有此诏，"顿"皆作"烦"。此处标点当改作："欲申三宥，公议岂容；不烦一兵，群凶悉殄。"

6. 卷一五海陵王正隆六年十月："金师破安丰和、光等州。主

既渡淮,令万户萧琦以十万骑自花靥镇由定远县取滁阳,路至扬州,琦至藕塘,驻军数日。"(页208)

按,上述这段文字,标点和校勘凡有五误:①"安丰"下应加顿点。安丰军、和州、光州同属淮南西路,三者间无隶属关系。②"花靥镇"为"花靥镇"之误。《三朝北盟会编》卷二三四及《系年要录》卷一九三是年十月记此事均作"花靥镇"。花靥镇是淮河的一处重要渡口,在安丰军境内。《大金国志》这段文字抄自《续宋通鉴》卷七,后者原即误作"花靥镇"了。③"滁阳"者,滁水之阳也,并非地名,旁加地名号,误。④"滁阳"下逗号当去。考萧琦进犯路线,系由花靥镇渡淮,经定远县、藕塘、清流关、滁州、瓦梁、六合县、真州而至扬州,这条路线正是沿着滁水北岸通往扬州的。⑤"藕塘"应加专名号。按藕塘镇属濠州,《宋史·地理志》云:"濠州,……乾道初移戍藕塘。"

7. 卷一五海陵王正隆六年十月:"而荆、鄂、成、闽诸军方顺流而下。"(页210)

按,此句当读作"而荆、鄂成闽诸军方顺流而下"。成闽乃宋将姓名,在这里却被当成了两个州名。然而宋代并无闽州,成州远在陇右,又岂能顺流而下?

8. 卷二七《兀室传》:"初,客星守鲁,兀室占之,太史曰:'不在我分野,外方小灾,无伤。'未几,七月,宋兖、鲁、虞、滕诸王同日诛死。"(页385)

按,卷一〇熙宗天眷二年记此事云:"秋,郎君吴矢反,既而擒获,下大理狱,事连宋国王宗盘、兖国王宗隽、虞国王宗英、滕国王宗伟。"很显然,《兀室传》的"宋"字是指宋国王宗盘,因而此字下应加顿点。校证者见上文有"不在我分野"句,遂把"宋"字误解为指南宋,把"我"字误以为指金朝,因此便把兖、鲁、虞、滕当成南宋诸王了。实际上"不在我分野"是说不在"陈"（兀室封为陈王）的分野，况且南宋此时亦无受封为兖、鲁、虞、滕诸王者。这真所谓差之毫厘、谬以千里了。

（二）误校

1. 卷四太宗天会四年三月："（孙）翊河东名将也，守朔有声，金人亦惮之。粘罕既侵太原，反据雁门。翊自朔不得而入，遂由宁化、岢岚、宪州出天门关以援太原。"（页56）此段中"岢岚"二字为校证者所补，其根据有二，一是《三朝北盟会编》卷二五引《金虏节要》作"遂由宁化、岢、宪州出天门关以援太原"，二是本书下段云"（折）可求统麟府之师二万众，自府州涉大河，由岢岚、宪州将出天门关，以援太原"。（页57）

按，此处校补根据不足。作者所引《会编》系袁祖安本，而许涵度本并无"岢"字；第二点理由更不能成立，因为孙翊从朔州南下太原，只能经由宁化军和宪州，岢岚军在宁化、宪州之西，非朔州南下太原所经之地，而折可求自府州向东南方向至太原，岢岚军和宪州乃其必经之地，两军路线原不同，不能引以为证。

2. 卷六太宗天会八年正月"破澧州"句，校证本根据章钰校本改为澧州，提出的理由是：按宋无澧州。《宋史·高宗纪》及《续宋通鉴》卷二并作醴州，然宋亦无醴州。考《宋史·地理志》荆湖北路有澧州，当是其地。（页98）

按，此处"澧州"当改作"醴州"。《宋史·地理志》永兴军路有醴州，云："本京兆府奉天县。旧置乾州，熙宁五年废，以奉天还隶府。政和七年复以县为州，更名醴。"《金史·地理志》亦云："乾州，……宋尝改为醴州，天德三年复。"查《金史·太宗纪》天会八年四月有"醴州降，遂克邠州"（醴州北邻邠州）的记载，可以证明《宋史》和《续宋通鉴》作"醴州"是对的。荆湖北路的澧州远在长江以南,金人从未涉足其地。

(三)漏校

1. 卷一太祖天辅元年:"去夏,有汉儿郭药师者泛海来,具言女真攻辽事。"(页14)

按,影印文渊阁《四库全书》本"郭药师"作"高药师",今查此段乃抄自《九朝编年备要》卷二八,本作"高药师";又《三朝北盟会编》、《系年要录》及《东都事略·金国传》记此事亦均作"高药师"。

2. 卷二太祖天辅五年三月:"(耶律)淳守燕二十年,得人心。"(页24)

按,此条抄自《九朝编年备要》卷二九宣和四年(1122年)。但《三朝北盟会编》卷五,是年三月十七日作"守燕十二年"。《辽史·耶律淳传》谓"其父和鲁斡薨,即以淳袭父守南京",而《天祚纪》记和鲁斡薨于乾统十年(1110年),则耶律淳自乾统十年始守南京,至保大二年(宋宣和四年,1122年)恰好十二年。可知作"二十年"实误。

3. 同卷同年九月:"辍进兵取中京,移军泉泊。"(页25)

按,此条亦抄自《备要》卷二九,"辍"原作"辄","泉泊"原作"白水泺"。查《辽史·天祚纪》和《金史·太祖纪》亦均作"白水泺"(泊、泺二字通假)。粘罕曾一度扎寨于白水泺,故《大金国志》中屡见其名(如校证本第102页凡三见,104页、115页、128页均一见),独于此处误合"白水"二字为"泉"字。

4. 卷四太宗天会四年十一月:"金兵悉渡自河东,……河阳守臣燕瑾皆弃城去。"(页64)

按,此段抄自《备要》卷三〇,"燕瑾"原作"燕瑛";《三朝北盟会编》卷六三、六四,《系年要录》卷一四八亦均作"燕瑛",《宋史》卷二九八有燕瑛传。此作"燕瑾",误。

5. 卷五太宗天会六年"破延安府"条云:"(曲)端尽统泾原精兵驻邓州之淳化。"(页81)

按,此条抄自《续宋通鉴》卷一,邓州原作邠州,《系年要录》卷一八是年十一月壬辰条亦作"驻邠州之淳化"。《金史·地理志》庆原路邠州有淳化县。而邓州在南阳,与延安府风马牛不相及,此误亦极显然。

(四)臆度和臆改

1. 卷七太宗天会九年:"(耶律余睹)北攻耶律大石林牙、耶律佛顶林牙于漠北曷董城。"校证云:"按'曷董',章钰校本作'曷菫'。考清将此名改译为'和勒端城',疑或作'菫'字是。"(页120)

按,此名屡见于《大金国志》,或作曷董,或作合董。《松漠记闻》卷上作合董,《三朝北盟会编》卷二一引《亡辽录》作曷董。《辽史·地理志》"边防城"下有河董城,云:"本回鹘可敦城,语讹为河董城。久废,辽人完之以防边患。"即此。又文渊阁《四库全书》本重订《大金国志》卷四一《译改国语解》云:"和勒端,满洲语,果松也。原作曷董,今改正。"可见校证者的根据是靠不住的。

2. 卷一一熙宗皇统元年:"(兀术)克寿春府、滁州、亳州、庐州、和州。"校证者根据上文有兀术"留屯宋亳州"的记载,谓此时金人所克不应有亳州,又以《十朝纲要》卷二三是年正月有金人陷商州的记载,疑亳州当是商州之误。(页168)

按,"亳州"有误诚然。查文渊阁《四库全书》本,"亳州"实作

"濠州",《三朝北盟会编》卷二〇五、《系年要录》卷一三九及《宋史·高宗纪》均载有绍兴十一年（皇统元年）三月兀术陷濠州事。是年兀术入侵淮南，所克寿春府及滁、濠、庐、和四州均属淮南东西两路，而商州属永兴军路，与淮南相距不啻千里，商州之陷与兀术此次南侵毫无关系。

3. 卷首《金国九主年谱》云："金主自宋徽宗重和戊戌称帝，至理宗端平甲午，计九主，一百一十七年。"校证本改重和为政和，改戊戌为乙未，改一百一十七年为一百一十九年。（页8）

按，《大金国志》因系抄撮宋人书而成，故其纪年与《金史》颇有出入。本书《太祖纪》和《九主年谱·太祖谱》记载称帝建国都是在宋重和元年戊戌（1118年），比《金史》所记要晚三年，这样算下来，首尾确为一百一十七年，故《进书表》也说"九主百一十七年"。似此诸处，只应在校记中说明，而正文则须保持原貌。

4. 卷六太宗天会八年十一月："宋张浚欲出兵，分道由同州、鄜延以捣我虚，乃檄召熙河经略刘锡、孙渥、刘锜等会，兵甚众，皆言我锋方锐。"校证本改"以捣我虚"为"以捣其虚"，改"我锋方锐"为"敌锋方锐"，其理由是："本书叙金事皆称大金或金，而不称我。"（页109）

按，此说与事实不符。此书名为《大金国志》，在措词上基本是内金外宋的，作者在抄录宋人著作时，常常有意识地改换一些称呼，如称金主为国主，称金兵为国兵，称金使为国使，称金相为国相，偶或还称金人为国人。书中使用第一人称来指称金方的说法也多有所见，如卷六天会八年十一月、卷八天会十一年春均称金师为"我师"，卷四天会四年十二月称宋廷御马等"皆归于我"，卷一五正隆六年十月称金舟为"我舟"等等。类似这种情况，理应一仍其旧。

以上所述主要是见于前十五卷帝纪中的一些问题。最后，还要指出本书校证上的一个失误。校证本《前言》中说，这次整理除了版本校之外，主要的工作是考明史文出处，然后再作进一步的校勘和考订，并说明各个部分分别是用什么书来作校证，其中典章仪制地理部分主要是校以《大金集礼》、《金虏图经》、《金志》等。在《金国初兴本末》的校证中说："按此文基本取资于《金志·初兴本末》。"卷三六"皂隶"条校证说："按此处全取《金志·皂隶》条。"卷三九"初兴风土"条校证说："按此处全取《金志·初兴风土》之文。"同卷"男女冠服"条校证也说："按此处皆取《金志·男女冠服》之文。"则校证者显然是把《金志》看作早于《大金国志》并为《大金国志》所抄袭的一部书了。校证本还把《金志》作为附录载于书末，题为"佚名"，注其出处为"见《丛书集成初编》3903号本"（今按，既题为佚名，又不知其为何时书，则何以知为甲抄乙，而不是乙抄甲呢？）

　　其实，《丛书集成初编》本的所谓《金志》，实即《大金国志》的一个节本。该书首尾共十六条，第一条《初兴本末》即原书卷首所载《金国初兴本末》；《初兴风土》、《男女冠服》、《婚姻》、《饮食》四条即原书第三十九卷；《皂隶》、《浮图》、《道教》、《科条》、《赦宥》、《屯田》、《田猎》、《兵制》八条即原书第三十六卷；《旗帜》、《车伞》、《服色》三条出原书第三十四卷，其中《旗帜》和《车伞》为全录，《服色》一条则只录其前两段。这个节本出自陶宗仪之手，收入《说郛》中（见涵芬楼本《说郛》卷八六），书名作《金国志》，题为宇文懋昭撰，并注明为四十卷。明吴琯《古今逸史》、陆楫《古今说海》、李栻《历代小史》均据《说郛》本刊入，三种丛书都题名为《金志》，宇文懋昭撰。《说郛》、《逸史》、《说海》三本每条前均有目，《历代小史》虽不标目，但所录十六条内容全同。《丛书集成初编》即据《古今逸史》本影印,卷首亦赫然有"元宇文懋昭撰"的字样,不知校证本作者何以竟会把它当作别一种书。这个节本因系出自原本《说郛》,可以说比现存的《大金国志》各种抄刻本的时代都更早一些,校勘上的价值是不言而喻的,但如果把它误认作一部什么别的书,就不免要闹出笑话了。

原载《文献》1990 年第 3 期

《契丹国志》与《大金国志》关系试探

　　《契丹国志》和《大金国志》一向被人们认为是辽金两朝除正史之外最系统最具有参考价值的史籍，但这两部书却又都有些来历不明。因此，当人们迫于辽金史史料的匮乏而不得不使用这两部书时，总免不了多少有些不踏实的感觉。笔者发现，在《契丹国志》和《大金国志》之间存在着千丝万缕的联系，弄清楚这种联系，对我们了解和评估这两部书的史料价值，无疑会有很大的帮助。现在我就把它们之间这种微妙的关系揭示出来，以求得学界的评判。

一

　　对于辽金两《国志》，前人曾经从不同的角度注意到其间的关系，其中首发其覆者当推王士禛，他在《池北偶谈》卷一八"契丹大金二国志"条中曾说到："《契丹志》简净可观，《金志》则仿其书而为之耳。"但是这个说法似乎不曾受到人们的注意。对两部《国志》的关系推断得更具体却又一直被人忽略的，则是《四库全书简明目录》，《简目》卷五史部别史类《大金国志》条云："旧本题宋宇文懋昭撰。今检核其书,实依托也。……体例词格,与《契丹国志》略同,或即一手所作,分署二人之名欤?"这个说法与《四库全书总目》是大相径庭的,《提要》对《大金国志》的评判是:"恐已经后人窜乱,非复懋昭原本。"意思很明白:《大金国志》确为宇文懋昭所作,只是今本已非宇文氏原书而已。并且《提要》也只字未提《大金国志》与《契丹国志》之间有什么瓜葛。

为何《四库简目》和《四库总目》对《大金国志》的判断会如此歧异? 这要从《四库全书》对《契丹国志》和《大金国志》的改编说起。乾隆四十六年(1781 年)十月,当第一份《四库全书》文渊阁本即将全部抄缮完毕之际,乾隆抽阅《契丹国志》时发现了他认为非同小可的问题,其一是宋辽金的正统问题,其二是他认为书中的某些议论偏颇而存有华夷之见,于是馆臣遂请撤出此书,但乾隆不同意这种处置办法,遂于十月十六日下旨改纂《契丹国志》。馆臣鉴于《大金国志》中也有类似《契丹国志》的问题,因此决定把这两部《国志》都抽出来加以重新改编。这就是为什么文渊阁本《四库全书》虽然早已于乾隆四十六年(1781 年)十二月六日全部"办理完竣",①而文渊阁本《契丹国志》和《大金国志》的书前提要所署校毕时间却都是乾隆四十九年(1784 年)十一月的缘故。

《大金国志》一书《总目》和《简目》的歧异,正是由于这次改编造成的。在乾隆四十六年十月以前,缮书处分校赵怀玉从馆中录出一部《四库全书简明目录》的副本,于乾隆四十九年由杭州鲍氏知不足斋刊行,这就是《简目》的初刻本。乾隆既特敕改纂《契丹国志》,所以在《简目》的初刻本中,《契丹国志》就已经是根据馆臣新拟的《总目提要》编写的解题,而《大金国志》则仍是按照

---

① 见《办理四库全书档案》上册所载是日上谕。

乾隆四十六年十月以前拟订的提要予以简化的，没有参照新拟的提要重写。这样一来，《大金国志》原有的简目和后来为改编本重新拟订的提要之间就产生了如上所述的不一致。这种不一致很少被人注意到，因此一般人也就不知道《四库全书简明目录》对《契丹国志》和《大金国志》的关系有过那样的一个推测。

前几年，邓广铭先生在《〈大金国志〉和〈金人南迁录〉的真伪问题两论》一文中，也曾经做过这样的推论："依我推测，这两部《国志》必为当时坊肆书贾同时所编撰，前者（《契丹国志》）称奉敕而撰是写来骗人的，后者（《大金国志》）说曾经奏进于南宋政府也同样是写来骗人的。"①

对两部《国志》之间究竟是一种什么样的关系，上述三说的理解不尽一致。不过他们的说法全属猜测疑似之辞，主要是因两书体例、形式上的肖似而产生的一种直觉印象。至于这两部《国志》在体例和形式上究竟有些什么相似之处，乃至两书的内容有些什么关联，还需要进行细致的考察。通过对《契丹国志》和《大金国志》的比较研究，我认为这两部《国志》可能都出自元代的某个不知名的作者之手，而从这两部书中所反映出来的作者水平来说，从两书在元代的刊刻情形来说，很有可能，这位作者是一个文化素养较低的书肆主人。

二

两部《国志》给人的第一个印象就是其体例的相似。《千顷堂

---

① 载《纪念顾颉刚学术论文集》，巴蜀书社1990年版。

书目》把它们都著录于别史类中,《四库全书总目》相沿不改。从《直斋书录解题》创立别史类以来,它始终只是正史的一个分支,在体例上构不成一个独立的门类,正史别史之分,主要是根据当朝对"正史"的界定来区划的。如宋人视十七史为正史,《直斋书录解题》就摒李延寿《南、北史》于别史中;清代既经乾隆钦定二十四史为正史,《四库全书总目》遂进《南、北史》于正史之中。所以正史与别史并无体例之别(这在史部目录中算是一个特例),它们都是纪传体,《契丹国志》和《大金国志》也是如此。

虽说两部《国志》基本上属于纪传体,但须注意的是,它们并不是纯粹的纪传体。两部书的内容都由以下五个部分组成:

第一部分是本纪。在《契丹国志》中为第一至十二卷,在《大金国志》中为第一至二十六卷。

第二部分是列传。在《契丹国志》中为第十三卷《后妃传》,十四卷《诸王传》,十五卷《外戚传》,十六至十九卷诸臣列传;在《大金国志》中为第二十七卷《开国功臣传》,二十八至二十九卷《文学翰苑传》。

第三部分是表册文书。在《契丹国志》中为第二十卷《晋表》、《澶渊誓书》、《关南誓书》、《议割地界书》,以及第二十一卷所载南北朝馈献礼物、外国贡进礼物名目;在《大金国志》中为第三十卷《楚国张邦昌录》,三十一卷《齐国刘豫录》,三十二卷立张邦昌、刘豫册文和靖康之变金人检视宋朝库藏、取去宋朝宝印、北迁赵宋宗族的名册,以及第三十七卷两国往来誓书。

第四部分是制度杂载。在《契丹国志》中为第二十二卷《州县载记》、《控制诸国》、《四至邻国地理远近》、《四京本末》,第二十三卷《族姓原始》、《国土风俗》、《并合部落》、《兵马制度》、《建官制度》、《宫室制度》、《衣服制度》、《渔猎时候》、《试士科制》,第二十六卷《诸蕃记》和第二十七卷《岁时杂记》;在《大金国志》中为第三十三卷《天文》、《地理》、《燕京制度》、《汴京制度》、《陵庙制度》、《仪卫》,第三十四卷《旗帜》、《车伞》、《服色》、《千官品列》,第三十五卷《杂色仪制》、《诰敕》、《除授》、《天会皇统科举》、《天德科举》,第三十六卷《皂隶》、《浮图》、《道教》、《科条》、《赦宥》、《屯田》、《田猎》、《兵制》,第三十八卷《京府州军》,第三十九卷《初兴风土》、《男女冠服》、《婚姻》、《饮食》。

第五部分是行程录。在《契丹国志》中为第二十四卷《王沂公行程录》、《富郑公行程录》、《余尚书北语诗》、《刁奉使北语诗》,第二十五卷《胡峤陷北记》、《张舜民使北记》;在《大金国志》中为第四十卷《许奉使行程录》。

由上所述,可知两书的体例如出一辙。如果两书都是纯粹的纪传体,体例相似自然没有什么好奇怪的;问题就在于,这两部《国志》除了纪、传之外,还包括一些十分庞杂的内容,而正是在这些庞杂之处,两书表现出非同寻常的一致,这就不能不引起我们的注意了。王士禛所谓《金志》仿《契丹志》而作,大概主要就是针对这种情形说的。

如果只用《大金国志》的作者"仿"《契丹国志》的体例来解释上述情况,我以为还不能完全解决问题,因为除了体例上的一致之外,两书在形式上也是惟妙惟肖的。例如,在两部《国志》的书前都有一些内容仿佛的附件:《契丹国志》有《经进契丹国志表》,《大金国志》有《经进大金国志表》,这两个表是两部《国志》作伪的主要手段,它们的共同特点是标榜两书都曾经奏上过南宋朝廷,姑不论两表的内容如何的妄诞,仅仅是两表的署名和所署年月,即有许多无法解释的疑问,这个问题留待下文再讨论。又如,《契丹国志》书前有《契丹国初兴本末》,而《大金国志》书前也有

《金国初兴本末》;《契丹国志》有《契丹国九主年谱》,《大金国志》也有《金国九主年谱》;《契丹国志》有《契丹世系之图》,《大金国志》也有《金国世系之图》,——而且两书的《年谱》和《世系图》格式又都一模一样。另外,《契丹国志》元刻本书前还有两幅地图,即《契丹地理之图》和《晋献契丹全燕之图》;《大金国志》元刻本今已不存,现在可以见到的最早的本子就是明抄本,虽然所有的明抄本书前都没有地图,但可以想见,《大金国志》的元刻本书前很可能也是有一幅《金国地理之图》的,只是明人在抄书时无法抄录而将它舍弃了(《契丹国志》的明清诸写本也都不附那两幅地图)。

从两部《国志》的本纪部分还可以找到一些格式一律的例子。如《契丹国志》元刻本和《大金国志》明抄本在本纪的天头上都有记事标目,相当于每段的内容提要,这种特殊的格式在一般史籍中是很罕见的。又如两书本纪每年下都附注宋朝纪年(《契丹国志》在宋建国前附注五代纪年,《大金国志》在辽亡国前除附注宋纪年外还附注辽纪年),这就是被乾隆斥之为"体例混淆,书法伪舛"的地方,馆臣之所以将《大金国志》与《契丹国志》一并抽出改纂,正是因为《大金国志》的本纪同样分注了宋的纪年。

《大金国志》元刊本虽已不存,但从某些一仍元刊之旧的明抄本中,可以得知两《国志》元刊本的款式原来也是一律的。章钰跋天一阁抄本《大金国志》云:"吾吴黄荛翁得残《契丹国志》十七卷,上方有小字标目,定为有元刻本。海堂吴氏藏旧抄十一行廿二字本,上方有标目,与黄说同,则必景元本也。《大金国志》则未闻有标目之说,而吴氏又藏一抄本,亦十一行廿二字,上有标目,与《契丹志》一律,可证元时两志必有同时同地刻本,特《金国志》已断种耳。"从元刊本的情形来看,两部《国志》很有可能是出自同一家坊肆书贾之手。

三

以上列举了《契丹国志》和《大金国志》在体例、形式上的许多共同点，当然，仅凭这些现象还很难推断这两部书之间究竟存在着一种什么样的关系，问题的答案还应该从两部书的内容中去寻找。在两部《国志》的内容上，存在着许多"不谋而合"的地方，这主要表现在三个方面：一是某些与众不同而且明显与史实相悖的记载，两书的说法完全一致；二是两志在抄录同一种书时往往取舍如一；三是当抄书出现错讹时，两志的错讹往往相同。下面就分别谈谈这三种情况。

我在翻检《大金国志》时，发现第一、二卷《太祖纪》中有许多与其它史籍相左的记载，从完颜阿骨打的世系，到袭位节度使、称帝建国的时间，再到太祖崩殂年月和谥号、庙号的确定等等有关金朝历史的重要史实，都与《金史》和《辽史》的记载不一致。而《大金国志》的这些歧异之处，基本上都可以从《契丹国志》中找到相应的记载。如《金史》谓太祖为世祖核里钵第二子、穆宗盈歌（即宋人所称杨割）之侄，《松漠记闻》所记金代先祖世系亦同。而《大金国志》的《九主年谱》、《世系图》及《太祖纪》都以太祖为杨割之长子，检《契丹国志》卷九《道宗纪》寿昌二年云："杨割迁延数月，独斩贼魁解里首级，遣长子阿骨打献辽。"又卷一〇《天祚纪》乾统元年云："是岁，女真杨割死，子阿骨打立。"可见两《国志》对金太祖世系的记载是完全一致的。

关于杨割之死和阿骨打袭位一事，据《金史》载，穆宗盈歌卒于乾统三年（1103 年），由世祖长子乌雅束袭节度使位，天庆三年（1113 年）乌雅束卒，世祖次子阿骨打才袭位为都勃极烈。而《大金国志·太祖纪》谓"辽主延禧初立之年，杨割死，阿骨打立"。辽主延禧初立之年即乾统元年（1101 年）。这里不但杨割的卒年与《金史》不同，而且以为阿骨打直接承袭杨割的节度使，根本不知道还有康宗乌雅束其人。《大金国志》的这段记载恰恰又是与上引《契丹国志·天祚纪》乾统元年的记载完全吻合的。

两部《国志》所记完颜阿骨打称帝建元的时间也与《金史》不同。据《金史》记载，阿骨打于公元 1115 年（辽天庆五年）称帝，国号大金，建元收国，1117 年改元天辅，天辅七年卒，在位共九年。《三朝北盟会编》卷一八和《系年要录》卷一引《金太祖实录》均云："以辽天庆五年建国，……在位九年。"而《大金国志》的《金国九主年谱》和《太祖纪》都说阿骨打于公元 1118 年（辽天庆八年）称帝，国号大金，建元天辅，在位六年。这里记载的金朝建国时间比《金史》要晚三年，①不但没有收国年号，而且改元天辅的时间也错后一年，因此《大金国志》的天辅元年实际上已是《金史》的天辅二年了。与此相同，《契丹国志·天祚纪》也是将阿骨打称帝建元一事记在天庆八年的，卷首的《契丹国九主年谱》在天庆八年下也注为"金太祖天辅元年"。

关于太祖之卒与谥号、庙号的问题，《大金国志·太祖纪》天辅六年是这样记载的："是年五月，国主旻殂，上谥曰大圣武元皇帝，庙号太祖。"《契丹国志·天祚纪》保大三年也有这样的记载：

---

① 《进书表》说："其《金国志》，起自武元天辅，至于义宗，九主百一十七年。"按《金史》的记载，金朝首尾共 120 年，此谓 117 年，也是因为把金朝建国的时间晚算了三年的缘故。

"五月,金主阿骨打归燕山,北追天祚,以疾崩于军中,谥为大圣武元皇帝,庙号太祖。"按《金史》谓太祖崩于天辅七年八月戊申(二十八日),《三朝北盟会编》卷一八和《系年要录》卷一引《金太祖实录》谓卒于八月乙未,[①]戊申与乙未不知孰是,但总归是在八月而非五月。又《金史·太祖纪》云:"天会三年三月,上尊谥曰武元皇帝,庙号太祖。……皇统五年十月,增谥应乾兴运昭德定功睿神庄孝仁明大圣武元皇帝。"据此,谥号、庙号并非当年所定,"大圣"之谥,更系晚出,两志的记载显然有误。

此外还有萧海里(两志均作萧解里)叛辽一事,《辽史》、《金史》都记在天祚乾统二年(1102年),而《契丹国志》记在道宗寿昌二年(1096年),《大金国志·太祖纪》说渤海杨割父子自平萧解里之后,阴怀异志,"如此十余年,未有以发也。辽主延禧初立之年,杨割死,阿骨打立"。则也是以萧解里叛辽为道宗时事,与《契丹国志》所记略同。

辽金并存的历史只有短短的十年(1115—1125年),《契丹国志》与《大金国志》两书中有牵涉的部分主要也就是辽《天祚纪》和金《太祖纪》,但是就在这很少的相关记载中,我们却看到了这么多相同的内容,表现出如此惊人的一致。这种情形如果仅仅用依榜和抄袭来解释也是很难说得通的,因为两书记事的角度和侧重点都不一样,内容和文字也有明显的差异,而却在一些重要的史实上出现暗合,这不能不使我们产生别的推断。

关于两部《国志》抄书时取舍如一的状况,我在这里举两个例子来说明。

---

① 《系年要录》引作"己未",按八月辛巳朔,无己未,乙未是十五日。今从《会编》。

其一是《契丹国志》卷一三《海滨王萧皇后传》和《大金国志》卷七《太宗纪》天会十年同抄的一段《金虏节要》的文字,这段文字出自《三朝北盟会编》卷一九七,原文是这样的:"(兀室)请罪于粘罕曰:'萧氏本契丹之元妃也,与兄实乃仇雠,实不得已而从之,彼素忍死以事兄者,将有待于今日也。今既见事无成,恐或不利于兄,且兄横行天下,万夫莫当,而此人帷幄之间,可以寸刃害兄于不测矣。事当预防,况今至此,某以爱兄之故,已擅杀之。'"这段文字,两部《国志》基本上是照抄《会编》,只有四处地方有所增删:(1)"萧氏本契丹之元妃也"句,在"契丹"之下增"天祚"二字;(2)"实不得已而从之"句,抄作"不得已而从";(3)"彼素忍死以事兄者"句,"事"改作"待(按:应作'侍')";(4)"况今至此"句,此四字被删掉。以上四处文字的增删更改,两部《国志》完全相同,而与这种情况形成对照的是,《中兴小纪》卷一三绍兴二年九月和《系年要录》卷五八绍兴二年"是秋"条也都引了《金虏节要》的这段文字,但其增删更改处却各不相同。

另外一个例子是,《契丹国志》卷二二《四京本末·南京》条抄录的许亢宗《行程录》的一段文字,与《大金国志》卷四〇所载《许奉使行程录》第四程中的文字如出一辙(文长不录)。按许亢宗《行程录》有《三朝北盟会编》、《靖康稗史》和《大金国志》三种本子,经比对之后发现,《契丹国志》所抄的这段文字,以下几处地方与《会编》和《稗史》均异,而唯独与《大金国志》同。(1)"自晋割弃"句,《会编》和《稗史》均作"自晋割赂北虏",而《大金国志》作"自晋割赂",亦无"北虏"二字,这是因为两部《国志》产生于元代,"北虏"一词在当时是犯忌的。(2)"建为南京,又为燕京析津府"句,《大金国志》同,而《会编》和《稗史》均作"建为南京析津府"。按辽会同元年以幽州为幽都府,建号南京,开泰元年改幽都府为析津府,建为燕京。故此句当以两《国志》为准,《会编》和《稗史》都脱去"又为燕京"四字。(3)"城北有市"句,《大金国志》同,《会编》和《稗史》均作"城北有三市"。(4)《大金国志》"既城后远望数十里间"一句,《会编》和《稗史》均作"城后远望数十里间",《〈大金国志〉校证》因谓"既"为衍字,而《契丹国志》此句作"既筑城后,远望数十里间",可知《大金国志》不是衍"既"字,而是夺"筑"字。这些情况说明了两《国志》作者所见的许亢宗《行程录》是同一个本子,并且这是一个与《会编》和《稗史》都不一样的本子,

　　不同的作者在抄录同一部书时,取舍偶合,容或有之,但像上面所述种种情形,却是很难用巧合来解释的。那么有没有可能是两部《国志》中的某一部抄袭另一部而产生的这种现象呢? 这就涉及到两部《国志》成书孰先孰后的问题,这个问题的答案比较明确,因为《大金国志·太祖纪》天辅元年有抄自《契丹国志·天祚纪》的一段约四百字的记载,在引文开头已注明"《契丹志》云",其它个别地方文字上也有抄袭《契丹国志》的痕迹,因此《契丹国志》成书在前应当是没有疑问的。但是从上面所举许亢宗《行程录》的例子来看,却不可能是《大金国志》抄袭《契丹国志》,因为《大金国志》载录的是《行程录》的全文,而《契丹国志》只是抄录了其中的个别段落,那么《契丹国志》所抄《行程录》的文字与《大金国志》一致无二又应当作何解释呢? 我认为,这两部《国志》有可能出自同一位作者之手,所以才会出现文字上的互相因袭和依榜。

　　下面将要谈到的第三种情况,可以更充分地证明两部《国志》在文字上的"巧合"决非偶然。《契丹国志·天祚纪》和《大金国志·太祖纪》有几处文字错讹脱落的地方,而两书错讹脱落的文

字竟完全相同。如《大金国志》卷二《太祖纪》天辅五年云:"赵良嗣遗书开谕燕王淳,使纳土。……淳得书,斩其使。又令董宠儿遣人说易州土豪史成献城。"《契丹国志》卷一一《天祚纪》保大二年记此事作"又令赵诩(原注:本董宠儿)遣使臣说谕易州土豪史成,使起兵献城"。① 按《三朝北盟会编》卷二三宣和七年十二月九日引《秀水闲居录》云:"契丹将亡,有剧寇董庞儿者据云中、代州,副帅王机请招纳之,久不至。金人既逼,始归款朝廷,以十数万众来附,赐名才,后更姓曰赵名诩。"董庞儿,《宋史》、《辽史》均有其名,而两《国志》都误作"董宠儿",《契丹国志》又误"赵诩"为"赵诩"。

又《大金国志》同年八月:"国主追袭天祚于国崖。"《契丹国志》是年八月记此事亦作"国崖"。按"国崖"实为"旺国崖"之误,据《金史·地理志》,旺国崖在西京路大同府抚州,两书均夺一"旺"字。

又同年十二月,《大金国志》和《契丹国志》均有如下一条记载:"粘罕趋南暗口,挞懒驸马趋北牛口,金主趋居庸关,分三路入燕。"按北牛口,辽金时无此地,《三朝北盟会编》卷一一宣和四年十一月二十七日记此事作"古北口",两部《国志》又将前两字都错得一样了。这样的情况,无论如何也不可能是巧合的。

四

另外,我们还注意到两部《国志》的作者所表现出来的共同手

---

①此据元刻本,扫叶山房本已改"宠"为"庞"。

法。在这一方面,最能说明问题的,是两部《国志》中共同存在的一些缺陷,它反映了作者的弱点和特点,因此也有助于我们进一步推断《契丹国志》和《大金国志》的关系。

通观《契丹国志》和《大金国志》的内容,可以肯定这两部书都出自文化素养较低的作者之手,因为在这两部书中都存在着一些缺乏史学常识的错误。例如,两书的作者都分不清尊号、谥号和庙号,常常指鹿为马。如《大金国志》把闵宗、熙宗、世宗、宣宗等庙号当成了谥号,又把海陵王的封号也当成谥号。《契丹国志》则谓耶律阿保机"谥太祖",又将嗣圣皇帝、天顺皇帝、天辅皇帝、文成(当作"武")皇帝、天福(当作"祐")皇帝等尊号全都当成了谥号。

有关两国间使臣往还时间的记载,也是两部《国志》所犯的一个常识性通病。由于两志基本以抄宋人书为主,而在抄书时又毫无变通,因此凡有关宋辽、宋金使事的记载,它们所记的宋使到达时间实际上只是出发时间,而辽使、金使的出发时间实际上又都是到达时间。这种例子比比皆是,不再胪举。两书作者所表现出来的这种共同的特点,也可作为考察两书关系的一个旁证。

篡改史料也是两部《国志》中都存在的严重问题。如《大金国志》卷一四《海陵纪》正隆元年(宋绍兴二十六年,1156 年)二月记载的耶律余睹屯田曷董以困大实林牙一事,全系抄自《松漠记闻》。《松漠记闻》的作者洪皓卒于绍兴二十五年(1155 年),而抄自《纪闻》的这段文字竟被系于绍兴二十六年二月。与此类似的问题,也可以在《契丹国志》中见到,如卷九《道宗纪》清宁十年(宋英宗治平元年,1064 年)的全部记载,竟都抄自《长编》卷一八五至一八六宋仁宗嘉祐二年(1057 年),严重颠倒了历史事实,这与《大金国志》的手法毫无二致。

根据以上对《契丹国志》和《大金国志》的比较研究,从两书相关内容的吻合无间,再结合两书体例、形式如出一辙等因素来考虑,我以为,两部《国志》的关系不仅仅是仿作的关系,也不仅仅是相互抄袭的关系,而很有可能是出自同一位作者之手,《四库简目》所称'或即一手所作,分署二人之名'的怀疑是很有道理的。尽管由于史料的缺乏,我们找不到两书同出一手的直接证据,而只能从两部《国志》的内容和形式上去寻找它们之间的各种联系,但相信上述推论是经得起推敲的。

五

在对《契丹国志》和《大金国志》的关系作出上述判断之后,还有几个与这两部书有关的问题有待廓清。

对《大金国志》之为伪书,人们很少有异议,我也曾专文加以论证,这里就不再赘述。关于叶隆礼和《契丹国志》,我们再略作剖析。由于《契丹国志》的史料价值较高于《大金国志》,也由于《契丹国志》的错误较少于《大金国志》,更由于叶隆礼实有其人而宇文懋昭却绝无所闻(余嘉锡《四库提要辨证》谓"懋昭始末虽不可考,亦必实有其人",此话毫无根据。宇文氏其人,不可谓其必无,亦不可谓其必有),所以历来人们视《大金国志》为伪书者多,视《契丹国志》为伪书者少。以《四库全书总目》为例,《契丹国志》的提要称"宋叶隆礼撰",而《大金国志》的提要却说"旧本题宋宇文懋昭撰"。《四库简目》的倾向性更为明显,《契丹国志》条说:"宋叶隆礼撰,乃奉诏所编。"《大金国志》条则说:"旧本题宋宇文懋昭撰。今检核其书,实依托也。"

诚然,叶隆礼确有其人。据《至元嘉禾志》卷一五《宋登科题名》，叶隆礼系宋理宗淳祐七年（1247年）进士。然而《契丹国志》的《进书表》却署有"淳熙七年三月日，秘书丞臣叶隆礼上表"的字样，淳熙七年（1180年）与淳祐七年（1247年）相距六十七年，淳祐七年才进士登科的叶隆礼，决不可能在淳熙七年任秘书丞，这是显而易见的道理。尽管如此，似乎这个时间上的漏洞还不像《大金国志·进书表》的漏洞那么明显，所以余嘉锡《四库提要辨证》便怀疑淳熙七年为咸淳七年之误，中法汉学研究所所编《契丹国志通检·序》更断言淳熙七年为淳祐七年之误，然而《契丹国志》元刊本具在，那上面明白无误，正作淳熙七年。因而这个时间上的漏洞同样是无法弥补的。

《契丹国志》比《大金国志》较少遭人非议的原因在于，作者当时能够见到的契丹史料比较丰富，除了宋人方面的记载外，还有不少自辽归宋的归正人的记载可以参考，如武珪《燕北杂记》、赵志忠《虏廷杂记》等等。由于没有材料不足之虞，因此《契丹国志》的内容相对充实一些，史料价值相对高一些。而有关金朝的史料在当时已较为匮乏，一部《松漠记闻》，几乎每一条文字都被采入了《大金国志》，作者的困窘之状可见一斑。尤其是海陵以后的史料相当缺乏，以至于作者不得不将《南迁录》这样的伪书也大量抄入书中。《契丹国志》较胜于《大金国志》的第二个原因是，作者编撰《契丹国志》在前，编撰《大金国志》在后，刚开始编撰《契丹国志》时，作者的态度相对而言还比较认真，而愈到后来愈加草率；《大金国志》之不如《契丹国志》，《大金国志》的后半部之不如前半部，除了材料的充足与否之外，这可能也是一个重要的原因。但是，两部《国志》的编撰手法、表现在两部《国志》中的作者的知识水平，却并无轩轾之分。

关于《契丹国志》和《大金国志》的成书时代问题，人们比较一致的看法是在元代，余嘉锡先生更明确地指出是在元代中叶以后。《四库提要辨证》说："元袁桷《清容集》卷四十一有《修辽金宋史搜访遗书条列事状》一篇，所列遗书凡一百四十余种，尚无此书。可见元初未行于世。至苏天爵《滋溪文稿》卷二十五《三史质疑》始云：'叶隆礼、宇文懋昭为辽金国志，皆不及见国史，其说多得之传闻。'知其书当出于中叶以后矣。"但实际上这是一个误解。袁桷《修辽金宋史搜访遗书条列事状》是元英宗至治年间为修史搜访遗书而拟的一个条例，《事状》说："卑职生长南方，辽金旧事鲜所知闻，中原诸老家有其书，必能搜罗会萃以成信史。……宋世九朝虽有正史，一时避忌，今已易代，所宜改正。……辄不自揆，庸用条析，兼本院宋朝名臣文集及杂书纪载，悉皆遗缺，亦当著具书目以备采择者。"《事状》中共开列出修宋史应当搜访的十九类旧籍，并列举了若干具体的书目，而根本未涉及修辽金史的搜访书目。余嘉锡先生没有仔细考察《事状》的内容，仅仅根据这篇《事状》的题目，就误认为宋辽金三史的搜访书目都在其中了，既而不见里面有辽金二《国志》，便得出了两部《国志》出于元中叶以后的错误结论。按《南迁录》有大德丙午（大德十年）浦元玠跋一篇，文中说："后因《金国志》刊行，与此书较之，事语颇同而人君年号各殊异，未审其孰是。"①据此，则《契丹国志》和《大金国志》之成书，当在元成宗大德十年（1306 年）之前，而到元中叶以后，它们都相当流行并已广为人知了。

原载《中国典籍与文化论丛》第 1 辑，中华书局 1993 年版

---

① 按《南迁录》虽为宋人所作伪书，但没有理由认为元人浦元玠的这篇跋也不可信。

《三朝北盟会编》研究*

　　在传世的宋代典籍中,徐梦莘的《三朝北盟会编》是研究宋辽金史的基本史料之一,尤其是作为宋金关系史的文献集成,历来受到史家的高度重视。《四库全书总目》称"其博赡淹通,南宋诸野史中,自李心传《系年要录》以外,未有能过之者",这个评价可谓恰如其份。但令人遗憾的是,自此书问世八百年来,还始终没有一个比较理想的善本。今天,我们终于可以以《三朝北盟会编》点校本的整理完成而告慰于宋史学界! 在点校此书的基础上,本文将对有关《三朝北盟会编》的若干问题提出我们的看法,希望能够有助于人们加深对于此书的了解。

一

　　关于《三朝北盟会编》的作者徐梦莘,早在半个多世纪以前,陈乐素先生曾在《徐梦莘考》一文中做过较为系统的考索。[①] 60

---

*此文系与邓广铭先生合著。
①《徐梦莘考》,《国学季刊》4卷3号,1934年9月。

年代,台湾学者王德毅又在此基础上编撰成《徐梦莘年表》。① 我们原以为,后出的《年表》对于徐梦莘的生平行迹应有更多的增益,而经我们再度查考的结果,证明对于徐梦莘其人确实难得有更多的了解。因此本文仅就现存史料对徐氏仕履始末、出处大节做一综合性的诠释,自愧仍然未能有所发明。

据楼钥说,徐氏死后,其弟得之为撰《行状》,时任参知政事的楼钥受梦莘家人请托,根据这篇《行状》写成《直秘阁徐公墓志铭》(载楼钥《攻媿集》卷一○八)。这是目前有关徐氏生平的最为翔实的记载。《宋史》卷四三八《儒林传》中的《徐梦莘传》,是间接依据《墓志铭》写成的。这篇传记非但不能于《墓志》有所补益,反倒讹谬多端,对于我们了解徐梦莘实在是毫无用处。至于明清方志中虽然也能找到一些徐梦莘的传记资料,但所能提供的新材料也极为有限。故论及徐氏其人,主要只能依据其《墓志》。

徐梦莘(1126——1207 年),字商老,临江军清江县(今江西省樟树市临江镇)人。据楼钥所撰《墓志》记载,其"曾祖用和、祖士稳,俱不仕";"父世亨,累赠通议大夫",其所以被赠官,大概是由于梦莘兄弟的缘故。而明崇祯十五年《清江县志》中的《徐梦莘传》却有这样一段记载:"其先开封人。父世亨,南渡守临有善政,以病卒于官,因家焉。"根据这种说法,徐氏原是侨寓江西的中原士民,又谓其父"南渡守临"云云,亦不知有何依据。若果真如此,决不至为《墓志》所遗漏。故《清江县志》的这一说法,其真实性是大可怀疑的。

梦莘于绍兴二十四年(1154 年)登张孝祥榜进士第,从此开始踏上仕途。初授左迪功郎、洪州新建县尉,因守父丧而未能赴

---

① 《徐梦莘年表》,《大陆杂志》31 卷第 8 期,1965 年 10 月。

任。服除,调郁林州司户参军,上任不久,又遭母丧而归。约在绍兴末年,改除江陵府司户。孝宗乾道四年(1168年),移南安军教授。嗣由江西转运副使龚茂良举荐,改宣教郎、知潭州湘阴县。在湘阴兴办学校,颇有令誉。淳熙七年(1180年),除广南西路转运司主管文字。时朝议更两广盐法,以钞盐代替官榷,梦莘谓"二广事体不同。……西路多山,郡近江者少,道阻运艰,客贩不通,价必腾踊",建议仍"循官般旧法"。① 因其主张与朝议不合,被辟知宾州。及詹仪之出帅广西,虑梦莘仍持旧说,遂以故罢知宾州。绍熙元年(1190年),以同年杨万里竭力推荐,授荆湖北路安抚司参议官,其间曾代行本路帅事三阅月。庆元元年(1195年),因表弟彭龟年除荆湖北路安抚使兼知江陵府,梦莘以亲嫌请归,自此不复出仕。宁宗开禧三年(1207年),病卒于家,年八十二。

综观徐梦莘的一生,为官并不显达,也没有多少政绩可以称述,故楼钥谓其"仕宦几五十年,居闲之日为多"。其所以能够名列史传,主要是因为他给后人留下了一部不朽的史学巨著。

楼钥《直秘阁徐公墓志铭》对徐梦莘的学养有一个总的评价:"公俊敏笃学,至忘饥渴寒暑,读书过眼辄不忘。通贯经史百家,尤熟晋、宋、南北、五代事。自熙、丰、元祐以来名公奏议及出处,大致无不该综。作文皆有根据,用事精确。"值得注意的是,徐梦莘虽然"通贯经史百家",但尤致意于历史上的分裂时期,这与他所处的时代有莫大的关系。徐梦莘出生的那一年正值靖康之变;建炎三年(1129年),金军渡江南下,"公之生才四年,母氏襁负走陂头刘氏家,仅免于难"。国难家祸,势必给身历变乱的他以极大的刺激,"公既省事,自念生长兵间,欲得尽见事之本末,宦游四

---

① 楼钥:《直秘阁徐公墓志铭》,《攻媿集》卷一〇八。

方,收罗野史及他文书,多至二百余家,……号《三朝北盟集编》"。① 徐梦莘在《三朝北盟会编》的《自序》中更明确地表述了他撰集此书的初衷:

> 呜呼！靖康之祸,古未有也。……缙绅草茅,伤时感事,忠愤所激,据所闻见,笔而为记录者,无虑数百家。然各有所同异,事有疑信,深惧日月浸久,是非混淆,臣子大节,邪正莫辨,一介忠款,湮没不传。于是取诸家所说及诏、敕、制、诰、书疏、奏议、记传、行实、碑志、文集、杂著,事涉北盟者,悉取诠次。起政和七年登州航海通虏之初,终绍兴三十二年逆亮犯淮败盟之日,系以日月。以政、宣为上帙,靖康为中帙,建炎、绍兴为下帙,总名曰《三朝北盟集编》,尽四十有六年,分二百五十卷。……使忠臣义士、乱臣贼子善恶之迹,万世之下不得而掩没也。自成一家之书,以补史官之阙,此《集编》之本志也。

作者在这里说得很明白,他编撰此书的根本目的原是为了表彰"臣子大节",将"忠臣义士、乱臣贼子善恶之迹"昭示于后人。

据作者《自序》可知,《三朝北盟会编》成书于绍熙五年(1194年)十二月,时梦莘正在荆湖北路安抚司参议官任上。此书始撰于何时,《自序》和《墓志》都没有交待。徐氏一生"居闲之日为多",他虽然学问渊博,但却没有别的著作传世,《会编》成书时,他已是69岁的古稀老人。从这种种因素来判断,《会编》一书可能是他倾注毕生精力而从事的一桩名山事业。

---

①楼钥:《直秘阁徐公墓志铭》,《攻媿集》卷一〇八。

就在《会编》成书两年之后，实录院因修《高宗实录》的缘故，修撰杨辅等人奏乞征取《三朝北盟会编》以备取资，时徐梦莘已致仕乡居，因于庆元二年（1196年）命临江军抄录《会编》以进。同年十一月，"史官又奏其书有补于史笔为多，仍荐公之贤"，遂除直秘阁。时朝廷有意让徐氏与修《高宗实录》，徐氏说："此书本不为进身计。"力辞不就。后来又因为《会编》的引用书目中有百余种书是当时史馆所没有的，因此又命临江军把这些书全部录副送上实录院。由此可见，《三朝北盟会编》甫一问世，便受到了朝廷史官的何等重视。

《会编》成书后，徐梦莘仍继续从事于此书的续补增订，他利用新见到的若干种书，撰集成《北盟集补》五十卷，可惜的是这部续作未能流传下来。

据《墓志》记载，徐梦莘的著作除了《三朝北盟会编》和《北盟集补》外，还有《读书记忘》、《集医录》、《集仙后录》各三册，《会录》四册。但这几种书从未见于著录，大概不曾传布于世。从这些书名来看，估计只是徐氏的随手札记，不见得是正式著述。如此说来，徐梦莘之为时人所知且留名于后世者，端赖《三朝北盟会编》一书。

此外还应该提到的是，徐氏虽非世家，但梦莘兄弟子侄在当时却都以著述而广为人知。楼钥在为梦莘从子徐天麟所著《西汉会要》一书作的序文中称许说："临江徐氏以儒名家，……伯仲皆以诗书发身。"①陈振孙则特别指出"其家长于史学"这一点。② 徐家著述之可考者，梦莘弟得之有《春秋左氏国纪》、《史记年纪》、

---

① 楼钥:《〈西汉会要〉序》,《攻媿集》卷五三。
② 见《直斋书录解题》卷一八别集类,徐得之《静安作具》解题。

《郴江志》、《静安作具》、《敝篋笔略》、《西园鼓吹》等；①得之长子徐筠有《汉官考》、《周礼微言》、《姓氏源流考》、《修水志》等；②得之次子徐天麟有《西汉会要》、《东汉会要》、《汉兵本末》、《西汉地理疏》、《山经》等，③其中《西汉会要》七十卷、《东汉会要》四十卷流传至今。

二

关于《三朝北盟会编》的书名，宋人的记载并不一致，既有作《三朝北盟会编》者，也有称《三朝北盟集编》者。《直秘阁徐公墓志铭》谓徐梦莘"收罗野史及他文书，多至二百余家，号《三朝北盟集编》"，"后又得未见之书，再编《集补》三帙"。徐梦莘《自序》也说："以政、宣为上帙，靖康为中帙，建炎、绍兴为下帙，总名曰《三朝北盟集编》。"《自序》中的"集编"二字，在活字本和许涵度刻本中都作"会编"，但季振宜旧藏明钞本实作"集编"，清人刻本当是依据传世版本的书名而把《自序》中的"集编"改作"会编"的。另外赵希弁《郡斋读书附志》编年类著录此书亦作"《三朝北盟集编》二百五十卷、《集补》五十卷"。王应麟《玉海》卷四七艺文门所记此书，系直录《墓志》中的文字，所以也称为"集编"。

---

① 见赵希弁《郡斋读书附志》经解类、陈振孙《直斋书录解题》卷一八别集类、《宋史》卷四三八《徐梦莘传》附《徐得之传》。
② 见《郡斋读书附志》职官类、《直斋书录解题》卷六职官类、《玉海》卷三九、《宋史》卷二〇二至二〇四《艺文志》。
③ 见《直斋书录解题》卷五典故类、《玉海》卷五一、《宋史》卷四三八《徐梦莘传》附《徐天麟传》。

同是在宋人的记载中,称作《三朝北盟会编》者也确凿无可怀疑。李心传《建炎以来系年要录》引用此书共计54次,或称《北盟会编》,或径称《会编》,没有一次是称作《集编》的。考虑到引用次数如此之多,而名称又一致无二,所以不大可能是清人辑本改动的结果,只能认为是原本如此。又陈振孙《直斋书录解题》卷五杂史类著录是书,作"《三朝北盟会编》二百五十卷"、"《北盟集补》五十卷",也是"《会编》"一名的一个很有力的证据。另外在元代文献中还可以为"《会编》"一名找到两条佐证:一是元人所修《宋史》,其中的《徐梦莘传》说:"网罗旧闻,会粹同异,为《三朝北盟会编》二百五十卷。"其次是元人袁桷在《修辽金宋史搜访遗书条列事状》中列举有关靖康之变的史料时,首先举出的一种即为"《三朝北盟会编》"。① 至于明清以来各种传世的钞刻本,书名无一不是称作《三朝北盟会编》的。

　　上述情形所提出的问题是:徐梦莘撰述的这部著作,原来的书名究竟是什么? 宋人对于此书的名称为什么会有两种不同的记载?

　　我们认为,根据徐梦莘的《自序》来看,此书原名当作《三朝北盟集编》,作者将他后来撰集的续编定名为《北盟集补》,也证明"《集编》"确系其原名。至于"《三朝北盟会编》",大概是庆元二年(1196年)抄上实录院的本子所改的书名。此后这部著作就有了两个名称:徐氏家藏本系统称《三朝北盟集编》,实录院抄本系统称《三朝北盟会编》。楼钥撰于嘉定三年(1210年)的《直秘阁徐公墓志铭》,是根据徐梦莘弟得之所作的《行状》而写成的,而《行状》无疑是以其原来的书名相称;另外,梦莘长子徐简在请楼

-----

① 《清容居士集》卷四一。

钥作《墓志》时,以楼钥"未见《北盟》全书,尽录以见遗",①——当然,这是从家藏本录出的一个副本。故楼钥所撰《墓志》便称作《三朝北盟集编》。李心传的《建炎以来系年要录》约成书于嘉定元年(1208 年),其所以称引徐书为《三朝北盟会编》者,乃是因为他看到的是实录院抄本。何以见得呢?《系年要录》卷一九〇绍兴三十一年五月辛卯条小注云:"(完颜)亮求衅渝盟,此大事也,而北使诗语,《日历》乃无一字及之。……徐梦莘所进《北盟会编》已备载其词,今并其本末详之。"此条小注可以证明这一点。再说赵希弁的《郡斋读书附志》和陈振孙的《直斋书录解题》,这两部书都是据实著录的私人藏书目录,成书于淳祐九年(1249年)的《读书附志》著录徐书为"《集编》",而几乎与此同时成书的《直斋书录解题》却著录为"《会编》",这表明赵希弁的藏本出自徐氏家藏本系统,陈振孙的藏本则出自实录院抄本系统。《宋史·徐梦莘传》估计当出自于《中兴四朝国史》,宝祐五年(1257年)修成的《中兴四朝国史》,其《徐梦莘传》固然当取资于楼钥所撰《墓志》,但可能根据当时的实录院抄本把《三朝北盟集编》改称《三朝北盟会编》了。至于袁桷之称《三朝北盟会编》,说明他见到的也是实录院抄本系统的某个版本。自元代以后,《三朝北盟会编》成为此书的定称,所以我们估计徐氏家藏本这个系统到元代已经亡佚,元以后的传本全是出自实录院抄本的。今天,《三朝北盟会编》既已成为习称,也就没有必要再恢复其原名了。

作为《三朝北盟集编》续作的《北盟集补》,书名始终相沿未改。关于《集补》一书,宋人记载也有歧异。楼钥所撰《墓志》,称梦莘"后又得未见之书,再编《集补》三帙"(《玉海》卷四七引《墓

---

① 楼钥:《直秘阁徐公墓志铭》,《攻媿集》卷一〇八。

志》之文，亦作"三峡"），而《直斋书录解题》卷五则说："《北盟集补》五十卷，梦莘以前书诠载不尽者五家，续编次于中、下二帙，以补其阙，靖康、炎兴各为二十五卷。"陈振孙的这一记述看来是比较可信的，《墓志》"三峡"当为"二峡"之误。不过《书录解题》"梦莘以前书诠载不尽者五家续编次于中、下二帙"句恐怕也有问题。试想，五十卷的《集补》，难道只引用了五种书么？或许"五家"应该是"五十家"之误。

《北盟集补》问世后，曾经一度也相当流行，南宋末年的藏书家赵希弁和陈振孙都有收藏。但从元代开始，此书就不再见于著录，可能即亡于宋元之际。《四库全书总目》推断说："殆当时二本各行，故久而亡佚欤？"这个推断应该说是合乎情理的。

《三朝北盟会编》究竟是一部什么体裁的史书，历代目录学家是有不同看法的。《直秘阁徐公墓志铭》谓徐梦莘"收罗野史及他文书多至二百余家，为编年之体，会粹成书，……号《三朝北盟集编》"。赵希弁《郡斋读书附志》也将此书列入编年类。然而《直斋书录解题》卷五和《玉海》卷四七都把它归入杂史，《文献通考》卷一九七《经籍考》又列入传记类。至清人编《四库全书》，却将《三朝北盟会编》列入史部纪事本末类，《提要》谓是书"凡宋金通和用兵之事，悉为铨次本末，年经月纬，案日胪载。惟靖康中帙之末有《诸录杂记》五卷，则以无年月可系者，别加编次，附之于末"。自《四库全书》问世后，清人著录此书者大都沿袭了这种部类，只有少数私人藏书目录仍将《会编》列入编年类。余嘉锡《四库提要辨证》卷四曾就此书的部类问题发表过下述意见：

> 《提要》既言是编年经月纬，案日胪载，则何以不隶之编
> 年，而乃属之纪事本末者，则以所记纯关于宋金通和用兵之

事,且其《诸录杂记》五卷,无年月可系,正是本类小序所谓"不标纪事本末之名,而实为纪事本末者,亦并著录"也。然纪事本末之体,始于袁枢,梦莘登第在枢之前,故宋人之论此书者,大抵仍以为编年体。

此说其实也不尽然。纪事本末之首创于袁枢,乃是后人追本溯源的说法,而在宋人的概念中,尚不以为纪事本末已自成一体,直到明代,纪事本末才成为史部中一个新的类目;如谓梦莘登第在袁枢之前,然而袁枢《通鉴纪事本末》之问世却比《三朝北盟会编》要早得多。可见宋人之视《会编》为编年体史书,本不在乎其与《通鉴本末》孰先孰后。今天,人们一般都习惯于把《三朝北盟会编》看作一部编年体的史学著作,这与此书的实际情况是相符的。

从《三朝北盟会编》一书的内容来看,它究竟是一部什么性质的书呢?这是迄今为止还没有完全解决的一个问题。就此书的书名而言,不论是《三朝北盟集编》还是《三朝北盟会编》,都表明它是有关宋金关系的一部史料汇编,徐梦莘《自序》说:"取诸家所说及诏、敕、制、诰、书疏、奏议、记传、行实、碑志、文集、杂著,事涉北盟者,悉取诠次。……其辞则因元本之旧,其事则集诸家之说。不敢私为去取,不敢妄立褒贬。参考折衷,其实自见。"陈乐素先生在《〈三朝北盟会编〉考》一文中根据这段话而得出结论说:"可知全书除每事所标之主要语句外,余皆引用材料也。"①按照他的理解,《会编》这部书中,只有每事的纲目才是出自徐梦莘之手,而凡是低一格排列的文字则全都是作者引用的史料。今本《会编》

①《〈三朝北盟会编〉考》,《历史语言研究所集刊》第 6 本 2、3 分册,1935—1936 年。

约有三分之一的内容没有标明出处，陈乐素先生认为这些内容不外乎两种情况：一是原来曾注明出处，而在历代传抄的过程中脱漏了的；二是原本就不曾标明引文出处的。徐梦莘《自序》中有这样一段话："如洪内翰迈《国史》、李侍郎焘《长编》并《四系录》，已上太史氏，兹不重录云。"陈乐素先生解释说："徐氏之意，谓《国史》、《长编》及《四系录》三书为已入史馆之正史，而异于一般野史。一般野史材料之引用，所以一一标明出处者，使读者得以参考折衷，辨其是非同异也。若既入史馆之正史，则已为定论，无标明出处之必要，且以别于一般野史也。故原序所谓'不重录'者，言不再一一举其名也。"不过洪迈《四朝国史》、李焘《长编》和《四系录》的记事下限都截止于靖康二年（1127年），至于建炎以后未标明出处的内容，陈乐素先生认为是出自《中兴会要》、《高宗日历》等官书，故同样没有标明出处的必要。

我们的看法与此不同。《三朝北盟会编》并不完全是一部史料汇编，它既引用各种史料，也有作者本人关于史实的叙述。今本《会编》没有标明出处的三分之一内容，其中确有一小部分是原有出处，只因屡次的传抄而致其有所脱漏，如卷二三宣和七年十二月三日庚子"粘罕使王介儒、撒卢拇充使副来宣抚司"条即无出处，但文中记马扩事以"仆"自称，《会编》多处引用马扩《茆斋自叙》，类皆以"仆"自称，故知此段文字必定引自《茆斋自叙》无疑。除了这种确系出处脱漏的情况之外，其它没有标明出处的文字都应视为徐梦莘本人的著述。《自序》所谓"如洪内翰迈《国史》、李侍郎焘《长编》并《四系录》，已上太史氏，兹不重录云"者，文义本极明白，这段话的意思无非是说：像洪迈《四朝国史》、李焘《长编》和《四系录》之类的官书或已入史馆的私家史籍，因为容易看到，《会编》中就不再引录。其实，《三朝北盟会编》的一个原则就是不引用官书(诏敕制诰等原始史料除外),在徐梦莘手定的引用书目中,二百多种著作,没有一种是官书。徐梦莘编撰此书的目的是保存史料,《自序》云:"缙绅草茅,伤时感事,忠愤所激,据所闻见,笔而为记录者,无虑数百家。"这数百家"缙绅、草茅"的著述才是徐梦莘想要极力保存下来的史料,《会编》之所以为当时史官所看重,恐怕也正在于此。

陈乐素先生既已认定《会编》中有出自洪迈《四朝国史》、李焘《长编》和《四系录》的内容,遂又进而推断说,《会编》卷三所记女真事"疑为《四系录》之文"。按《玉海》卷五八艺文门有关于《四系录》一书的介绍:"淳熙三年,权礼部侍郎李焘进《四系录》,记女真、契丹起灭,自绍圣迄宣和、靖康,凡二十卷。"《会编》卷三在重和二年(1119年)正月金朝首次遣使条下,用整卷五千多字的篇幅详细记述了女真始末,包括其生活习俗、社会组织、法律习惯等等,只是最后一小部分才涉及辽金用兵事,这与李焘《四系录》始于绍圣,又系专记"女真、契丹起灭"之事显然不符。日本学者三上次男氏虽然不同意陈乐素先生的这个判断,但却又因为《会编》卷三中有几段文字与佚名《北风扬沙录》的内容相近,遂以为《会编》整卷文字都抄自《北风扬沙录》。① 这也是因为他先有了一个错误的前提,即认为整部《三朝北盟会编》全是史料的汇编。经过我们与多种记载相互比勘的结果,得出的结论是:《会编》卷三没有标明出处的这一长篇文字,乃是徐梦莘本人根据《松漠记闻》、《北风扬沙录》等较为原始的记载,对女真所作的一个全

---

① 三上次男《金代女真研究》,金启孮译本,黑龙江人民出版社1984年版,第15页。按《北风扬沙录》见《说郛》卷二五,三上次男则是根据《辽史拾遗》卷一八所引的片段文字而下此断语的。

面的综合性介绍。

《三朝北盟会编》既然包含有作者著作的成分在内,那么对于徐梦莘《自序》所标榜的"其辞则因元本之旧,其事则集诸家之说;不敢私为去取,不敢妄立褒贬"的原则又当怎样理解呢?我们认为,这几句话是徐梦莘为《三朝北盟会编》如何引用史料所确定的一个原则,并不表明全书内容都是直接引用的原始记载。所谓"其辞则因元本之旧,……不敢私为去取",是说引用史料不改不删,忠实原文;所谓"其事则集诸家之说,……不敢妄立褒贬",是说引用史料不主一家之说,不带个人偏见。这一原则是《三朝北盟会编》的最大特点,也是此书历来最为人们所称道的地方。我们不妨举两个例子。

《会编》卷二〇六绍兴十一年八月载金人第一书云:"寻奉圣训,尽复赐土,谓宜存省,即有悛心;乃敢不量己力,复逞蜂虿之毒,摇荡边鄙,肆意陆梁,致稽来使,久之未发。"《建炎以来系年要录》卷一四一绍兴十一年九月乙卯条也引用了这篇金朝国书,但却删去其中"即有悛心,乃敢不量己力,复逞蜂虿之毒"等句,李心传注云:"或谓金书夸大,不当具载。臣谓此犹匈奴单于遗汉文嫚书之比,无足隐者。当稍删削而具存之,以见一时议论之实。"尽管李心传也主张保留文献的原貌,但终归还是把金人谩骂南宋的句子给删掉了,惟有《三朝北盟会编》在引录这种原始文献时坚持不删不改的原则,从而保存了史料的真实。

又《会编》卷二三二绍兴三十一年十月载宋高宗亲征诏云:"辄因贺使,公肆嫚言:指求将相之臣,坐索淮汉之壤。吠尧之犬,谓秦无人。朕姑务于含容,彼尚饰其奸诈。啸厥丑类,驱吾善良,妖氛寝结于中原,烽火遂交于近甸。皆朕威不足以震叠,德不足以绥怀,负尔万邦,于今三纪。"《系年要录》卷一九三绍兴三十一年十月庚子朔条亦载有此诏,但却没有自"吠尧之犬"至"烽火遂交于近甸"句共42字,显然是清人辑录《系年要录》时删去的,这又从另一个方面显示了《会编》保存文献原貌的可贵。

《三朝北盟会编》荟萃史料之宏富,使它具有极高的文献价值。徐梦莘平生精力皆倾注于此书,有关宋金关系的文献材料,必定是他长期搜访罗致的结果。在《会编》的全部二百多种引用书中,竟有一百余种是当时的南宋史馆所没有的,由此可见梦莘搜讨之勤,汇辑史料之完备。而对于今天来说,《会编》一书的史料价值显得尤为珍贵,因为全书二百多种引用书,目前仍旧存世的已不足十分之一;就是这仅存的十余种书中,恐怕其中还有若干种也是出自《会编》的辑本,如曹勋《北狩见闻录》、蔡鞗《北狩行录》、丁特起《靖康纪闻》等,今天的传本其内容都不超出《会编》的引文,估计是后人从《会编》里辑出来的本子。

三

《三朝北盟会编》不愧为宋金关系史料之渊薮,但不可否认的是,徐梦莘对于他所搜集到的史料,在鉴别和使用上也存在着某些问题。譬如说,《会编》中有些史料的真实性是很值得怀疑的。下面这个例子就很有代表性。

《会编》卷一七八绍兴七年八月"粘罕以病殂"条,载粘罕狱中上书云:

> 臣闻功大则谤兴,德高则毁来,此言是也。自振古论之:以周公之圣人也,当成王即政之初,以言其业则未盛也,以言

其时则未太平也,以言其君则幼君也,周公是时建功立业,制礼作乐,尽忠竭力,勤劳王家,公之功德编于《诗》《书》,流传于天下,自古及今,称之无愧焉,尚有四国之流言、诛弟之过也,况后世不及周公者乎。

臣今所虑,辄敢辨于陛下。念臣老矣,臣于天会之初,从二先帝破辽攻宋,兵无五万之众,粮无十日之储,长驱深入,旌旗指处,莫不请命受降,辽宋二主及血属并归囚虏,辽宋郡邑归我版图。方今东濒大海,西彻胸溪,南连交广,北底室韦,罔不臣妾。然以大金创基洪业,继治盛朝,先帝所委,臣之力也。又扶持陛下幼冲,以临大宝,南面天下,此成王之势也。臣之忠勤,过于周公之(下有阙文)赖成王之圣虑也。

今臣虽吐其言,在陛下察情,臣再陈前日之罪:御林牙兵忽然猖獗,干冒陛下,用臣出师之任,臣受命欲竭驽钝之力,尽浅拙之谋,以狂孽指日可定;不期耶律潜伏,沙党复反,交攻凡三昼夜,其胜负未分,犹可为战,奈杜充粮草已断,人马冻死,御林牙兵知我深入重地,前不樵苏,后又粮断,所以王师失利。又副将外家得心生反逆,背负朝廷。外家得之反背有其由也,知父兄妻子并在御林牙军中,两军发衅,其外家得将军下数千骑自乱我军,使臣不得施,此大败之罪也,非臣悖慢。愿陛下察臣之肝胆,念臣有立国之功,陛下有继统之业,可贷臣蝼蚁之命。呜呼,功成、名遂、身退,天下之道也。臣尝有此志,贪念陛下之圣意,眷慕陛下之宗庙,踌躇犹豫,以至于此,使臣伊吕之功,反当长乐之祸。愿陛下释臣缧绁之难,愿成五湖之游,誓竭犬马之报。

其后又载金熙宗诛粘罕诏云:

先王制赏罚,赏所以褒有功,非溢喜也;罚所以诛有罪,非溢怒也。朕惟国相粘罕,辅佐先帝,曾立边功。迨先帝上仙,朕继承丕祚,眷惟元老,俾董征诛。不谓持吾重权,阴怀异议。国人皆曰可杀,朕躬非敢私徇。奏对悖慢,理当弃殛,以彰厥辜。呜呼,四皓出而复兴汉室,二叔诛而再造周基。去恶用贤,其鉴如此。布告中外,咸使闻知。

这篇粘罕狱中上书及熙宗诛粘罕诏实在是非常荒唐,且不说其文字是如何的浅陋不堪,单就这个离奇的故事来看,即可断言其纯属杜撰。所谓御林牙兵反叛,粘罕受命出征,大败而归,以致下狱被诛等等,在金朝方面的史料中得不到任何印证。李心传已经察觉出此事之虚妄,因而他在《建炎以来系年要录》中没有援引上述史料,并且指出说:"徐梦莘《北盟会编》有粘罕狱中所上书及金人诛粘罕诏,其文鄙陋,他书无其事,今不取。"[1]对金史颇有研究的清代学者施国祁,曾经就上述史料的真伪问题进行过专门辨正,他说:"粘罕之待宋人,贪暴已极,南人恨之入骨,意谓必受恶报,谁料其得保首领以殁,而好事者因撰造牙军一败、狱中一书,污以卑辞,并高庆裔临刑数语,诬为谋反确证,必使身败名裂而后已。特不知牙军何贼,战败何地,逞兹小丑,何劳都帅亲征,偶尔小负,何遽大功镌没。又书所引成王、周公、交广、五湖等字,缪陋不堪,乃南宋蒙师之稍能把笔者为之。……谛观答诏意旨,与狱书风马不涉,此乃诛挞懒诏文,傅会成狱者。"[2]不过我们也注意到《三朝北盟会编》此条的事目是"粘罕以病殂",其中征引张汇《金虏节

①《建炎以来系年要录》卷一一二,绍兴七年七月辛巳条注。
②《史论五答》之一,《昭代丛书》本。

要》，说粘罕是因高庆裔被诛，"绝食纵饮，恚闷而死"的，这说明徐梦莘引用粘罕狱中上书和熙宗诛粘罕诏只是姑备异说而已；但终归使我们感到遗憾的是，像这样明显有问题的材料照说是不应该被采录的。

另外一类问题，是徐梦莘对于史料的系年有时不免错误。如《会编》卷一二四建炎三年（1129年）三月所载周紫芝《上皇帝书》，李心传《系年要录》改系于建炎元年（1127年）六月末，并有注曰："此书见于徐梦莘《北盟会编》，今采其要语附入；但梦莘系之建炎三年春末，实甚误矣。书中乞专任李纲，纲以今年五月初拜相，故附此书于六月末，或可移附今年八月并命二相时。紫芝书中又云：'去年复《春秋》，今年行诗赋；去年削舒王配享之文，今年复元丰释奠之制。'皆元年事。若系之三年春末，则纲贬海外，未许放还，决非其时附上明矣。"①必须承认，李心传指出的这个问题是很有说服力的。类似的系年错误在《会编》中还能找到一些。

不过对于今本《会编》来说，更大的问题还是在历代辗转传抄的过程中所造成的。我们在此只想举出两个方面的问题，一是阙文，一是部分篇卷的错乱。

阙文有两种情况，一般的文字残阙比较容易发现，我们现在要谈的是一种不易察觉的阙文，必须格外留心才能发现。如《会编》卷首引用书目列有张孝纯《论刘豫谋入寇书》，但《会编》中却未见引用。《系年要录》卷一〇五绍兴六年九月壬申条云："是日，伪齐故相张孝纯遣其客薛筜间道走行在，上书言利害。"下有小注曰："孝纯所上之书，《伪齐录》有之，不得其年。其书有云：'自太原失守，于今十年。'以年计之，当是绍兴五年，而书中所引多绍兴

---

① 《建炎以来系年要录》卷六，建炎元年六月末条。

三年事,不知何也。……今且依徐梦莘《北盟会编》附此,疑非今年也。"检核今本《会编》,根本就没有涉及这件事情。按照《系年要录》提供的线索,徐梦莘应该是把此事记在绍兴六年九月壬申(七日)条下的,今本《会编》卷一六九"起绍兴六年正月,尽九月",卷一七〇"起绍兴六年九月八日癸酉",那么张孝纯《论刘豫谋入寇书》必定是载于卷一六九之末。今本《会编》卷一六九末条记"九月,刘豫入寇",而不及张孝纯事,可知此卷末当有阙文。

《会编》一书自政和七年(1117 年)迄绍兴三十二年(1162年),逐年隶事,然而其中唯独绍兴三十年(1160 年)阙而不载,这是一个长期以来悬而未决的疑案。今本《会编》卷二二四迄于绍兴二十九年(1159 年)十二月,卷二二五起自绍兴三十一年(1161年)正月十四日丁亥,绍兴三十年事一字不载。前人早就怀疑这里有阙文,许刻本卷二二四末附旧校云:"按皇太后韦氏崩在绍兴二十九年九月庚子,虽与北盟无涉,然回銮既书之矣,大臣中死者亦书之矣,岂独于太后反略耶? 疑此卷有阙。"卷二二五首又引旧校云:"按前卷编至二十九年止,此卷接以三十一年,所载正月丁亥夜风雷雨雪云云,与正史同。岂三十年内无一事可纪耶? 且如遣虞允文贺正旦、徐度贺生辰之类,似宜大书特书者,而此编无之。卷数虽连,当有缺页无疑。"陈乐素《〈三朝北盟会编〉考》也将"绍兴三十年之缺书"作为一个疑点提了出来,谓"前人有疑为传本脱漏者",而"两卷之间固无脱漏之痕","故究竟原阙此年抑传本脱漏,尚属疑问"。

我们考索的结果表明,问题出在卷二二四。此卷绍兴二十九年共记有以下三事:(1)二十九年,同知枢密院叶义问奉使金国回;(2)五月二十一日乙酉,复置江州都统制;(3)十二月,续觱知荆南府。这三条记载的时间都有问题。据《系年要录》、《中兴小纪》、《宋史》诸书记载，叶义问于绍兴三十年正月丙申自吏部侍郎除同知枢密院事；是年二月乙卯，金使大怀忠来吊韦太后丧；二月戊午，命同知枢密院事叶义问为大金报谢使，谢其吊祭；五月辛卯，叶义问还自金国。复置江州都统制事，《系年要录》卷一八五和《宋史》卷三一《高宗纪》均记于绍兴三十年五月乙酉。续霄知荆南府事，《系年要录》卷一八六绍兴三十年十月壬戌条曰："太尉、武泰军节度使、知荆南府刘锜为威武军节度使、镇江府驻札御前诸军都统制，……直敷文阁、潼川府路提点刑狱公事续霄直显谟阁、知荆南府。"同书卷一八七同年十二月庚午条云："是日，直显谟阁、知荆州府续霄始至官。"可见《会编》卷二二四绍兴二十九年所记三事实际上都是绍兴三十年的事，而绍兴二十九年的内容显然已经全佚，今本《会编》误以绍兴三十年事系于二十九年之下，卷首"尽二十九年十二月"的标目当为后人所改。另外绍兴三十年估计也有部分条目脱漏，如金使大怀忠来吊祭，遣叶义问为金国报谢使（二月）；虞允文使金贺正旦，徐度使金贺生辰（十月）；金使仆散权等来贺明岁正旦（十二月）等。

我们在点校《三朝北盟会编》时所遇到的最为棘手的一个问题，是某些篇卷内容的颠倒错乱。卷一三一建炎三年（1129 年）闰八月载有胡寅《上皇帝万言书》，此书亦见《斐然集》卷一六和《历代名臣奏议》卷八六，《建炎以来系年要录》卷二七建炎三年闰八月庚寅条也节录了此文的部分内容。经过相互比勘后发现，《会编》卷一三一的这篇奏议，只有前面约六分之一的文字才是出自胡寅的《上皇帝万言书》，而后面的绝大部分内容则出自胡寅的另一篇奏议，即绍兴二年（1132 年）十月奏上朝廷的《应诏论十事札子》，这首札子《斐然集》失收，仅见于《系年要录》卷五九绍兴二年十月癸巳条所引，《宋史》卷四三五《胡寅传》也有记载。不过,胡寅的《上皇帝万言书》并非脱漏亡佚了。《会编》卷一五二的全部和卷一五三的大部引录的是一篇长达万余字的刘嵘《上万言书》,系于绍兴二年十月六日癸巳。令人难以置信的是,这篇刘嵘《上万言书》,除了开首的二百余字外,其余部分都是出自胡寅的《上皇帝万言书》,而且正好可以与卷一三一胡寅《万言书》的前一部分合为完璧。至于刘嵘《上万言书》,仅残存了这二百多字,今天已经无从校补了。我们实在无法想象,这样的混乱究竟是如何发生的?但可以肯定的一点是,错误的形成由来已久了,因为我们所见到的明清时代诸钞刻本无不如此。在这种情况下,完全恢复其原貌是不可能的,我们只能做到这个程度:把卷一五二和卷一五三的胡寅《上皇帝万言书》合并到卷一三一,同时把卷一三一的胡寅《应诏论十事札子》放到卷一五二刘嵘《上万言书》的残句之后,卷一五三剩下的部分独立成卷。这样调整的结果,虽然使得以上各卷篇幅长短颇为悬殊,但总算纠正了其内容的错乱。

四

前面曾根据《三朝北盟会编》书名的歧异情况而做出如下的推断:南宋一朝,《三朝北盟会编》有两个版本系统,即徐氏家藏本系统和实录院钞本系统,徐氏家藏本系统至元代已经亡佚,元以后的传本全都出自实录院钞本系统。从上文指出的《三朝北盟会编》的阙文和部分篇卷的错乱情况来看,我们的这一推断是很有道理的,今天存世的各个本子,其阙佚和错乱的情形无不相同,这证明它们确是出自同一个版本系统的。

人们一般认为,在清朝末年出现活字本和许涵度刻本之前,《三朝北盟会编》一直是以抄本的形式流传于世的。乾隆四年(1739年),吴城在他家藏的《三朝北盟会编》卷首写下的一段跋语中,即称此书"世无印本"。傅增湘也曾断言:"此书宋以后久无刊本。"①邓邦述说:"此书藏书家目录皆属钞本,无言刊本者。朱竹垞诸人列入《征刻唐宋秘本书目》,盖宋以后从无刻本审矣。"②袁祖安活字本跋曰:"是书向未锓板,即抄本流传者亦鲜。"甚至在许涵度光绪三十四年(1908年)作《校刊〈三朝北盟会编〉序》时,因为不知道此前已有活字本问世,犹谓是书"向系传稿,虽经钞入《四库》,讫无剞劂"。

但是也有记载表明,《三朝北盟会编》可能曾有过某些比较罕见而不大为人所知的刻本。首先是宋刻本的问题。从宋代文献中看不出《会编》是否曾经刊刻行世,而《增订四库简明目录标注》卷五引《绣谷亭书录》云:"吾乡龚田居侍御旧藏宋椠本,后亦散失。"这里所说的《绣谷亭书录》,就是清初钱塘吴焯所撰写的藏书解题《绣谷亭薰习录》,此书今存经部一卷、集部二卷,见《松邻丛书》乙编,史部存佚不可知。吴焯所称的"龚田居侍御",即清初著名藏书家龚翔麟。龚翔麟字天石,号蘅圃,晚年自号田居,杭州仁和人,"藏书甲浙右"。吴焯说的龚氏"旧藏宋椠本",因为没有更多的记载,不知其可信程度如何。

另外一条关于《会编》刻本的记载似乎要更可靠一些。据沈初等《浙江采集遗书总录》丁集编年类著录:"《三朝北盟会编》二百五十卷,开万楼藏刊本。"《浙江采集遗书总录》是乾隆间开《四

---

① 《藏园群书题记》卷二。
② 《寒瘦山房鬻存善本书目》卷六。

库》馆时浙江征集书籍的一个总目,每书并撰有提要,浙江巡抚三宝序谓:"自壬辰冬迄甲午夏凡奏书十二次。……以历次所奏书重为类聚条分,摘其指意,具见梗概。"此目编纂并刊刻于乾隆三十九年(1774 年),卷首列有数十人的纂录职名,翰林院侍讲沈初任总裁(沈后任《四库全书》馆副总裁)。这样一个严肃的书目,关于版本的记载应该是比较可信的。《浙江采集遗书总录》所说的"开万楼",即汪启淑的藏书楼。汪启淑(1728——1799 年),字秀峰,号讱庵,安徽歙县人,寓居钱塘。史称其"藏书甲江南","乾隆三十七年应诏进献精醇秘本,多至五百余种,时惟浙江鲍士恭、范懋柱、两淮马裕与之埒"。① 收入《四库采进书目》的《浙江省第四次汪启淑家呈送书目》中,有《三朝北盟会编》一部,五十本。此即《浙江采集遗书总录》著录的"开万楼藏刊本"。这个刊本如果属实的话,估计刊刻时间不外乎元明或清初。遗憾的是,今天已无处踪迹这一刊本的下落。此本进呈《四库》馆后,并没有被选为《四库全书》的底本。在《四库全书》开馆之初,乾隆虽曾一再申明"所有进呈书籍,将来务须发还本家",但后来绝大多数都没有发还,长期堆置于翰林院和武英殿书库中,至咸、同以后即已散失殆尽。开万楼藏《三朝北盟会编》刊本可能就是这样被湮没的。

今天存世的《三朝北盟会编》的第一个刊本,是光绪五年(1879 年)江苏如皋人袁祖安根据巴陵方功惠所藏钞本加以校勘排印的木活字本。袁氏活字本跋介绍了底本情况及校刻经过:"是书向未锓板,即抄本流传者亦鲜。余从方柳桥太守(功惠)家假得之,半皆蠹蚀,仅有字画可辨,亦既丹黄满纸,涂乙不少,就中仍多讹谬。爰偕彭贻孙(君毅)、胡衡斋(鉴)两同年,暨孙稼亭

----

① 闵尔昌《碑传集补》卷四五,引《徽州府志》。

（福清）、王九芝（倬韩）、曾干臣（行崧）、赖子奎（焕辰）诸同好，各竭目力，反复雠校。凡属上下文义可以体会，及引证原书可以参考者，亟为更正；其有字句之间无从索解，而又无善本校勘者，概从阙疑之例，以俟补刊。"由于活字本依据的底本极为糟糕，加上排印时校勘又比较草率，所以这个版本历来颇受学者们批评，傅增湘谓其"脱误至不可胜计，甚者连篇累叶，删落凌乱，真有刻如不刻之叹"。① 活字本总共刷印了五百部，这在当时对于《会编》的广泛传布起到了一定作用。1939 年海天书店出版铅字排印本，即以活字本作为底本。1979 年台北大化书局出版的《三朝北盟会编》铅印本，虽然没有说明是用的什么版本，实际上就是以海天书店的排印本翻印而成的。所以直到目前为止，活字本还在为海内外的学者们普遍使用。

继活字本之后的另一刊本，是光绪三十四年（1908 年）的清苑许涵度刻本。许涵度据以刊刻的，乃是陶家瑶家藏修《四库全书》时所用的底本，此本今藏于上海图书馆。说起这个《四库》底本来，还颇有一段委曲。这是一个清初的抄本，先后经由钱塘吴城、吴玉墀兄弟收藏，后归南昌彭元瑞。据卷首跋语可知，此本历经吴城（乾隆四年）、江声（乾隆十年）、朱文藻（乾隆三十六年）、吴玉墀（乾隆四十一年）、彭元瑞（约乾隆五十年前）诸名流校过，可以说是一个很有身份的版本。那么此本是如何成为《四库全书》底本的呢？彭元瑞题在卷首的一段跋语道出了其中的原委：

> 此书经武林吴氏、吴门朱氏传校数过，取证多本，予得之复有增益。世无剞劂，辗转误钞，斯其最善矣。乾隆丁未

---

① 《藏园群书题记》卷二。

（按：即乾隆五十二年）详校《四库全书》，以此帙为底本，平宽夫、陈伯恭两学士删其偏谬之辞，对音改从《钦定国语解》，重钞入文渊阁者是也。既竟附志。重阳后七日元瑞并书。

据彭元瑞说，他收藏的这部《三朝北盟会编》被用作《四库》底本是乾隆五十二年（1787 年）的事情。我们知道，所有七阁《四库全书》到乾隆五十二年时业已全部告成，其中第一分文渊阁本《四库全书》则早已于乾隆四十六年（1781 年）十二月六日就"办理完竣"。① 查文渊阁本和文溯阁本《三朝北盟会编》的书前提要，所署校毕时间分别为乾隆四十六年四月和乾隆四十七年五月。更有意思的是，根据《四库采进书目》可以知道，《四库》馆共征集到《三朝北盟会编》五部，其中并没有彭元瑞家藏本，而《四库全书总目》卷四九记载《三朝北盟会编》采用的底本却是"左都御史张若淮家藏本"！

原来收入《四库全书》的《三朝北盟会编》曾经有过两个完全不同的版本。早在《四库全书》开馆之初，任正总裁的于敏中在写给总纂官陆锡熊的一封手札中，曾谈到他对《三朝北盟会编》的处理意见："《北盟会编》历来引用极多，未便轻改。或将其偏驳处于《提要》中声明，仍行钞录，似亦无妨。但此难于遥定，或俟相晤时取一二册面为讲定何如？"②后来收入《四库全书》中的《三朝北盟会编》，大概就正是按照于敏中的上述意见办理的，所采用的底本是左都御史张若淮家藏本。在《四库》馆征集到的五部《会编》

①见《办理四库全书档案》上册载乾隆四十六年十二月六日上谕。
②《于文襄手札》，1933 年国立北平图书馆影印本。据陈垣先生考定，于敏中论《四库全书》手札均作于乾隆三十八年至四十一年之间，见陈垣《书于文襄论〈四库全书〉手札后》，载《于文襄手札》书后。

中，其中一部见于《总裁张交出书目》，称"《三朝北盟会编》一部，二十本"。但《四库全书总目》卷首罗列的正副总裁 26 人中，并没有张姓人氏。我们在乾隆三十八年闰三月十一日的上谕中找到了答案，上谕说："现在办理《四库全书》，卷册浩繁，必须多派大臣董司其事，……并添派张若溎、曹秀先、李友棠为副总裁。"①由于张若溎在馆任职时间不长，即因"年逾七旬"而致仕，所以在乾隆四十七年《四库全书》编纂工作完成后开列的任事诸臣衔名中，没有列入他的名字。可以肯定，《总裁张交出书目》所提到的那部《三朝北盟会编》，就是后来被用作《四库全书》底本的"左都御史张若溎家藏本"。遵照正总裁于敏中的意见，没有对这个本子进行什么改动，便径直抄入文渊阁《四库全书》，于乾隆四十六年四月抄校完毕。此后陆续缮录完成的其它六阁《四库全书》，都是照此办理的。

七阁全书于乾隆五十二年春全部告成之后，高宗在翻阅文津阁《四库全书》时，发现"其中讹谬甚多"，遂下令对内廷四阁全书进行一次系统的复校工作，"如有语句违碍，错乱简编，及误写庙讳，并缮写荒谬，错乱过多，应行换五页以上者，再随报进呈"。②此次复校，除了查改"语句违碍"等项问题之外，还对涉及辽金元三朝的人名、地名作了一番大规模的译改工作，乾隆五十二年六月三日上谕曰：

> 据御史祝德麟奏："《四库全书》内关涉辽金元三朝事迹者不少，请将前此辑成之《三史国语解》交武英殿赶紧刊刻完

---

① 《办理四库全书档案》上册。
② 《办理四库全书档案》下册，乾隆五十二年五月十九日上谕。

竣,先刷多本,分给现在校勘各员,随时将应行译改之人、地名照《国语解》逐一挖改,可省将来再行检改"等语。所奏亦是。《三史国语解》于辽金元三史人名、地名译改颇为详核,久经修辑完竣,交武英殿刊刻,现命大小臣工将文渊等三阁书籍覆加校勘,凡有关涉三朝事迹,应行译改人、地名者,自应乘此校阅之际,令校书各员随时签出挖改画一,自可省重复检阅之烦。①

　　此次复校内廷四阁全书,系由《四库》馆副总裁彭元瑞、总纂官纪昀"总司其事"。② 由于《三朝北盟会编》"语句违碍"之处以及需要译改的人名、地名实在太多,用挖改的办法显然是不行的,于是彭元瑞便把他的家藏本贡献出来,作为《四库全书》的底本,由平恕(字宽夫)、陈崇本(字伯恭)二人对此本进行加工。③ 根据彭元瑞跋语的说法,对《三朝北盟会编》的加工主要是两项任务,一是"删其偏谬之辞",即解决"语句违碍"的问题;二是"对音改从《钦定国语解》",即按照《钦定辽金元三史国语解》译改其中的人名和地名。然后将这个经过加工的版本"重钞入文渊阁",以取代原先那部根据张若淲家藏本直接缮录的本子。这一工作最后完成于乾隆五十二年"重阳后七日",即九月十六日。此后陆续复校完毕的文源、文津、文溯三阁全书以及乾隆五十五年完成复校的南三阁全书,大概都换成了这个新的版本,但各本书前提要却没有重新撰写,《四库全书总目提要》也一仍其旧,故它们所注明

① 《办理四库全书档案》下册,乾隆五十二年六月三日上谕。
② 《复勘文渊、文源二阁所贮〈四库全书〉档》,载《文献丛编》1937年第3辑。
③ 据《四库全书总目》卷首所载《四库全书》馆任事诸臣衔名,平恕为校勘《永乐大典》纂修兼分校官,陈崇本为翰林院提调官。

的底本和校毕年月均与后来改换的版本不符。

从今天我们所见到的文渊阁本《四库全书》来看，平恕、陈崇本两人对《三朝北盟会编》确实是作了大刀阔斧的加工，除了人名、地名的译改之外，对违碍字句的认定是相当严格的，总计全书删改之处不下数千。我们姑且举出几个例子，看看他们的删改随意到了什么程度。

《会编》卷三曰：“女真，古肃慎国也。……本高丽朱蒙之遗种，或以为黑水靺鞨之种，而渤海之别族，三韩之辰韩，其实皆东夷之小国。”文渊阁本删去“本高丽朱蒙之遗种”、“其实皆东夷之小国”两句。

同卷曰：“隋开皇中，（女真）遣使贡献，文帝因宴劳之。使者及其徒起舞于前，曲折皆为战斗之状。文帝谓侍臣曰：‘天地间乃有此物，常作用兵意。’”文渊阁本删去“使者及其徒起舞于前”以下35字。

同卷曰：“（女真）无仪法，君臣同川而浴，肩相摩于道，民虽杀鸡，亦召其君同食。父死则妻其母，兄死则妻其嫂，叔伯死则侄亦如之。故无论贵贱，人有数妻。”此段53字，文渊阁本全部删去。

同卷曰：“世居混同江之东，长白山鸭绿水之源（原注：又名阿尤火，取其河之名，又曰阿芝川涞流河）。”文渊阁本删去注文18字，不知这条小注究竟有什么违碍之处？

同卷曰：“（女真）攻掠庆、饶等州，陷东京黄龙府，又陷苏、复、渤海、辽阳所管五十四州，杀戮汉民计数百万。又渡辽东、长春两路，大肆并吞意。”文渊阁本删去“杀戮汉民计数百万”句，大概是觉得“数百万”太多而不可信；又删去“大肆并吞意”五字，则是因为此句不通的缘故（据《东都事略》卷一二五《金国传》，此句当作“始有并吞辽国之意”）。

经过馆臣加工后的《四库全书》本,可以说没有任何版本价值和校勘价值,但用作《四库》底本的彭元瑞家藏本却仍不失为一个较好的版本,傅增湘评价说:"此本虽传抄略晚,然经诸家详校,又为馆臣删削之底本,可以得其避忌窜易之迹,亦足贵矣。"①这个钞本后来归豫章陶家瑶所有。光绪三十四年(1908年),时任四川布政使的许涵度从陶氏手里借到这个钞本,并据以刊刻行世。许涵度《校刊〈三朝北盟会编〉序》说:"余藩蜀,得旧钞于陶星如太守家瑶,乃乾隆间吴瓯亭、朱映湑、江艮庭、彭文勤诸博雅校正者,洵善本也。……惧孤帙之久而轶焉,爰拨廉金如干两,属唐百川观察鸿学付诸手民。"许刻本的文字一依原钞,而将《四库》馆臣删改之文字一律跨注于正文之下,既保存了原钞本的面貌,又可以看出馆臣删改的痕迹。不过许刻本也存在着许多问题,看来当初付梓时没有其它版本可供参校,每卷末所附的校勘记,基本上是依据活字本,而许涵度序谓此书"向系传稿,虽经钞入《四库》,讫无剞劂",证明他当时还并不知道有活字本,大概是在书板刻成之后,才用新得到的活字本校出了许多错误,只好勘正于校勘记中。

尽管许刻本亦不尽如人意,但比起活字本来固已远为优胜,"故近世推为佳椠"。② 1987年,上海古籍出版社将此本影印出版,使得这个版本近年来拥有最广泛的读者。

众所周知,许刻本所依据的《四库全书》底本,至今仍珍藏于上海图书馆,那么《四库全书》的第一个底本,亦即"左都御史张若淮家藏本",今天是否还幸存于世呢? 我们曾多方查寻,但终未发现这个本子的下落。

---

① 《藏园群书经眼录》卷三。
② 傅增湘:《藏园群书题记》卷二。

除了以上各个抄刻本之外，还有一部抄本是必须提到的，这就是季振宜旧藏明钞。此本今藏于北京图书馆，10 行 20 字，46 册，缺卷一一一至一二〇和卷一三六至一四五。这部钞本最初为明何子宣所有，有"何子宣跻德楼封识"藏印，后归泰兴季振宜，季氏身后，先后成为张承焕、张金吾、汪士钟诸人的藏品，民国间为涵芬楼购得。前人对这个钞本多所推许，瞿镛《铁琴铜剑楼藏书目录》卷九曰："（是书）传钞者率多谬讹脱落，惟泰兴季氏藏本尚为旧帙，友人邵恩多据以校过，有跋曰：'《北盟会编》世无刊本，惟季沧苇家藏钞本，每页有何子宣骑缝图记者，最为近古。向藏苏氏，今为张君子谦所有，向其借得，属余参校，凡讹谬脱落，悉为订正，可称完善。'"傅增湘《校本〈三朝北盟会编〉跋》曰："余生平所见写本不下十许。涵芬楼藏明钞本，大字阔行，源出宋刊，为张子谦旧物，断推第一。"①对这个钞本评价甚高。陈乐素《〈三朝北盟会编〉考》折衷前人之说，谓"现存之诸本中，论者多以季振宜旧藏之明钞本为最佳。……此本大抵直接抄自宋本，较其它诸本为早。然其抄手不甚高明，且缺数册。余尝以它本合校其前六十卷，则知其脱误亦已多。故所谓佳本，仍不过比较言耳。"事实上，正如我们所指出的那样，由于《三朝北盟会编》的所有传本都出自同一个版本系统，各个抄本之间并没有绝对的差别，许多讹误其实是带有普遍性的，因此的确没有一个版本称得上是真正的善本。

原载《文献》1998 年第 1 期

---

①傅增湘：《藏园群书题记》卷二。

范成大《揽辔录》佚文真伪辨析

一

《揽辔录》是范成大于宋孝宗乾道六年(1170年)受命出使金国归来后呈给朝廷的一份见闻实录,历来被人们视为研究金史的重要文献资料。但此书原本久佚,明清以来通行诸本,大抵都源自陶宗仪的《说郛》,①而《说郛》本虽于书名下注有"卷全"二字,实则是一个相当简略的节本,全书仅二千余字;所谓"卷全"者,只能说明这个节本在元末以前业已形成,陶宗仪在将它抄入《说郛》时未再加删节而已。

此书的史料价值久已引起学界重视,因此想对此书进行辑佚校补者也不乏其人。早在三十多年以前,侨居巴黎的汉学研究家左景权先生已究心于此,他以《丛书集成初编》本作为底本,用徐梦莘《三朝北盟会编》及胡三省《〈资治通鉴〉注》两书中的引文对《揽辔录》进行校补,并撰有此书的法文译注,这个校补并译注本

---

① 见涵芬楼本《说郛》卷四一。

当时曾列入著名汉学家白乐日主持的宋史研究计划,但后来却因种种原因迄未面世。这是学界对辑补《揽辔录》所作的初次尝试。

80年代初,孔凡礼先生在辑录范成大佚著的过程中,又相继发现在《永乐大典》、黄震《黄氏日抄》、李心传《建炎以来系年要录》三书中都保存了部分《揽辔录》的佚文,但他后来出版的《范成大佚著辑存》,因只收录诗文而不取笔记杂著,故未将他新发现的《揽辔录》佚文辑出,只是在书后附录的存目中对《揽辔录》佚文的出处作了一个提示性的说明。其中有这样一段话:"李心传编撰《建炎以来系年要录》,征引《揽辔录》多达十一处,……原本久佚,今本寥寥数页,李心传征引之处皆不见,早非原貌。"①对《揽辔录》佚文的新发掘,尤其是对此前长期为人们所忽略的《建炎以来系年要录》小注中存留佚文的提示,是孔凡礼先生对此书的一个重要贡献。由此导致了后来的新的发现。

80年代中期,旅美学者华盛顿大学陈学霖教授对《揽辔录》的版本流传情况以及现存佚文进行了全面深入的研究和考索,他的研究成果《范成大〈揽辔录〉传本探索》一文于1987年发表于台北。② 陈文的主要贡献在于:孔氏虽然率先发现了《建炎以来系年要录》小注中保存的《揽辔录》佚文,但却不知道那些文字的来源,因称"李心传征引之处皆不见",而陈氏经过一番仔细的考索,发现李心传所征引的《揽辔录》佚文全都见于《三朝北盟会编》卷二四五后半部分的《族帐部曲录》中。因此,陈文认为:这篇记载了金朝七十余位文臣武将履历的重要文献,历来被人们视为"作者

---

①《范成大佚著辑存》,中华书局1983年版,第193页。
②载《国史释论——陶希圣先生九秩荣庆论文集》下册,台北食货出版社1987年版。

佚名"的《族帐部曲录》,也是范成大《揽辔录》一书的组成部分。至此,《揽辔录》的佚文遂又增加了偌大篇幅的新内容,而且无疑是最具史料价值的一个部分。这是有关《揽辔录》佚文的最新发现,左景权先生对此给予了高度评价,称此"为其创见,亦极令人兴奋"。①

　　几年前,笔者有缘拜读陈文,并对其这一发现也深表感佩,然而当我对《族帐部曲录》的内容进行一番考究之后,却得出了完全相反的结论:《族帐部曲录》根本不可能是出自范成大《揽辔录》的文字。当时曾拟撰文指出陈文的不妥,但迁延数年未能动笔。不想近来又见国内也有人提出这一问题,发表于《北方论丛》1993年第2期上的赵克《范成大〈揽辔录〉考补》一文,通过同样的途径,得出了与陈文完全相同的结论,并据此结论对《揽辔录》一书进行了还原。由此笔者感到,有关《揽辔录》佚文的说法似有渐成定论的趋势,故特撰成此文,以使这一问题得以澄清,并对《族帐部曲录》的真正作者作一初步的推测。

二

　　陈、赵二文确认《族帐部曲录》为《揽辔录》的佚文,都仅以李心传《建炎以来系年要录》中的引文见于该篇文字为据,他们的共同缺陷是缺乏对《族帐部曲录》内容的分析,而这才是释读这篇"佚文"真伪的关键。

　　在探讨《族帐部曲录》的内容之前,首先应该明确《揽辔录》

①《范成大〈揽辔录〉校补初编序》,《史学史研究》1990年第4期。

究竟是一部什么性质的书。明人曾将范成大的《揽辔录》、《骖鸾录》、《吴船录》汇刻为《石湖纪行三录》，因此历来人们都将这三部书视为同一性质的著作，实则大不为然。《骖鸾录》是范成大于乾道八年(1172年)自吴郡赴知静江府兼广西经略安抚使任的途中写下的一部行记，《吴船录》则是作者于淳熙四年(1177年)自四川制置使上卸任后，在归朝途中记下的另一部沿途见闻杂录，这两部书都可归入游记杂著类，就作者的写作动机而言，不过是旅途中聊以自娱罢了。而《揽辔录》则是范成大使金归来后呈给朝廷的一份述职报告。两宋时期，凡宋人奉命出使辽金，按规定必须逐日记录沿途所见彼国政治、军事、经济状况，以及往返所经之地的山川古迹、民俗风情等，返国后呈缴于朝，称为"语录"或"行程录"，宋人的此类著作留存至今的尚不下十余种，《揽辔录》便是其中之一。至于后人把它当作游记来读，那就是另外一回事了。澄清了《揽辔录》的著作性质，我们就能为辨别《揽辔录》的佚文建立两个明确的标准：其一，《揽辔录》既是范成大乾道六年(1170年)十月使金还朝后呈上朝廷的一份"语录"，因此凡晚于乾道六年的记事，都不可能是此书的佚文；其二，此书的性质决定了它与一般的游记或笔记杂著不同，它所具有的特定内容及体例也是衡量其佚文真伪的一个重要因素。

徐梦莘在《三朝北盟会编》卷二四五的前半部分引录了《揽辔录》原文约3600余字，引文之前明确标有"范成大《揽辔录》曰"的字样，且部分引文亦见于《说郛》本及《黄氏日抄》本，因此这段引文的真实性从不存在异议。而在这一卷的后半部分，就紧接着《揽辔录》的引文之后，徐梦莘又引了一篇名为《族帐部曲录》的长达2200字的史料，这就是被陈、赵二君确认为《揽辔录》佚文的那篇文字。需要指出的是，陈、赵二文用《族帐部曲录》来辑补《揽訾录》时,都用的是光绪四年(1878年)活字本,而这个本子讹夺特甚,实不可取。如陈、赵二文都称《族帐部曲录》共记载了七十位金朝人物,而我据明湖东精舍抄本和光绪三十四年(1908年)许涵度校刊本检核的结果,发现活字本漏掉了"王仲通"一条,实际上应为七十一人,且其它各条中,活字本也时有文字的脱落。因此我在考辨《族帐部曲录》的内容时,系以明湖东精舍抄本和光绪三十四年许刻本为准。

在《族帐部曲录》记载的七十一位金朝臣僚中,大部分人的具体任职年份不可考,我在逐个查考了他们的仕履之后,找到了两则颇能说明问题的例子。

(1)馆阁台谏郑子聃,字景纯。……亮时为翰林修撰,寻迁修起居注。葛王除为殿中侍御史兼侍讲学士。

这条材料正好也被李心传在《建炎以来系年要录》卷一九六中当作《揽辔录》的文字加以引用。据《金史·郑子聃传》,郑氏卒于大定二十年(1180年),而在这之前不久,他才由吏部侍郎迁侍讲学士,元好问《中州集》卷九也说:"累官吏部侍郎,改侍讲学士卒。"又《金史·杨伯仁传》称:"郑子聃卒,宰相举伯仁代之,乃迁侍讲。"这是说以杨伯仁代郑子聃为侍讲学士。以上材料都表明郑子聃官终侍讲,这是大定二十年左右的事,比范成大《揽辔录》的成书晚了十年,而它却见于《族帐部曲录》的记载。

(2)张汝霖,字仲泽。……亮时特赐及第,寻复正奏名及第。亮时在翰林院。葛王立,迁吏部尚书。累拜平章政事,封莘国公。(按:活字本脱末句"累拜平章政事,封莘国公"十字,此据明抄本、许刻本补。)

据《金史·世宗纪》载:大定十八年(1178年)十一月,"以吏部尚书乌古论元忠为御史大夫";大定二十二年(1182年)三月,

"以吏部尚书张汝霖为御史大夫"。这表明张汝霖任吏部尚书当在大定十八年以后。又据《世宗纪》和《徒单克宁传》,张汝霖是在大定二十八年(1188年)十二月自右丞迁平章政事的。《张汝霖传》对此也有明确的记载:"(大定)二十八年,进拜平章政事、兼修国史,封芮国公。……章宗即位,加银青荣禄大夫,进封莘。"章宗即位于大定二十九年(1189年)正月,此时张汝霖才以辅命大臣的身份进封莘国公。据上所述,张汝霖任吏部尚书(1178年)、平章政事(1188年)和封莘国公(1189年)的时间比《揽辔录》的成书分别晚了八年、十八年和十九年,而这些内容也都见于《族帐部曲录》。

以上两例已足以说明问题,它们是《族帐部曲录》不可能为范成大《揽辔录》佚文的铁证。

三

从《揽辔录》和《族帐部曲录》两书的体例及内容特征来分析,也可看出它们之间的差异是很明显的,其实是两种不同性质的著作。上文曾经指出,《揽辔录》不是一部普普通通的游记或笔记杂著,而是范成大使金还朝后呈上朝廷的一份带有公文性质的"语录",因而此书的内容必将受到作者使命的限制,作者的记录须有明确的主题,他应该向朝廷报告金国各方面的最新动态,而不能信笔所至,远离这个主题去谈掌故、述旧闻。同时此书的内容还会受到作者此行见闻的限制,由于他在金国稽留的时日有限,因而我们能够判断出哪些事情是他可能知道的,而哪些事情是他不大可能知道的。

首先让我们将两书的相关内容作一番比较。《三朝北盟会编》卷二四五所引《揽辔录》的后半也有一段有关金朝臣僚的记载，作者称"使人见虏之日略得其廷臣名氏"，以下依次记载了尚书令、左右丞相、左右平章事、左右丞、参知政事、左右宣徽使、同知宣徽院、殿前都点检、左右副点检、六部尚书、御史中丞、大理卿等主要朝臣共三十六人的官衔和姓名。据我逐一查考的结果表明，以上三十六人全是范成大乾道六年（1170年）出使时正在任上的金国当朝臣僚。为避繁冗，仅将其中宰执大臣的任职时间列举如下（就职年月均据《金史·世宗纪》），以概见《揽辔录》的内容特征：

太尉、尚书令李石：大定十年（1170年）正月始任。

起复左丞相纥石烈良弼：大定九年十月始任。《金史·世宗纪》又载：大定十年"九月庚辰，尚书左丞相纥石烈良弼丁忧，起复如故"。范成大到达燕京是在这年的九月丙戌，而纥石烈良弼丁忧起复就在此之前八天。可见"起复左丞相纥石烈良弼"一语确是反映了金廷大臣人事任免的最新动态。

右丞相纥石烈志宁：大定九年十月始任。

左平章政事完颜合喜：据《金史·世宗纪》载，大定九年十二月，以东京留守徒单合喜为平章政事。显然《揽辔录》是将其姓氏"徒单"误记为"完颜"了。

右平章政事完颜夕剌：《金史·世宗纪》载，大定九年十一月，以尚书左丞完颜守道为平章政事。《完颜守道传》云："守道，本名习尼列。"完颜习尼列就是《揽辔录》所称的完颜夕剌。

左丞石琚：大定九年十一月始任。

右丞孟浩：大定九年十一月始任。

参知政事魏子平：大定八年九月始任。

参知政事完颜德寿:《金史·世宗纪》载,大定十年三月,以河南统军使宗叙为参知政事;《完颜宗叙传》云:"宗叙,本名德寿。"

同是记载金朝臣僚的情况,《族帐部曲录》的内容就大不一样了。它所记载的人物相当庞杂,从文臣到武将,从宰执到胥吏,从朝臣到地方官吏,几乎无所不包。且时间跨度也很大,自金熙宗到金世宗,前后长达五六十年。另外《族帐部曲录》对每人仕履的记载也非常随意,没有一定之规,颇似私家笔记杂著。值得注意的是,《族帐部曲录》中记载的七十一位金朝臣僚中,还有六人是与《揽辔录》所记的金国当朝臣僚相重复的,如果说《族帐部曲录》是《揽辔录》的一部分,那就很难解释作者为什么要不惮繁劳地重复记载了。而在这些重复记载的条目中,两书的差异表现得更为明显:如石琚,《揽辔录》记载他大定十年(1170年)的职务是左丞,而《族帐部曲录》记载的最后职务是参知政事,据《金史》可知石琚任参知政事是在大定三年;杨伯雄,《揽辔录》记载他大定十年的职务是礼部尚书,而《族帐部曲录》的记载迄于翰林直学士,据《金史》本传,杨氏在大定六年前已由翰林直学士改任太子詹事了;郑子聃,《揽辔录》记载他大定十年的职务是翰林待制,而《族帐部曲录》记其最后职务是侍讲学士,时当大定二十年左右;张汝霖,《揽辔录》记载他大定十年的职务是工部侍郎,《族帐部曲录》记其最后职务为平章政事,而这已经是大定二十八年的事了。由此可见,《族帐部曲录》所记金朝人物的时间断限毫无一致之处,看不出它们与范成大乾道元年(1170年)的金国之行有什么联系,在这一点上,它与《揽辔录》形成了鲜明的对比,而且《族帐部曲录》的内容也完全不符合出使归来的使节向朝廷呈递的"语录"的要求。

此外,我还留意到《族帐部曲录》中的某些记载,对于像范成大这样一个宋朝使者来说,是很难知晓的。范成大此次出使,于乾道六年九月丙戌(九日)到达金中都燕京,癸巳(十六日)辞归,在燕京仅仅停留了短短的七天,他的见闻必定是很有限的。可是让我们来看看《族帐部曲录》的下述记载:

> 刘仲渊字介石,燕山人。亶(即金熙宗完颜亶)朝状元及第,是年出《日月得天能久照》赋。
>
> 胡励字元化,山东密州人。少被虏,韩昉放从良。状元及第,是年出《好生德洽民不犯上》赋。
>
> 孙用康字游古,燕人。亶时状元及第,是年出《仁为道远行莫能致》赋。
>
> 任忠杰,山西天成县人。亮(即海陵王完颜亮)时状元及第,是年出《赏罚之令信如四时》赋。
>
> 郑子聃字景纯,大定府人。先于亮初僭时状元杨建中榜第三人及第,出《天锡勇智以正万邦》赋。……至贞元四年,亮令再试,状元及第,是年出《不贵异物民乃足》赋。
>
> 孟宗献字友之,开封人。葛王(即金世宗)初立时四元及第,解试《建官惟贤天下治》赋,府试《立政惟人不惟官职》赋,省试《夙夜求贤务在安民》赋,殿试《知所以临制则臣民畏服》赋。

类似的例子还有不少。作者对金熙宗、海陵王以来的历科殿试赋题均了若指掌,甚至连省试、府试、解试的赋题也都知道,这表明《族帐部曲录》应当出自一位具有在金国长期生活的背景并熟悉科场掌故的作者之手。李心传虽然在《建炎以来系年要录》中多次将《族帐部曲录》当作范成大《揽辔录》来引用,但他也不免对此书记载金朝人物履历之详感到有些诧异："成大出疆不久，而金之公卿、侍从、馆阁，一一得其履历之详如此。"①显然，李心传的疑惑是很有道理的，遗憾的是他未予以深究。

四

在确知《族帐部曲录》并非范成大《揽辔录》佚文之后，仍需对李心传《建炎以来系年要录》何以会张冠李戴做出解释。

在现存文献材料中，成书于宋光宗绍熙五年（1194 年）的《三朝北盟会编》是最早引用《族帐部曲录》的一部著作。《会编》的作者徐梦莘并未将《族帐部曲录》与《揽辔录》混为一谈，列在《会编》卷首的《三朝北盟会编·引用书目》，便是明明白白地将两书分列开来的：范成大《揽辔录》列在崔鶠《论蔡京札子》与李邴《傅察墓志》之间；《族帐部曲录》在《引用书目》中作《金虏部曲族帐录》，列在"金国诸录"类中，未题作者名氏。《会编》卷首的这份《引用书目》在传世各本中均有，当出自作者徐梦莘之手。因此我们可以明确地说，将《族帐部曲录》误作《揽辔录》非自徐梦莘始。

然而由于徐梦莘在《三朝北盟会编》卷二四五的范成大《揽辔录》引文之后又接着征引了未署作者名氏的《族帐部曲录》，加之这两部书又都是记载的金朝史事，这就很容易使人产生误解，以为《族帐部曲录》也是《揽辔录》的一部分，李心传就是这样被引入歧途的。《建炎以来系年要录》成书于宁宗嘉定三年（1210 年）之前，晚于《三朝北盟会编》十余年，李氏在编撰《系年要录》时曾

①《建炎以来系年要录》卷一七七，绍兴二十七年八月"是月"条。

参考过《会编》，其小注中有若干处直接称引《会编》的例子可证。前揭赵克《范成大〈揽辔录〉考补》一文引陈乐素《〈三朝北盟会编〉考》有云："《会编》所引用之原书，李氏大抵可见，故《系年要录》必直接称原书之名，未尝言间接采自《会编》者。"赵文又谓"如偶有不见原书而据《会编》者，都一一标明'此据《会编》修入'"。于是作者断言《系年要录》所引《族帐部曲录》的文字决非转引自《会编》，而是直接从《揽辔录》原书引来的。

　　这里须澄清一个事实。《三朝北盟会编》不完全是一部史料汇编，它既载录诸家之说，也有作者本人关于史实的叙述；《系年要录》凡称"此据《会编》修入"者，都是指采纳了《会编》作者徐梦莘本人的记述，不能据此得出《系年要录》没有从《会编》转引过它书的结论。古人引书不像我们今天这么严谨，很少会有人注明从某书转引某书，对转引自《三朝北盟会编》的史料尤无这种必要，因为《会编》以辑录、保存史料为宗旨，其引文大都保持原貌。至于说徐梦莘所能见到的书李心传也都能见到，却也未必，在以手工传抄为书籍主要传播手段的时代，不管是谁，要想遍睹天下书都是不大可能的。由于《会编》以记叙宋金和战为主，因此有关金国的史料，徐梦莘肯定比李心传积累得多，在《会编》所引用的两百多种史籍中，为《系年要录》所称引的多达八十余种，这其中恐怕有不少都是自《会编》转引而来的。我们不能因为作者没有注明"转引自《会编》"的字样，就否认这种情况的存在。

五

　　《族帐部曲录》既非出自范成大之手，那么它的真正作者是谁,还是一个值得探讨的问题。

《三朝北盟会编》第二四四卷整卷载录了张棣《金虏图经》,其内容分为十六门:京邑、宫室、宗庙、禘祫、山陵、仪卫、旗帜、冠服、官品、取士、屯田、用师、田猎、刑法、京府节镇防御州军、地理驿程。此书在宋人著录中或作《金国志》,陈振孙《直斋书录解题》卷五云:"《金国志》二卷,承奉郎张棣撰。淳熙中归明人,记金国事颇详。"同卷又另著录《金国志》一卷,称"不著名氏,似节略张棣书"。《四库全书总目》杂史类存目中有《金图经》一卷,①云:"一名《金国志》,自'京邑'至'族帐部曲'凡十七门,……疑即陈氏所称节本也。"据此可知四库馆臣所见《金图经》比《三朝北盟会编》载录的《金虏图经》要多出一门,而这多出的一门就叫"族帐部曲",日本学者三上次男就此得出如下结论:《三朝北盟会编》卷二四五所载《族帐部曲录》,本是张棣《金国志》的一个组成部分,只不过徐梦莘在编撰《会编》时将它们分割开来,分载于不同的卷次中罢了。②

三上次男氏只是在探讨《金国志》与《金图经》的关系时旁及这一问题的,没有进行更多的考证和分析。我对此看法颇有同感,并可提供新的证据来支持这一观点:《族帐部曲录》所记七十一位金朝臣僚,其时间起迄自熙宗至世宗,最晚的一条记事是平章政事张汝霖于章宗即位后进封莘国公,时为大定二十九年(1189年)正月。《金虏图经》的记事内容也是上起金熙宗,其记事下限亦可约略考知。据《金史·地理志》,金自海陵王始,全国

①《金图经》即《金虏图经》,清人编纂《四库全书》时去其"虏"字。
②三上次男:《张棣〈金国志〉即〈金图经〉的探讨》,原载东洋文库《岩井博士古稀纪念典籍论文集》。叶潜昭中译本,载宋史座谈会编《宋史研究集》第4辑,台北,1969年;曾贻芬中译本,载《史学史研究》1983年第1期。

共置十九路；世宗大定二十七年增置凤翔路，故一度曾达到二十路；章宗时又将临潢府路并入北京路，复为十九路。《金虏图经》"京府节镇防御州军"门中记载金国为二十路，其中既有凤翔路，也仍有临潢府路；又《金史·地理志》载大定二十七年始改熙秦路为临洮路，而《金虏图经》也已作临洮路。这表明《金虏图经》的记事下限当在世宗大定二十七年（1187年）之后，这与《族帐部曲录》的记事下限是非常接近的。据《直斋书录解题》载，《金国志》（即《金虏图经》）的作者张棣是"淳熙中归明人"，淳熙共十六年（1174—1189年），淳熙十六年即金大定二十九年，《族帐部曲录》的记事既迄于大定二十九年正月，那么张棣很可能就是在淳熙末年亦即淳熙十六年自金奔宋的。若果真如此，则《族帐部曲录》的记事下限与张棣的南归时间也是契合的。另外据上文对《族帐部曲录》内容所作的分析表明，此书当出自一位曾有过在金国长期生活经历的作者之手，而张棣正符合这样的条件。

陈乐素《〈三朝北盟会编〉考》在谈及《金虏图经》时，曾对《四库全书总目》杂史类存目所载《金图经》一卷的来历发生怀疑，谓其所述范围"不出《会编》所载，而《会编》所载本非全文，故恐不过为从《会编》录出单行之本耳"。这一推论显然是站不住脚的，因为《三朝北盟会编》所引《金虏图经》和《族帐部曲录》本不在同一卷中，若是后人将其录出单行的话，怎么会把它们合为一部书呢？唯一的解释是原本如此。这部被《四库全书总目》列入存目的《金图经》，今日已不可得见，幸而还有四库馆臣的提要在，才使得我们对《族帐部曲录》与《金虏图经》的关系有所认识，它仍是确定《族帐部曲录》作者的主要依据。

《三朝北盟会编》将《族帐部曲录》与《金虏图经》分载于不同的卷次中，这种做法并不悖于《会编》的体例；但作者在卷首的引用书目中也将《金虏部曲族帐录》与《金虏图经》各立一目,这当作何解释? 我以为,当徐梦莘撰录《会编》时,《族帐部曲录》可能已有从《金虏图经》中析出单行的本子了,徐氏见到的大概就是这种本子;在这一点上,我不同意三上次男所主张的系由徐氏将《族帐部曲录》与《金虏图经》分割别载的说法。不过,《族帐部曲录》在当时既有单行本,也一定还有与《金虏图经》合刊的本子传世,而见于《四库全书总目》存目的那部《金图经》,就正是这样的一个全本。

原载《北方论丛》1993 年第 5 期

附录 本书征引史料版本备览

说　明

　　1. 本书各篇发表之时,循国内学术界通例,征引史料均未注明版本出处,实有悖于现代学术规范。编集此书时亦不再逐条补注,特将书中征引史料所据版本附录于此,以备查考。

　　2. 同一种书如曾以不同的版本参校,均备列其下。

　　3. 虽曾参考但未经引用的史料文献,不予胪列。

　　4. 本书所引今人研究论著以及考古文物材料等,均已随文注明出版单位、出版年月或书刊期号,故亦不再列入。

《辽史》（元·脱脱等）	中华书局点校本
《金史》（元·脱脱等）	中华书局点校本
《大金吊伐录》（金·佚名编录）	影印文渊阁《四库全书》本
《大金集礼》（金·张昕等）	《丛书集成初编》本 清广雅书局本
《大金德运图说》（金·佚名）	影印文渊阁《四库全书》本
《辽东行部志》（金·王寂）	《藕香零拾》本 张博泉注释本，黑龙江人民出版社 1984 年版
《鸭江行部志》（金·王寂）	罗继祖、张博泉注释本，黑龙江人民出版社 1984 年版 贾敬颜疏证本，《北方文物》1989 年第 1—3 期
《孔氏祖庭广记》（金·孔元措）	《丛书集成初编》本
《汝南遗事》（金·王鹗）	《丛书集成初编》本
《归潜志》（金·刘祁）	崔文印点校本，中华书局 1983 年版
《续夷坚志》（金·元好问）	常振国点校本，中华书局 1986 年版
《拙轩集》（金·王寂）	影印文渊阁《四库全书》本 台北成文出版社影印《九金人集》本
《闲闲老人滏水文集》（金·赵秉文）	《四部丛刊》本 台北成文出版社影印《九金人集》本

《遗山集》(金·元好问)	台北成文出版社影印《九金人集》本 《元好问全集》点校本,山西人民出版社 1990 年版
《庄靖集》(金·李俊民)	台北成文出版社影印《九金人集》本
《还山遗稿》(金·杨奂)	《适园丛书》本
《中州集》(金·元好问)	中华书局上海编辑所断句排印本,1959 年版
《契丹国志》(旧题宋·叶隆礼)	贾敬颜、林荣贵点校本,上海古籍出版社 1985 年版
《大金国志》(旧题宋·宇文懋昭)	崔文印校证本,中华书局 1986 年版
《辽史拾遗》(清·厉鹗)	《丛书集成初编》本
《辽史拾遗补》(清·杨复吉)	《丛书集成初编》本
《金史详校》(清·施国祁)	《广雅书局丛书》本
《金史补》(清·杭世骏)	北京大学图书馆藏清钞本
《廿二史札记》(清·赵翼)	王树民校证本,中华书局 1984 年版
《史论五答》(清·施国祁)	《昭代丛书》本
《钦定辽金元三史国语解》(清·官修)	影印文渊阁《四库全书》本
《宋辽金元四史朔闰考》(清·钱大昕)	《二十五史补编》本
《全辽文》(陈述辑校)	中华书局 1982 年版
《辽代石刻文编》(向南辑校)	河北教育出版社 1995 年版

《契丹小字研究》（清格尔泰等）	中国社会科学出版社 1985 年版
《金文最》（清·张金吾纂集）	中华书局标点本 1990 年版
《全金诗》（薛瑞兆、郭明志编纂）	南开大学出版社 1995 年版
《三国志》（晋·陈寿）	中华书局点校本
《魏书》（北齐·魏收）	中华书局点校本
《北史》（唐·李延寿）	中华书局点校本
《新唐书》（宋·宋祁、欧阳修）	中华书局点校本
《旧五代史》（宋·薛居正等）	中华书局点校本
《新五代史》（宋·欧阳修）	中华书局点校本
《宋史》（元·脱脱等）	中华书局点校本
《元史》（明·宋濂等）	中华书局点校本
《新元史》（民国·柯劭忞）	北京中国书店影印 1930 年重订本
《五代会要》（宋·王溥）	《丛书集成初编》本
《宋会要辑稿》（清·徐松辑本）	中华书局影印本，1957 年版
《资治通鉴》（宋·司马光等）	中华书局点校本
《续资治通鉴长编》（宋·李焘）	中华书局点校本，1979 年版
《续资治通鉴长编纪事本末》（宋·杨仲良）	江苏古籍出版社影印《宛委别藏》本，1988 年版
《东都事略》（宋·王称）	台北文海出版社影印本，1979 年版
《九朝编年备要》（宋·陈均）	影印文渊阁《四库全书》本

《皇宋十朝纲要》（宋·李埴） 台北文海出版社影印本，1980年版

《靖康要录》（宋·佚名） 台北文海出版社影印本，1967年版

《中兴小纪》（宋·熊克） 清广雅书局本

《三朝北盟会编》（宋·徐梦莘） 邓广铭、刘浦江点校本（稿本）

《建炎以来系年要录》（宋·李心传） 中华书局重印商务印书馆本
影印文渊阁《四库全书》本

《中兴两朝圣政》（宋·佚名） 江苏古籍出版社影印《宛委别藏》本，1988年版

《续宋编年资治通鉴》（宋·刘时举） 《丛书集成初编》本

《两朝纲目备要》（宋·佚名） 影印文渊阁《四库全书》本

《宋季三朝政要》（元·佚名） 《丛书集成初编》本

《宋史全文》（元·佚名） 影印文渊阁《四库全书》本

《建炎以来朝野杂记》（宋·李心传） 台北文海出版社影印本，1967年版

《宋宰辅编年录》（宋·徐自明） 王瑞来校补本，中华书局1986年版

《中兴馆阁录》、《续录》（宋·陈骙等） 影印文渊阁《四库全书》本

《皇朝名臣言行录续集》（宋·李幼武） 台北文海出版社影印本，1967年版

《朱子语类》（宋·黎靖德编） 王星贤点校本，中华书局1986年版

《武经总要前集》(宋·曾公亮)	影印文渊阁《四库全书》本
《玉海》(宋·王应麟)	日本京都中文出版社影印本,1977 年版
《文献通考》(元·马端临)	中华书局重印商务印书馆十通本,1986 年版
《续文献通考》(清·官修)	浙江古籍出版社影印商务印书馆十通本,1988 年版
《元典章》(元·官修)	台湾故宫博物院影印元刻本
《刑统赋解》(元·王亮)	《枕碧楼丛书》本
《元朝名臣事略》(元·苏天爵)	中华书局影印本,1962 年版
《历代名臣奏议》(明·黄淮、杨士奇)	上海古籍出版社影印本,1989 年版
《碑传集补》(民国·闵尔昌辑)	燕京大学国学研究所排印本,1932 年版
《咸淳临安志》(宋·潜说友)	道光钱塘汪氏刊本
《至元嘉禾志》(元·单庆、徐硕)	中华书局影印《宋元方志丛刊》本,1990 年版
《渤海国志》(清·唐宴)	台北文海出版社影印本,1977 年版
《渤海国记》(民国·黄维翰)	台北文海出版社影印《辽海丛书》本,1977 年版
《渤海国志长编》(金毓黻)	台北文海出版社影印本,1977 年版
《高丽史》(朝鲜·郑麟趾等)	朝鲜平壤 1957 年排印本

《东国通鉴》(朝鲜·徐居正等)　朝鲜平壤排印本

《蒙古游牧记》(清·张穆)　《皇朝藩属舆地丛书》本

《布特哈志略》(民国·孟定恭)　辽沈书社影印《辽海丛书》本,1985年版

《广弘明集》(唐·释道宣)　上海古籍出版社影印本,1991年版

《续高僧传》(唐·释道宣)　《大正新修大藏经》本

《释氏稽古略》(元·释觉岸)　《大正新修大藏经》本

《佛祖历代通载》(元·释念常)　《大正新修大藏经》本

《陷虏记》(五代·胡峤)　贾敬颜疏证本,《史学集刊》1983年第4期

《乘轺录》(宋·路振)　《宋朝事实类苑》本
贾敬颜疏证本,《历史地理》第4辑

《上契丹事》(宋·王曾)　《续资治通鉴长编》本
贾敬颜疏证本,《北方文物》1987年第1期

《契丹风俗》(宋·宋绶)　《宋会要辑稿》本
贾敬颜疏证本,《中国历史文献研究集刊》第3集

《契丹官仪》(宋·余靖)　《武溪集》本(影印文渊阁《四库全书》本)

《熙宁使虏图抄》(宋·沈括)　《永乐大典》本
贾敬颜疏证本,《文史》第22辑

《燕北录》(宋·王易)　　　　　　涵芬楼《说郛》本

《靖康稗史》(宋·确庵、耐庵编)　崔文印笺证本,中华书局
　　　　　　　　　　　　　　　　1988 年版

《中兴御侮录》(宋·佚名)　　　　《丛书集成初编》本

《伪齐录》(宋·杨尧弼)　　　　　《藕香零拾》本

《松漠记闻》(宋·洪皓)　　　　　《丛书集成初编》本
　　　　　　　　　　　　　　　　《三朝北盟会编》本

《虏廷事实》(宋·文惟简)　　　　涵芬楼《说郛》本

《北风扬沙录》(宋·陈准)　　　　涵芬楼《说郛》本

《揽辔录》(宋·范成大)　　　　　《知不足斋丛书》本
　　　　　　　　　　　　　　　　《三朝北盟会编》本

《北行日录》(宋·楼钥)　　　　　《攻媿集》本(《四部丛刊》本)
　　　　　　　　　　　　　　　　《知不足斋丛书》本

《北辕录》(宋·周煇)　　　　　　涵芬楼《说郛》本
　　　　　　　　　　　　　　　　《历代小史》本

《使金录》(宋·程卓)　　　　　　《碧琳琅馆丛书》本

《南迁录》(旧题宋·张师颜)　　　《丛书集成初编》本

《江南野史》(宋·龙衮)　　　　　影印文渊阁《四库全书》本

《儒林公议》(宋·田况)　　　　　《丛书集成初编》本

《鸡肋编》(宋·庄绰)　　　　　　萧鲁阳点校本,中华书局
　　　　　　　　　　　　　　　　1983 年版

《铁围山丛谈》(宋·蔡絛)　　　　冯惠民、沈锡麟点校本,中
　　　　　　　　　　　　　　　　华书局 1983 年版

《宋朝事实类苑》（宋·江少虞）　　上海古籍出版社标点本，1981 年版

《北窗炙輠录》（宋·施德操）　　《读画斋丛书》本

《清波杂志》（宋·周辉）　　刘永翔校注本，中华书局1994 年版

《容斋随笔》（宋·洪迈）　　上海古籍出版社点校本，1978 年版

《夷坚志》（宋·洪迈）　　何卓点校本，中华书局1981 年版

《老学庵笔记》（宋·陆游）　　李剑雄、刘德权点校本，中华书局 1979 年版

《家世旧闻》（宋·陆游）　　孔凡礼点校本，中华书局1993 年版

《密斋笔记》（宋·谢采伯）　　《丛书集成初编》本

《愧郯录》（宋·岳珂）　　《丛书集成初编》本

《四朝闻见录》（宋·叶绍翁）　　沈锡麟、冯惠民点校本，中华书局 1989 年版

《齐东野语》（宋·周密）　　张茂鹏点校本，中华书局1983 年版

《玉堂嘉话》（元·王恽）　　《丛书集成初编》本

《辍耕录》（元·陶宗仪）　　《丛书集成初编》本

《池北偶谈》（清·王士禛）　　靳斯仁点校本，中华书局1982 年版

《随园随笔》（清·袁枚）　　《随园三十二种》本

《鸿雪因缘图记》（清·完颜麟庆）　　北京古籍出版社影印道光二十九年刻本

《听雨丛谈》（清·福格）　　汪北平点校本，中华书局1984年版

《天咫偶闻》（清·震钧）　　北京古籍出版社标点本，1982年版

《催官篇》（宋赖文俊著，清尹有本注）　　《四秘全书十二种》本

《公是集》（宋·刘敞）　　影印文渊阁《四库全书》本

《苏魏公文集》（宋·苏颂）　　王国策等点校本，中华书局1988年版

《栾城集》（宋·苏辙）　　曾枣庄、马德富点校本，上海古籍出版社1987年版

《刘学易先生集》（宋·刘跂）　　《永乐大典》本

《鸡肋集》（宋·晁补之）　　《四部丛刊》本

《宗忠简公集》（宋·宗泽）　　《金华丛书》本

《忠穆集》（宋·吕颐浩）　　影印文渊阁《四库全书》本

《栟榈集》（宋·邓肃）　　影印文渊阁《四库全书》本

《鄱阳集》（宋·洪皓）　　影印文渊阁《四库全书》本

《斐然集》（宋·胡寅）　　影印文渊阁《四库全书》本

《东浦词》（宋·韩玉）　　影印文渊阁《四库全书》本

《浪语集》（宋·薛季宣）　　《永嘉丛书》本

《范石湖集》（宋·范成大）　　中华书局上海编辑所排印本，1962年版

《横浦先生文集》(宋·张九成)　　明万历刊本

《盘洲文集》(宋·洪适)　　　　《四部丛刊》本

《诚斋集》(宋·杨万里)　　　　《四部丛刊》本

《止斋文集》(宋·陈傅良)　　　《四部丛刊》本

《攻媿集》(宋·楼钥)　　　　　《四部丛刊》本

《后村先生大全集》(宋·刘克庄)　《四部丛刊》本

《陵川集》(元·郝经)　　　　　影印文渊阁《四库全书》本

《秋涧先生大全文集》(元·王恽)　《四部丛刊》本

《许白云先生文集》(元·许谦)　《四部丛刊续编》本

《金华黄先生文集》(元·黄溍)　《四部丛刊》本

《清容居士集》(元·袁桷)　　　《四部丛刊》本

《滋溪文稿》(元·苏天爵)　　　《适园丛书》本

《鲒埼亭集》(清·全祖望)　　　《四部丛刊》本

《勉行堂文集》(清·程晋芳)　　嘉庆二十五年刻本

《宋诗纪事》(清·厉鹗)　　　　上海古籍出版社标点本，1983 年版

《元文类》(元·苏天爵编)　　　《四部丛刊》本

《元曲选》(明·臧晋叔编)　　　中华书局影印本,1958 年版

《金石萃编》(清·王昶)　　　　北京中国书店影印本,1985 年版

《八琼室金石补正》(清·陆增祥)　文物出版社影印本,1985 年版

《山右石刻丛编》(清·胡聘之)	山西人民出版社影印本，1988 年版
《安阳县金石录》(明·武亿)	《石刻史料新编》本，台北新文丰出版公司 1979 年版
《金代官印集》(景爱辑录)	文物出版社，1991 年版
《郡斋读书附志》(宋·赵希弁)	《中国历代书目丛刊》影印衢本，现代出版社 1987 年版
《直斋书录解题》(宋·陈振孙)	徐小蛮、顾美华点校本，上海古籍出版社 1987 年版
《世善堂藏书目录》(明·陈第)	《丛书集成新编》本，台北新文丰出版公司 1984 年版
《千顷堂书目》(清·黄虞稷)	瞿凤起、潘景郑标点本，上海古籍出版社 1990 年版
《四库全书总目》(清·永瑢等)	中华书局影印浙本，1965 年版 影印文渊阁《四库全书》本
《四库全书简明目录》(清·永瑢等)	上海古籍出版社排印本，1985 年版
《增订四库简明目录标注》(清·邵懿辰撰，邵章续录)	中华书局上海编辑所断句本，1959 年版
《办理四库全书档案》(王重民辑)	国立北平图书馆排印本，1934 年
《于文襄手札》(清·于敏中)	国立北平图书馆影印本，1933 年

《浙江采集遗书总录》（清·沈初等）	乾隆三十九年刻本
《四库采进书目》（吴慰祖校订）	商务印书馆排印本，1960年版
《铁琴铜剑楼藏书目录》（清·瞿镛）	《铁琴铜剑楼丛书》本
《寒瘦山房鬻存善本书目》（清·邓邦述）	1929 年刊本
《藏园群书经眼录》（民国·傅增湘）	傅熹年标点本，中华书局1983 年版
《藏园群书题记》（民国·傅增湘）	傅熹年标点本，上海古籍出版社 1989 年版

刘浦江学术论著目录

一、著　作

《辽金史论》,辽宁大学出版社,1999 年。

《松漠之间:辽金契丹女真史研究》,中华书局,2008 年。

《正统与华夷:中国传统政治文化研究》,中华书局,2017 年。

《宋辽金史论集》,中华书局,2017 年。

二、古籍整理

点校本二十四史《辽史》修订本(主持人),中华书局,2016 年。

三、工具书

《二十世纪辽金史论著目录》,上海辞书出版社,2003 年。

《契丹小字词汇索引》(与康鹏共同主编),中华书局,

2014 年。

四、论　文

《旧序新说》,《书林》1984 年第 6 期。

《从〈春秋左传〉看春秋时代的城市》,《齐鲁学刊》1985 年第 1 期。

《柳开生卒年辨正》,《中国史研究》1986 年第 4 期。

《先秦诸子百家在中国历史上产生了什么影响》,《函授辅导》1987 年第 2 期。

《中国古代的科学技术》,《函授辅导》1987 年第 5 期。

《应劭字说》,《中国史研究》1988 年第 1 期。

《〈史记〉中两司马喜非一人》,《古籍研究》1988 年第 1 期。

《〈后汉书〉札记三则》,《史学月刊》1988 年第 5 期。收入国务院古籍整理出版规划小组编《古籍点校疑误汇录》第 6 辑,中华书局,2002 年。

《"春秋五霸"辨》,《齐鲁学刊》1988 年第 5 期。

《校点本〈青箱杂记〉衍文发覆》,《古籍整理研究学刊》1988 年第 4 期。

《李公麟〈古器图〉有著录可考》,《史学月刊》1989 年第 2 期。收入金文明《语林拾得——咬文嚼字精选 100 篇》,复旦大学出版社,2001 年。

《〈次柳氏旧闻〉无〈桯史〉之名》,《中华文史论丛》1989 年第 1 期。

《尤袤生卒年辨证》,《中国史研究》1989 年第 3 期。

《〈清江三孔集跋〉作者考》,《文献》1989 年第 4 期。

《〈后汉书〉札记(明帝纪)》,《古籍整理研究学刊》1989 年第 4 期。

《辛稼轩〈美芹十论〉作年确考》,《古籍整理研究学刊》1990 年第 2 期。

《再论〈大金国志〉的真伪——兼评〈大金国志校证〉》,《文献》1990 年第 3 期。

《〈建康实录〉校点本訾议》,《古籍整理研究学刊》1991 年第 4 期。

《关于〈契丹国志〉的若干问题》,《史学史研究》1992 年第 2 期。

《汉冲帝永嘉年号辨》,《古籍整理研究学刊》1992 年第 4 期。

《书〈金史·施宜生传〉后》,《文史》总第 35 辑,1992 年 6 月。

《范成大〈揽辔录〉佚文真伪辨析——与赵克等同志商榷》,《北方论丛》1993 年第 5 期。

《〈契丹国志〉与〈大金国志〉关系试探》,《中国典籍与文化论丛》第 1 辑,中华书局,1993 年。

《金代户口研究》,《中国史研究》1994 年第 2 期。

《金代猛安谋克人口状况研究》,《民族研究》1994 年第 2 期。

《邓广铭先生与古籍整理研究工作》,《古籍整理出版情况简报》1994 年第 11 期。

《"博学于文　行己有耻"——邓广铭教授的宋史研究》,《北京大学学报》1995 年第 2 期。

《论金代的物力与物力钱》,《中国经济史研究》1995 年第 1 期。

《金代户籍制度刍论》,《民族研究》1995 年第 3 期。

《渤海世家与女真皇室的联姻——兼论金代渤海人的政治地位》,《大陆杂志》(台北)90卷1期,1995年1月15日。收入《北大史学》第3辑,北京大学出版社,1996年。

《金代"通检推排"探微》,《中国史研究》1995年第4期。

《金朝的民族政策与民族歧视》,《历史研究》1996年第3期。

《金代杂税论略》,《中国社会经济史研究》1996年第3期。

《金代土地问题的一个侧面——女真人与汉人的土地争端》,《中国经济史研究》1996年第4期。

《唐突历史》,《读书》1996年第12期。

《辽金的佛教政策及其社会影响》,《佛学研究》第五辑,中国佛教文化研究所,1996年。

《金代的一桩文字狱——宇文虚中案发覆》,《庆祝邓广铭教授九十华诞论文集》,河北教育出版社,1997年。收入《北京大学百年国学文粹·史学卷》,北京大学出版社,1998年。

《十二世纪中叶中国北方人口的南迁》,《原学》第6辑,中国广播电视出版社,1998年。

《〈三朝北盟会编〉研究》(与邓广铭合著),《文献》1998年第1期。

《独断之学　考索之功——关于邓广铭先生》,《中华读书报》1998年1月21日第6版。

《最后的时光》,《北京日报》1998年6月4日第7版。

《关于契丹、党项与女真遗裔问题》,《大陆杂志》(台北)96卷6期,1998年6月15日。

《说"汉人"——辽金时代民族融合的一个侧面》,《民族研究》1998年第6期。

《关于金朝开国史的真实性质疑》,《历史研究》1998年第

6 期。

《大师的风姿——邓广铭先生与他的宋史研究》,《文史知识》1998 年第 12 期。

《不仅是为了纪念》,《读书》1999 年第 3 期。收入《仰止集——纪念邓广铭先生》,河北教育出版社,1999 年。

《内蒙古敖汉旗出土的金代契丹小字墓志残石考释》,《考古》1999 年第 5 期。

《试论辽朝的民族政策》,《辽金史论》,辽宁大学出版社,1999 年。

《邓广铭与二十世纪的宋代史学》,《历史研究》1999 年第 5 期。收入《邓广铭治史丛稿》,北京大学出版社,2010 年。

《金代捺钵研究(上)》,《文史》总第 49 辑,1999 年 12 月。

《金代捺钵研究(下)》,《文史》总第 50 辑,2000 年 7 月。

《一代宗师——邓广铭先生的学术风范与学术品格》,《学林往事》下册,朝华出版社,2000 年。

《女真的汉化道路与大金帝国的覆亡》,《国学研究》第 7 卷,2000 年 7 月。

《河北境内的古地道遗迹与宋辽金时代的战事》,《大陆杂志》(台北)101 卷 1 期,2000 年 7 月 15 日。

《辽朝的头下制度与头下军州》,《中国史研究》2000 年第 3 期。

《〈金朝军制〉平议——兼评王曾瑜先生的辽金史研究》,《历史研究》2000 年第 6 期。收入《历史研究五十年论文选(书评)》,《历史研究》编辑部编,社会科学文献出版社,2005 年。

《辽朝亡国之后的契丹遗民》,《燕京学报》新 10 期,2001 年 5 月。

《辽朝国号考释》,《历史研究》2001年第6期。

《辽朝"横帐"考——兼论契丹部族制度》,《北大史学》第8辑,北京大学出版社,2001年12月。

《二十世纪契丹语言文字研究论著目录》,《汉学研究通讯》(台北)21卷2期(总第82期),2002年5月。

《二十世纪女真语言文字研究论著目录》,《汉学研究通讯》(台北)21卷3期(总第83期),2002年8月。

《女真语言文字资料总目提要》,《文献》2002年第3期。

《李锡厚〈临潢集〉评介》,《中国史研究动态》2002年第7期。

《契丹族的历史记忆——以"青牛白马"说为中心》,《漆侠先生纪念文集》,河北大学出版社,2002年。

《文化的边界——两宋与辽金之间的书禁及书籍流通》,《中国史学》(东京)第12卷,2002年10月。收入《10—13世纪中国文化的碰撞与融合》,上海人民出版社,2006年。

《书生本色》,《中华读书报》2002年12月11日第5版。收入《载物集——周一良先生的学术与人生》,清华大学出版社,2003年。

《第三只眼睛看中国历史——评〈剑桥中国辽西夏金元史〉》,中国艺术研究院中国文化研究所《中国文化》第19、20期合刊,2002年12月。

《辽代的渤海遗民——以东丹国和定安国为中心》,《文史》2003年第1辑。

《宋代宗教的世俗化与平民化》,《中国史研究》2003年第2期。

《近20年出土契丹大小字石刻综录》,《文献》2003年第3期。

《正视陈寅恪》,《读书》2004 年第 2 期。

《德运之争与辽金王朝的正统性问题》,《中国社会科学》2004
年第 2 期。收入北京大学中国古代史研究中心编《未名中国史》
下册,北京大学出版社,2009 年;范金民等编著《中国古代史研究
导引》,南京大学出版社,2011 年。

《从〈辽史·国语解〉到〈钦定辽史语解〉——契丹语言资料
的源流》,《欧亚学刊》第 4 辑,中华书局,2004 年 6 月。

《再论阻卜与鞑靼》,《历史研究》2005 年第 2 期。收入北京
大学中国古代史研究中心编《未名中国史》下册,北京大学出版
社,2009 年。

《金代"使司"银铤考释》,《中国历史文物》2005 年第 2 期。

《契丹名、字初释——文化人类学视野下的父子连名制》(与
康鹏合著),《文史》2005 年第 3 辑。

《正统论下的五代史观》,《唐研究》第 11 卷,北京大学出版
社,2005 年 12 月。收入北京大学中国古代史研究中心编《未名中
国史》下册,北京大学出版社,2009 年。

《邓广铭——宋代史学的一代宗师》,郭建荣、杨慕学主编《北
大的学子们》,中国经济出版社,2006 年。

《「辽史」国語解から「欽定遼史語解」まで——契丹言語資
料の源流》,井上德子译,《研究論集》第 2 集《アジアの歴史と近
代》,河合文化教育研究所,2006 年 6 月。

《辽〈耶律元宁墓志铭〉考释》,《考古》2006 年第 1 期。

《"五德终始"说之终结——兼论宋代以降传统政治文化的嬗
变》,《中国社会科学》2006 年第 2 期。收入北京大学中国古代史
研究中心编《未名中国史》下册,北京大学出版社,2009 年。

《"乣邻王"与"阿保谨"——契丹小字〈耶律仁先墓志〉二

题》,《文史》2006 年第 4 辑。

《宋代使臣语录考》,《10—13 世纪中国文化的碰撞与融合》,上海人民出版社,2006 年。

《百年邓恭三》,《中国教育报》2007 年 3 月 16 日第 4 版。

《怀念恩师邓广铭先生》,《中华读书报》2007 年 4 月 11 日第 20 版。收入丁东主编《先生之风》,中国工人出版社,2010 年。

《契丹名、字研究——文化人類学の視点からみた父子連名制》,饭山知保译,日本唐代史研究会《唐代史研究》第 10 号,2007 年 8 月。

"The end of the Five Virtues theory：Changes of traditional political culture in China since the Song Dynasty", *Frontiers of History in China*, vol. 2, no. 4 (October 2007).

《再谈"东丹国"国号问题》,《中国史研究》2008 年第 1 期。

《金中都"永安"考》,《历史研究》2008 年第 1 期。

《〈契丹地理之图〉考略》,《邓广铭教授百年诞辰纪念论文集》,中华书局,2008 年。

《「五徳終始」説の終結——兼ねて宋代以降における伝統的政治文化の変遷を論じる》,小林隆道译,《宋代史研究会研究報告第 9 集:「宋代中国」の相対化》,(东京)汲古書院,2009 年 7 月。

《契丹开国年代问题:立足于史源学的考察》,《中华文史论丛》2009 年第 4 期。

《穷尽·旁通·预流:辽金史研究的困厄与出路》,《历史研究》2009 年第 6 期。

《关于契丹小字〈耶律糺里墓志铭〉的若干问题》,《北大史学》第 14 辑,北京大学出版社,2009 年 12 月。

《祖宗之法：再论宋太祖誓约及誓碑》，《文史》2010 年第3 辑。

《再论契丹人的父子连名制——以近年出土的契丹大小字石刻为中心》，《清华元史》第 1 辑，商务印书馆，2011 年。

《邓广铭先生学术简述》，《国学新视野》2011 年冬季号，2011年 12 月。

《契丹人殉制研究——兼论辽金元"烧饭"之俗》，《文史》2012 年第 2 辑。

《宋、金治河文献钩沉——〈河防通议〉初探》，《舆地、考古与史学新说——李孝聪教授荣休纪念论文集》，中华书局，2012 年。

《在历史的夹缝中：五代北宋时期的"契丹直"》，《中华文史论丛》2012 年第 4 辑。

《邓广铭先生与辽金史研究》，《想念邓广铭》，新世界出版社，2012 年。

《金朝初叶的国都问题——从部族体制向帝制王朝转型中的特殊政治生态》，《中国社会科学》2013 年第 3 期。

《南北朝的历史遗产与隋唐时代的正统论》，《文史》2013 年第 2 辑。

《金世宗名字考略》，《北大史学》第 18 辑，北京大学出版社，2013 年。

《太平天国史观的历史语境解构——兼论国民党与洪杨、曾胡之间的复杂纠葛》，《近代史研究》2014 年第 2 期。

《"桦叶〈四书〉"故事考辨》，《田余庆先生九十华诞颂寿论文集》，中华书局，2014 年。

《元明革命的民族主义想象》，《中国史研究》2014 年第 3 期。

《〈四库全书初次进呈存目〉再探——兼谈〈四库全书总目〉

的早期编纂史》,《中华文史论丛》2014 年第 3 期。

《四库提要源流管窥——以陈思〈小字录〉为例》,《文献》
2014 年第 5 期。

《天津图书馆藏〈四库全书总目〉残稿研究》,《文史》2014 年
第 4 辑。收入《正统与华夷:中国传统政治文化研究》,改名为《关
于天津图书馆藏〈四库全书总目〉残稿的若干问题》,中华书局,
2017 年。

《中华书局点校本〈辽史〉修订前言》,《唐宋历史评论》创刊
号,社会科学文献出版社,2015 年。

重版后记

这是先师刘浦江教授的第一部论文集。

书中所收二十篇论文,代表了刘师在辽金史研究领域取得的第一阶段成果。这些研究的共同旨趣在于,抓住辽金历史、文献方面的基本问题,钩沉索隐,启疑发覆,从中亦可窥见先生早年由文献入史学的学术取径与探索历程。

本书于 1999 年由辽宁大学出版社初次付梓,迄今已逾二十载。此次再版,除校正讹误并据当今学术规范增补注释外,其余内容一无更动。主要校核工作由先生众弟子负责,中央民族大学历史文化学院凡秋莉、唐倩若、刘春艳、刘应莎、杨驿亦承担了大部分校对事务,付出颇多辛劳。

本书得以再版,实赖诸多善缘:北京大学中国古代史研究中心及中华书局的慷慨襄助,初版责编刘雪枫先生、辽宁大学出版社贾海英女士的协调通融,师母张文女士的鼎力支持,责编葛洪春先生的细致工作。谨此致以衷心的感谢!

"垦荒自有垦荒者的艰辛",时至今日,重读刘师《自序》,仍会被深深感动。作为后来人,惟有在辽金史领域不断深耕细作,方不负先生当年的那份寂寞、真诚与劬劳尽瘁。

受业弟子共书

2019 年 5 月 27 日